ЕЛЕНА
МИХАЛКОВА

Детективы
Елены Михалковой:

ЕЛЕНА МИХАЛКОВА

Черный пудель, рыжий кот, или Свадьба с препятствиями

Издательство АСТ
Москва

УДК 821.161.1-312.4
ББК 84 (2Рос=Рус)6-44
М69

Дизайн обложки — *Андрей Ферез*

Михалкова, Елена Ивановна.

М69   Черный пудель, рыжий кот, или Свадьба с препятствиями / Елена Михалкова. — Москва: Издательство АСТ, 2016. — 352 с. — (Новый настоящий детектив Елены Михалковой).

ISBN 978-5-17-094023-3

Отправляясь на свадьбу в крошечный провинциальный городок, Макар Илюшин и Сергей Бабкин даже не могли представить, что окажутся прямо в миниатюре Хармса. И не наблюдателями, а активными действующими лицами настоящего театра абсурда! Вихрь событий тащит их за собой, подсовывая то ехидную старушку, то толстого рыжего кота, то боксера с нежным сердцем... Попробуй-ка устоять, удержаться и понять — а кто же все-таки убийца? Как назло, головоломка не сходится. Что ж, придется частным сыщикам всерьез браться за дело. И помнить, что, если тебя окружают милые и симпатичные люди, надо поскорее выяснить, с какой целью они вас окружили. Будет страшно? Смешно? Страшно смешно?

УДК 821.161.1-312.4
ББК 84 (2Рос=Рус)6-44

Глава 1

1

—**Я** убью кого-нибудь из них. Честное слово, убью!

Галя схватила сигарету и вхолостую чиркнула зажигалкой.

— Лопатой садовой, — предложила Саша.

Подруга судорожно пыталась закурить.

— Может и лопатой!

— Или граблями.

— Инвентаря там — на три бригады землепашцев! Тяпки всякие, лейки, секаторы... О! Секатором!

Галина чиркнула еще дважды — и швырнула барахлящую зажигалку в стену.

— Они меня доведут! Мне уже омлет в горло не лезет!

На тарелке перед ней действительно остывал омлет. Но возможно, флегматично подумала Саша, причина заключалась в том, что Галка сыпанула в него соды вместо соли.

Что, впрочем, тоже неплохо характеризовало ее состояние.

Исаева резко взмахнула ладонью и задела абажур. Тени панически заметались по стенам, жалобно скрипнул провод.

— Чёрт! Чёрт!

— Галь, хватит себя накручивать. — Саша Стриж выпрямилась и остановила маятник раскачивающейся кухонной лампы. — Они хорошие люди...

Если бы сарказмом можно было поджигать, в руках Галины Исаевой истлела бы не только сигарета, но и вся пачка. Да и омлет бы уже полыхал.

— Меня окружали хорошие люди, медленно сжимая кольцо! — процитировала она.

— Сама залезла в это кольцо.

Галя сникла. Нечего спорить: Стриж права, с какой стороны ни погляди. Залезла, как толстуха в хулахуп. И там застряла.

— Сожрут они меня с потрохами, — тоскливо пробормотала она. — В печку на лопате сунут и заслонкой закроют. Как еще изводили добрых молодцев?

— В баньке парили, — машинально сказала Саша, осматривая ящик в поисках коробка. Где-то он ей попадался... А, вот!

— Пройденный этап. Банька уже была. С сугробом.

— Ты ныряла в сугроб?

Саша кинула коробок, Галка ловко поймала.

— Не ныряла, а нырнула. Один раз. И потом торчала бледными ногами из сугроба, как вареная курица из супа, пока меня не вытащили.

Она чиркнула спичкой об коробок и сломала спичку. Пылающая серная головка упала на скатерть.

«Ну, началось...» — поздравила себя Саша.

Вещи, оказавшись в руках ее подруги, принимались вести себя агрессивно. Чайник судорожно пыхал паром, как престарелый обиженный дракон. Сковородка сбрасывала ручку в ту самую секунду, когда ее вытаскивали с яблочным пирогом из духовки. Шкафы роняли полки, предпочитая стеклянные.

Однажды в юности Саша с Галей забежали в подъезд, и на трех этажах одна за другой приветственно взорвались лампочки. Прошли по первому этажу: дзыньк! Сунулись на второй: бамц! Допрыгали до третьего: хрясь! И везде осколки — только успевай закрывать голову.

Когда Саша добралась до своего четвертого, у нее по загривку бегали мурашки размером с клопа. Она предчувствовала самый большой «хлобысь» в своей жизни. Но на четвертом лампочки попросту не было: выкрутили. Она до сих пор полагала, что неизвестный воришка уберег их от локального катаклизма.

— Можешь представить, как ликовала эта морда? — мрачно спросила Исаева. — Как школьница, на глазах которой директор выпал из окна.

Саша мысленно перебрала семейство Сысоевых, пытаясь сообразить, о ком идет речь. Образ парящего за окном директора в костюме и съехавших на нос очках мешал сосредоточиться.

— Стриж, спасай! — Галка молитвенно сложила ладони. — Поезжай со мной!

— Забудь, — коротко отказалась Саша.

— Всего три дня!

— Какая там от меня может быть помощь! Труп закопать?

— Моральная! Сашка, я одна среди них озверею. Они в меня пиками будут тыкать. Как матадоры в быка!

— Ты не одна, — напомнила Саша. — У тебя Олег.

— Мужчины в таких делах понимают не больше, чем медуза в коньяке!

Летящий директор в Сашином воображении сменился крепко выпивающей медузой. Галка еще раз чиркнула спичкой (на этот раз отлетела стенка коробка) и криво усмехнулась:

— Он до сих пор уверен, что для его сестры я чистейшей прелести чистейший образец.

— А на самом деле? — осторожно спросила Саша.

Галя хрипло засмеялась.

— Она мне ледоруб в лоб засадит — глазом не моргнет.

К директору и медузе прибавилась Галка в таком виде, что Саша содрогнулась и поспешно отогнала скверное видение.

Исаевой наконец-то удалось прикурить, и она глубоко затянулась. Острое ее лицо немного расслабилось.

Они дружили с института, Саша Стриженова по прозвищу Стриж и Галина Исаева, которую все звали Галкой. Стриж и Галка, птичий базар, как подшучивали однокурсники. На третьем курсе Галка решила, что медицина — не ее призвание, бросила постылые галеры и пустилась в свободное плавание. На несколько лет Саша потеряла ее из виду.

За Исаеву она не беспокоилась. Галя никак не должна была пропасть. Еще в институте недоброжелатели прозвали ее бульдогом, намекая на исаевскую энергичность и хватку, а также храбро выпяченную нижнюю челюсть. Легче было отобрать антилопу у долго постившегося крокодила, чем то, во что вцеплялась Галина.

Она была работоголик, сквернослов и «девка буйная», как говорила о ней гардеробщица в институте. Девка буйная в ответ на ходу огрызалась и мчалась дальше по жизни, раздражая врагов неуемной энергией. От Галки можно было запитывать лампочки и прикуривать двигатели.

Взбалмошность удивительным образом уживалась в ней с практической сметкой: начав работать, Галя за два года накопила первый взнос и купила в ипотеку квартиру. Жилище это, двухкомнатная хрущевка на Соколе, составляло предмет ее огромной гордости. Транжира Исаева перешла на хлеб и гречку, задушила в себе сибарита и на пять лет превратилась в аскета со сверкающим от голода взором. Но по истечении этого срока полностью расплатилась с банком.

В жизнь Саши Стриженовой подруга вновь ворвалась, размахивая фатой.

«Замуж выхожу!»

Надо сказать, в свою квартиру Исаева регулярно приводила брошенных собак, помоечных кошек и прочих четвероногих бедолаг, обиженных судьбой. Бесприютная эта дрань отъедалась на исаевских харчах, залечивала лапы, глаза и уши, после чего пристраивалась в хорошие руки.

Галя Исаева до слез жалела убогих зверушек.

Только этим Саша могла объяснить ее скоропалительное замужество.

Муж был их бывший однокурсник, тоже выкинутый за борт на третьем курсе: плюгавенький длинноносый и косоглазый юноша невообразимо унылого вида. Ослик Иа-Иа рядом с ним показался бы агентом по продаже оптимизма и безудержной радости.

Ни к какой продуктивной деятельности муж не был способен. Основная функция его, как у персидского кота, заключалась в том, чтобы выразительно раскинуться на диване и лежать целый день, иногда снисходя до обеда.

Поначалу Саша надеялась, что Галя пойдет по накатанному пути, то есть изведет у подобранца блох, приучит к лотку, а затем пристроит в хорошие руки. Но время шло, и стало ясно, что муж прочно обосновался в квартире. «Я по натуре созерцатель», — говорил о себе Арсений. «Ты по натуре кадавр», — хотелось ответить Саше, но она сдерживалась.

Аппетит у Сенечки был отменный. Приготовленную Галкой четырехлитровую кастрюлю борща он съедал за двадцать минут, равномерно взмахивая ложкой как лопатой и закапываясь по уши в свекольно-мясную гущу. Саше иногда хотелось приподнять Сенечку и посмотреть, не торчит ли из него шланг, по которому потребляемый продукт утекает в неведомые дали. Невозможно было поверить, чтобы в одном субтильном человечке помещались такие объемы!

Жену Сенечка жалел. Приговаривал: «Бестолочь ты моя неприкаянная. Пропадешь ведь без меня». Поскольку с работой у Арсения не складывалось, он взял на себя домашние хлопоты, и, надо отдать ему должное, очень старался сделать жене приятное. Например, варил ей кофе. Протирал статуэтку лошади, подаренную Галине его мамой (Исаева подозревала, что подарок был с толстым намеком). Частенько переставлял в шкафу книги.

Галя пахала как упомянутая лошадь и, придя домой, валилась с копыт. Ее встречали чистый голодный Сенечка, натертая до блеска статуэтка и чашечка ароматного напитка.

Однажды в их квартире из унитаза забил гейзер, и содержимое канализации потекло по квартире. Вернувшаяся с работы Исаева обнаружила мужа испуганно ютящимся на табуретке. Напротив него высилась статуэтка лошади — без единой пылинки. «Галочка! — обрадованно вскричал Сенечка, узрев в дверях жену. — А я тебя ждал!»

Исаева приняла решение о разводе так же стремительно, как о браке, и выставила супруга вместе со статуэткой. Сеня цеплялся за косяки и уверял Галину, что она без него пропадет.

....

— ...Сашка, мне свидетель нужен!

Саша вздрогнула, вырванная из плена воспоминаний. Свидетель? Свидетель *чего*?

— Свидетельница, — поправилась Галя. — Роспись же. В загсе.

— Понесло тебя в шавловский загс...

— Мы договорились, что зарегистрируемся и сразу уедем. Олега семья уломала, черт бы их побрал. Если бы не они, расписались бы тихо в Москве, в рабочем порядке. Но у них же родственники!

Последнее слово Галина произнесла со сложной интонацией. Обычно подобный тон используют матери, запрещая своим отпрыскам притаскивать помоечного котенка домой с мотивировкой «у него же глисты».

— Родственники?

— Ну да. И соседи. И плотник с женой. И все, от соседей до плотника, непременно должны наблюдать, как Олег наденет мне на палец обручальное кольцо. Иначе это неуважение к общественности и плевок в душу. Понимаешь?

— Нет, — честно призналась Саша.

— Вот и я не понимаю. Но у них так положено.

Саша хотела было предложить Исаевой оставить незнакомого ей Олега вместе с его родственниками, плотником и *«положено»*. Но взглянула на подругу и отбросила эту безнадежную затею.

— Сашка, не бросай меня, — проникновенно сказала Галка. — Три дня! Десятого семейная вечеринка, двенадцатого роспись — и все! Я не имею права сорваться. А они будут меня выводить из себя! О-о, как они будут выводить меня из себя! — Галина обхватила голову руками. — Там три бабы, и каждая спихнула бы меня с моста, если б только я сдуру села на перила. Это люди, к которым можно поворачиваться только задницей. В спину толкнут, в лицо плюнут.

— Брось! Какой от меня прок?!

— У тебя мозги!

— Не может быть, — усомнилась Саша.

— Золотые! И ведро!

— Ведер не держим, — открестилась Стриж.

— Метафорическое, Стриж! С ледяной водой. Поливать мою голову и напоминать, что поставлено на кон!

Галя легонько постучалась лбом об скатерть и осталась лежать, зажмурившись. В кухне повисло молчание, пропахшее несоленым омлетом и сигаретным дымом.

— Галь, а Галь... — позвала Саша.

— М-м?

— Он хоть того стоит?

Галка приподняла голову и улыбнулась. Если бы крокодил выпустил антилопу, повязал ей бантик и покровительственно похлопал по заднице, это не произвело бы на Сашу такого впечатления. Так могла бы улыбаться Ассоль, навстречу которой летел корабль с парусами цвета зари. Или Золушка, перед которой измученный и счастливый принц опустился на колени со второй туфелькой.

«О, господи. Влюбилась, дурында».

— Друга хоть можно с собой взять? — обреченно спросила Саша.

2

—Ты подкаблучник, — сурово сказал Бабкин.

Частный сыщик Макар Илюшин радостно захохотал и повалился на диван.

— Что ты ржешь? — рассердился Сергей. — Налицо деградация твоей гениальной личности. Завтра ты тащишься с ней в эту дыру, а послезавтра решишь бросить дела и осесть в деревне.

— Растить капусту, — непонятно сказал Макар, ухмыляясь во весь рот. — Кстати, почему «ты»?

— Что?

— Почему ты говоришь «завтра ты тащишься с ней»? Мы тащимся, напоминаю.

Бабкин осуждающе шмыгнул.

— А отчего ты вдруг решил составить мне компанию, я что-то подзабыл, — невиннейшим тоном осведомился Илюшин. И поскольку Сергей, насупившись, хранил молчание, щелкнул пальцами: — Ах да! Тебя жена попросила! И ты как суровый мужик, глава семьи и просто человек, чье слово всегда является законом для домашних, взял и согласился. Ха-ха! Ха-ха-ха!

Смотреть на издевательски хохочущего Илюшина было выше Сергеевых сил, поэтому он ушел на кухню и осушил там терапевтическую бутылку ледяного пива.

В Шавлов поначалу ехать не хотелось. Но когда одна страстно влюбленная женщина дергает за ниточку, все мироздание начинает танцевать под ее дудку. А уж когда две страстно влюбленных женщины делают это, спасения от их шаманства не найти даже в Марианской впадине.

С Сашей Стриженовой Илюшин познакомился во время расследования последнего дела. Маша, жена Бабкина, отправилась на встречу с бывшими одноклассницами, среди которых была и Стриженова. На этой встрече убили человека. Подозревали в преступлении именно Машу, поэтому сыщикам пришлось вмешаться в официальное расследование.

Илюшин внес в версию следователя кое-какие коррективы, и два дня спустя убийцу нашли. А сам Макар нашел Сашу Стриженову.

Илюшин не придавал женщинам в своей жизни большого значения. Из подобных людей выходят отпетые бабники или стойкие анахореты. Макар не стал ни тем, ни другим. Он легко заводил необременительные связи и так же запросто обрывал их. Заботливый и внимательный ко всем своим подругам, он вводил их этой заботой в заблуждение: им мнилось, что под обычной галантностью скрывается что-то более глубокое.

«Бессердечный ты тип», — говорил Бабкин Макару после крушения очередной любовной лодки. Маша однажды назвала его Питером Пэном, вечным юнцом, бегущим от взросления.

«Черт его знает, — размышлял Бабкин, — что-то в этом есть. И выглядит пацаном, и ведет себя как дурак».

Но тут появилась Саша Стриженова, женщина с мальчишеской стрижкой и тревожными глазами. Даже Бабкин, глядя на нее, чувствовал в себе смутный призыв схватиться за фотоаппарат и запечатлеть... увековечить... поймать, вот что! Поймать эту дивную, хрупкую красоту и сберечь, как... Что там веками сохраняется в янтаре?

«Муха, допустим», — с сомнением думал Бабкин, ощущая, что сравнение не из тех, которые стоит произносить вслух.

Последние два месяца Макар совсем ему не нравился. Сергей взирал на напарника с внимательностью опытного доктора и отмечал пугающие признаки. Пациент смеялся невпопад, периодически приставал к его жене со всякими глупостями вроде того, на какой спектакль лучше пойти, а однажды был пойман за изучением сайта питомника британских котят. Котят, Макар!

И вот пожалуйста: подруга Стриженовой взывает о помощи, и Илюшин, словно героический человек-паук, уже мчится в заволжский Шавлов.

А вместе с ним тащится и сам Бабкин.

— Ты удочки собрал? — крикнул из комнаты Илюшин.

Об удочках он беспокоится, надо же.

— Собрал, собрал.

Накануне Саша Стриж отправилась прямиком к Маше и попросила отпустить Бабкина за компанию с Илюшиным. Женский заговор вскрылся слишком поздно — Сергея обложили со всех сторон.

«Поехали, дружище! — сказал Макар. — Там рыбалка отменная».

«Стерляди привезешь, — размечталась Маша. — Осетров!»

Ну что с ними делать?

Бабкин ворчал, но понемногу скептицизм уступал место приятным ожиданиям. «Раки... Купаться буду, пока перепонки между пальцев не вырастут». Он уже предвкушал, как проводит эти три дня, предоставленный самому себе. Макар с Сашей отбывают повинность на семейных посиделках. А ему достается счастливый билет: блаженное одиночество — чем короче, тем блаженней. Подруга Стрижа пообещала, что в его распоряжении целый дом, покинутый хозяином до осени.

Босиком, босиком по нагревшимся скрипучим половицам. Девахи за палисадником хохочут звонко. На мосту бабки воблой торгуют и мошкару гоняют. «Метеоры» белые снуют...

Бабкин удовлетворенно потер руки. Вся эта затея на глазах обретала черты настоящего подарка.

Три тихих, расслабленных дня в самом начале лета — о чем еще можно мечтать!

3

—**Ш**ею бы свернуть этой суке, — низким голосом сообщила Рита. — Вот моя голубая мечта.

— Рита!

— Кого она с собой тащит?

— Подругу какую-то, — призналась мать.

Черные глаза Риты Сысоевой блеснули недобрым светом.

— С мужем, — добавила Нина не совсем уверенно.

Рита выругалась в адрес неизвестного мужа так, что мать вспыхнула.

— Язык-то попридержи!

Девушка ожесточенно застучала ножом по разделочной доске. Ошметки вареного яйца полетели во все стороны.

— Чай, не башку ей рубишь, — вполголоса заметила Нина. — Аккуратнее давай.

Обе женщины замолчали. Ритка взялась чистить яблоки для пирога и тут запоздало сообразила, что мать ничего не говорит просто так. Нет, болтать Нина любила, и для постороннего человека ее стрекот зачастую был лишен смысла. Но свои хорошо знали, что к матери стоит прислушиваться очень внимательно.

«Аккуратнее давай».

Еще пять минут прошло в тишине, нарушаемой лишь постукиванием ножей. Рита обдумывала материнский наказ, и постепенно в голове ее зрел план.

Когда он приобрел явственные очертания, девушка отложила нож в сторону.

— Мам, а мам!

— Чего?

— Тетя Клава ведь не приедет?

— В больнице она, с переломом ноги, — недовольно сказала Нина. Ее сестра Клавдия, бой-баба с бешеным нравом, считалась тяжелой артиллерией в предстоящем сражении. «Додумалась тоже — конечности летом ломать! — ругалась про себя старшая Сысоева. — Ни на кого положиться нельзя».

— Можно я тогда Криську приглашу?

Нина уставилась круглыми птичьими глазами на дочь:

— Курятину, что ли?

— Мне скучно без нее будет! — вдохновенно соврала Рита. — А она веселая.

— Для веселья у нас Елизавета Архиповна приедет, — мрачно возразила Нина. — Ухихикаешься.

— Баба Лиза? — ахнули от дверей.

Мать и дочь обернулись.

Григорий, брат Нины, застыл в дверях с выражением ужаса на опухшем лице.

— Дядь Гриш, ты чего?

Григорий встряхнулся. Твердым шагом прошел к холодильнику, достал запотевшую бутылку.

— Отметим, дамы!

— С утра начинаешь? — вознегодовала Нина.

Хрустальная стопка победоносно сверкнула в солнечном луче.

— В рамках борьбы с несовершенством этого мира, — осадил ее брат, закусывая петрушкой. — Зачем старуху позвала?

— Не звала я, сама она напросилась. Скучно ей.

Григорий некоторое время без выражения смотрел на сестру, а затем, ни слова не говоря, налил вторую порцию.

— Гриша!

Но было поздно. Со словами «за влюбленных» тот опрокинул стопку и жадно прижал к носу пучок укропа.

— Ну, Григорий...

В обширном семействе Нины годами царил матриархат. Все жизненно важные решения принимались многочисленными елизаветами, тетьтанями и клавдиями. На откуп мужчинам отдавались мировая политика и футбол.

Тридцать лет назад юная Нина Лобанова, прогуливаясь по вокзалу, заметила у киоска с прессой тощенького ушастого лейтенанта и немедленно забрила его в мужья. Родня удивлялась и крутила пальцем у виска. Но в голове Нины зрели амбициозные планы. В мечтах видела она, как ее раздобревшему лейтенанту нашивают генеральские погоны, как чеканит он шаг в новеньком мундире, а сама она выступает рядом генеральшей в норковом манто.

Отчего-то именно манто ярче всего сияло перед Ниной, и манило, и нашептывало нежные глупости.

Однако в спонтанно родившемся плане таилась червоточина. Зловредного червяка воплощал сам без пяти минут генерал, Петр Сысоев, для домашних — Петруша.

Петруша был человеком смирным, покладистым и лишенным инициативной жилки в той же степени, насколько лишена ее тля, безропотно позволяющая доить себя муравьям. Вершины устремлений у лейтенанта Сысоева попросту не было: его желания представляли собой ровное плато. «Быть сытым и в тепле — что еще нужно человеку? — рассуждал Петруша. — Ну еще чтоб жена добрая и детки».

Нина попыталась укоренить в муже стремление к лучшей жизни. С тем же успехом можно было прививать ветку сакуры к арбузу. Тогда Нина сама выступила в роли главнокомандующего и отдала Петру приказ стремиться ввысь. Сысоев с тоской посмотрел в небеса и зажмурился. Нина раздала родне духовые инструменты и закатила скандал с увертюрой и ораторией. Сысоев упал на спину и притворился дохлым.

Нина испробовала все. Но стало ясно, что рожденный ползать ни летать, ни бежать, ни кувыркаться не станет.

Нина надеялась, что ее Петр — камень. А оказалось, что в кулаке у нее зажата горсть щебенки.

К чести Лобановой следует сказать, что она могла задушить мужа мутоновой шубой, так и не переродившейся в норковое манто, однако не сделала этого. Когда их семейную лодку после всех водопадов вынесло в спокойное русло, роли распределились так: на носу сидела Нина, указывала, куда грести, и сама же махала веслами. А Петруша лежал в лодке, улыбаясь, и целиком полагался на волю провидения и жены (причем жене доверял больше).

Расстановка эта имела для семейства Лобановых неожиданные последствия. Брат Нины Гриша внезапно начал крепко выпивать. Родственницы пытались излечить его от пагубного пристрастия, но Лобанов-младший был непоколебим. «Я на Петьку посмотрел, — отвечал он на все увещевания, — и осознал, что жизнь моя была полна ложных ценностей. Идите к черту, бабьё!»

Получив твердый отпор от мужского представителя своего клана, женщины растерялись. «Хочу пить — и пью! — орал Григорий. — Обретаю свободу!»

С алкоголизмом сталкивались и прежде. Но впервые он был возведен в ранг политической программы.

«Пить или не пить? — провозглашал Григорий. — Что за вопрос!»

И пил.

Его даже стали уважать. Он сломал невидимую ограду. Вырвался из сыромятных пут женского владычества. Удрал с пастбища в дикие прерии. До него подобное удалось лишь деду Пахому, впавшему к старости в маразм. На эту территорию женщинам прохода не было.

— Значит, Елизавета явится! — Григорий нервно хохотнул. — Веселый семейный вечерок намечается! *Этих-то* сколько будет?

— Трое, — сухо ответила Нина.

— Первая — невестушка. А остальные? Папаша с маменькой?

— Родители у нее за границей. Подругу везет с мужем.

Григорий подкрутил ус и крякнул.

— Мужа — это она зря. Муж нам тут не нужен. Мы и сами справимся. Верно, бабоньки мои?

«Бабоньки» переглянулись. Очень уж странный тон был у Григория.

— С чем справимся, дядь Гриш? — осторожно спросила Рита.

— Ну как же... Встретить дорогих гостей, накормить, с родней познакомить.

Нина расслабилась. На какую-то секунду ей показалось, что брат лишь прикидывается ничего не понимающим. Нет, слава богу, и в самом деле не понимает. Мужчины — слепцы!

— Ритк, а Ритк, — позвал Григорий.

— М-м?

— А скажи-ка мне...

— Что, дядя Гриша?

— Ты веревочку уже приготовила?

Рита подняла на него недоумевающие глаза.

— Какую веревочку?

— А задушить эту красотку?

Вот тебе и раз, подумала Нина. Вот тебе и слепец.

Она быстро обернулась к двери — не подслушивает ли кто.

— С ума сошел! Что несешь-то?

— Не задушить? — удивился Григорий. — Топориком тюкнуть?

— Гриша!

— Молчу-молчу! — Он приложил палец к губам и сделал большие глаза. — Могила!

Рита вздрогнула.

— Я — могила! — захохотал ее дядюшка. — А ты что подумала?

Нина отложила разделочный нож и вытерла руки полотенцем. Григорий, почувствовав неладное, мигом подобрался и отступил на шаг.

— Гриш, давай-ка начистоту. Никто из нас этой свадьбе не радуется. И Олежку нам жалко — слов нет! Мы бы ему здесь хорошую девушку нашли. Но раз уж он решил жениться, мы мешать не будем. Правда, Рит?

Взгляд ее настойчиво требовал ответа, и Рита подчинилась.

— Правда, — мрачно ответила она.

— Вот и ладушки, — заворковала Нина Борисовна, из капитана корабля, готового вешать на реях, немедленно превращаясь в милую простушку. — А ты, Гриш, учти: девочка там непростая, московская.

— Стерва! — быстро вставила Рита.

Мать сделала вид, что не услышала.

— Так что в грязь лицом нам ударить нельзя, — продолжала она. — Нас за деревенщину держат. Думают, мы станем на гармошке играть и напиваться как свиньи...

— Что, не станем? — изумился Григорий.

Нина пригвоздила его взглядом к холодильнику.

— Только попробуй. Достаточно с нас Елизаветы. Один черт знает, что она выкинет! Но с Архиповны спрос небольшой, ей восемьдесят семь. Ежели что, соврём, что заговаривается старушка.

Григорий всем лицом выразил сомнение в успехе этой лжи.

— Соврём! — твердо повторила Нина. — А вот с тобой дело хуже. У тебя челюсть вставную не отберешь и на маразм твою ахинею не спишешь.

— Что это сразу ахинею!

— Так что уж будь ласков, веди себя прилично. И жену свою дурой не выставляй.

— Она и без меня справится, — буркнул Григорий.

Нина вздохнула. Что верно, то верно.

Она взглянула на часы. Почти десять утра, а они еще только овощи порезали. За окном собирались облака, и женщина нахмурилась.

— Дождь к вечеру пойдет. Надо бы в саду навес приготовить, Гриш.

— Дома не поместимся?

Нина молча начала загибать пальцы. Их четверо: она, Петя, Ритка и сам Олег. Григорий с женой. Старуха Архиповна.

— Пахома-то подвезут? — подсказал брат.

— Куда без него...

Значит, восемь. И двое мальчишек, правнуки Архиповны, которых ей сбагрили родственники на лето. Ну да они не в счет.

Плюс трое гостей. Одиннадцать.

Нет, не разместиться им в доме.

— Готовь навес, — распорядилась она. — Рит, а ты укрась его. Чтоб никто не смел сказать, что не по-человечески гостей встретили.

Дочь и брат кивнули.

— Так я Кристину приглашаю? — напомнила Рита.

Ах, Кристину!

Нина Борисовна усмехнулась, и была эта улыбка многозначительна, как у Моны Лизы.

— Ну приглашай...

— И Валеру, — поспешно добавила девушка. — Я, собственно, уже...

Григорий поперхнулся огурцом. Мать уронила ложку в салат, и улыбка сползла с ее лица.

Глава 2

1

Это просто семейный ужин, объяснила Галка. Ужин с торжественными речами — и не более. Вот такая у них традиция. Соберется человек десять, от самого старого патриарха до голопузой мелочи, все напьются, станут задавать дурацкие вопросы, а потом хором объявят, что отдают своего Олега в зубастую пасть, то есть, извините, в любящие руки Галины Исаевой.

«А зачем это нужно?» — с любопытством спросил Макар.

Галя тяжело вздохнула.

Традиция, повторила она. Низачем. У них так заведено.

«Кем заведено?» — снова спросил Илюшин.

Саша уже начала подумывать о том, чтобы задвинуть его куда-нибудь в угол подальше. Но неожиданно оказалось, что у Исаевой есть ответ.

А дедом их, Пахомом Федоровичем, сказала она. Это он придумал, чтобы накануне свадьбы семья невесты выпивала вместе с семьей жениха.

— Алкаш? — понимающе кивнул Бабкин.

Таких подробностей Галка не знала. Но с тех самых посиделок и пошла традиция.

— То есть мы едем не на смотрины, — уточнила Саша.

— Смотрины у нас были последние четыре месяца. А это что-то вроде последнего рубежа. Если все пройдет нормально, мы с Олегом будем жить долго и счастливо.

— А если нет? — спросил Макар.

Не успела Саша пнуть его под столиком, как Бабкин пробасил:

— Тогда мало и трагично.

Ну и кого из них пинать?

За окном поезда проносились размазанные перелески, летели вверх-вниз провода. На полке дребезжали удочки.

— Все будет хорошо, — твердо сказала Галя. — Что бы они мне ни говорили, я не сорвусь, ясно? Вы мне не позволите!

Проводница принесла чай с сахаром.

— Галя, почему вы их так не любите? — спросил Макар, хрустя рафинадом.

— Потому что это Шавлов, — сердито сказала Галка. — Не в территориальном смысле, а в человеческом. И все, что не Шавлов, они по умолчанию считают неправильным. Вот, например, еда...

— А что еда? — оживился Бабкин.

— Еда должна быть нажористая! Это у них лучшая похвала блюду. Раз нажористо, значит, вкусно. Столько, сколько они съедают за обедом, я за три дня не слопаю. И все под майонезом! А если ты не ешь, значит, враг народа.

— Это все от бедности идет, — мягко сказал Макар. — Привыкли наедаться простыми и дешевыми продуктами.

Галка вспыхнула.

— А еще если ты с ними не пьешь, то ты их не уважаешь. Пофиг, что у тебя непереносимость алкоголя — пей, раз хочешь влиться в нашу семью! — Она повысила голос. — А еще девушке не надо стричь волосы, если она хочет понравиться парню!

Бабкин покосился на короткие перья, беспорядочно торчащие из Галиной головы. Выкрашенная синим прядь упала на лоб, придавая ей сходство с сердитым дикарем.

— Это у них критерий такой — понравится парню или нет! — чеканила разъяренная Галка. — Плевать, что ты сама об этом думаешь! Начхать, что у тебя даже парня нет! Все равно девушка должна в первую очередь сверять свои поступки с воображаемой мошонкой!

— Галка!

— Что, Стриж? Это правда! Они бестактные, они во все лезут! Спрашивают, когда мы заведем детей. Нет, не детей — деток!

Она передразнила чей-то слащавый голос:

— «А когда же детки?»

— О продолжении рода заботятся, — быстро вставил Сергей.

— Они говорят, что я дура, раз в грязной Москве живу!

— Об экологии думают!

— Считают, что деньги на путешествия выкидывают только кретины! Нормальный человек не будет по миру шарахаться и еще платить за это!

— Певцы родного края!

— И еще они слушают Черемошню! — выложила Галка последний козырь.

— Не слушают, а едят, — поправила Саша. — И не черемошню, а черемшу.

Горький смех был ей ответом.

— Черемошню, Стриж!

— Что это?

— Черемошня — река такая. А еще певица, которая взяла в честь нее псевдоним. Завывает о бабьей доле хриплым голосом. Эдакая задушевность пьянчуг и женщин трудной судьбы. Зал рыдает, размазывает сопли, курит и кается в грехах. А я джаз слушаю, вы понимаете? Джаз!

Галка перевела дыхание.

— Они снобы. Ужасные.

— Кто еще из вас сноб, — усмехнулась Саша.

— Стриж, ты не понимаешь. Есть снобизм богатых — он у всех на слуху, всем очевиден и понятен. Но есть и снобизм бедных. Плохо скрываемое презрение к тем, кто тратит деньги неправильно. Однажды сестра Олега спросила, сколько стоит моя куртка. А я возьми да скажи правду. Ты бы видела ее лицо! Она не назвала меня дурой лишь потому, что рядом стоял Олег. Но потом все-таки не выдержала: я бы, говорит, на эти деньги десять курток купила.

— Ты промолчала, надеюсь? — без всякой надежды спросила Саша.

Галка пожала плечами:

— Я сказала, что это было бы десять дерьмовых курток. А у меня одна, но качественная.

Бабкин скептически крякнул. Теперь стало ясно, зачем невеста на обычный ужин с родственниками жениха подтянула силы моральной поддержки.

— Есть хорошее правило, — сказала Галка. — Не надо рассказывать, сколько ты зарабатываешь, во что веришь и с кем спишь. А они обо всем хотят знать. Считают, что имеют на это полное право! И мне за них замуж выходить, — подытожила она.

Некоторое время ехали молча под перестук колес. Наконец Илюшин озвучил вопрос, который вертелся у всех на языке:

— А как же вы, просите за бестактность, ухитрились выбрать мужа из такой семьи?

Галка вдруг улыбнулась. Саша уже наблюдала этот номер, а вот Макар с Бабкиным выглядели искренне изумленными. Особенно впечатлился Сергей. До улыбки он видел перед собой лишь тощую остроносую девицу с зашкаливающим уровнем тревожности. Джинсы куцые до щиколоток, рваные кеды и сверху растянутая футболка. «Невеста! Ха!» Ногти обгрызены, как у подростка, и нервно курит каждые пять минут. Из разговора с ней Бабкин узнал, что прежде она работала менеджером по продаже сигарет, а потом устроилась в крупное издательство. «Втюхиваю народу писателей, — сообщила ему Галина. — А до этого втюхивала курево. Принципиального отличия никакого, разве что от сигарет вреда меньше».

Как эта энергичная девица решилась выйти за глубокого провинциала? А главное — зачем?

— Он потрясающий! — вздохнула Галка. — Вы его увидите и сами все поймете.

«Ну-ну», — подумал Макар, но вслух ничего не сказал, потому что поймал взгляд Саши.

«Ну-ну», — подумал Бабкин, но промолчал, потому что грыз рафинад.

«О, господи, — подумала Саша. — Вот что мы ввязались?»

2

Что ужин покатится вовсе не по намеченным светским рельсам, стало ясно, едва слово взяла бабушка. Елизавета Архиповна нацепила на нос очки, изучила Галку и обернулась к матери жениха.

— А что, нормальные девки-то все закончились? — сокрушенно проскрипела она.

«Ах ты ж старая ты грымза!» — ахнула Саша.

....

А ведь начиналось хорошо! Хорош был огромный яблоневый сад, на который понемногу опускались сумерки, и безалаберный, но уютный дом с кучей комнат. И собаки брехали вдалеке по-деревенски беззлобно, и чубушник пах изо всех сил, притворяясь жасмином, и над длинным столом, уставленным тарелками, вились почти что свои, домашние мухи. Под ногами гулял пушистый рыжий кот по имени Берендей, деликатно помякивая, когда кто-нибудь задевал его хвост.

Елизавета Архиповна перевела взгляд на внучатого племянника и развила свою мысль:

— Олежка, конечно, даром никому не сдался. Но с мужиками-то сейчас, я слышала, напряженка! Всяких берут. — Она пошамкала губами. — Даже и таких.

Мать Олега поменялась в лице. Рядом с Сашей, откинувшись назад на стуле, беззвучно захохотал Макар.

Он-то сразу предсказал, что их ждет.

Во-первых, одновременно с родителями жениха навстречу Галке, Саше и Илюшину выплыла на крыльцо деваха ослепительной красоты. «Из чего только сделаны девочки», — пелось в детской песне. С девахой все было ясно: ее сотворили из каблуков, бюстгальтера пуш-ап, банановой жвачки и красной помады. Ноги у девахи были такие, что Саша сразу запуталась взглядом в этих загорелых ногах, заблудилась безнадежно и думала, что уже не выберется. Но тут прекрасное видение улыбнулось, и путеводным лучом сверкнули белоснежные зубы.

Рядом с Сашей Галка что-то прошипела.

— Познакомьтесь, мои милые, познакомьтесь! — захлопотала полногрудая женщина в мешковатом желтом платье. — Это Кристина, подруга нашей Риточки.

— И Олега! — грудным голосом сказала Кристина. Протолкнула пузырь жвачки язычком между алых губок, надула его, лопнула и втянула в себя. А затем интимно улыбнулась Илюшину.

Саша Стриженова взяла своими длинными медицинскими пальцами эту дрянь за горло и била головой о ступеньки крыльца до тех пор, пока та не подавилась жвачкой и не умерла.

На самом деле Саша Стриженова улыбнулась в ответ и взяла Макара Илюшина под локоть. Красавица перевела на нее недоуменные глаза и взмахнула ресницами. «Ты кто ваще такая?» — просемафорили ресницы.

Саша размолола ее взглядом в труху.

«Женщина я евойная».

— Здрасьте, — процедила Кристина. Что следовало понимать как вызов и приглашение к боям без правил.

— Здравствуйте! — приветливо отозвалась Стриж. — Рада познакомиться!

В переводе это означало, что любая деревенская сволочь, которая покусится на вот этого сероглазого, будет оттаскана за белокурые волосья и бита лопатой до тех пор, пока не поумнеет и не научится различать свое и чужое.

Макар Илюшин, вокруг которого развернулись кровопролитные баталии длиной в полторы секунды, ничего не заметил.

Во-вторых, хозяйка привела Сашу и Макара в дом знакомиться с патриархом.

— Пахом Федорович, — с гордостью представила она. — Брат моего дедушки. Старшего. Покойный.

В глубине дома что-то хлопнуло, запахло горелым мясом, и полногрудая женщина бросилась прочь из комнаты.

Макар и Саша остались наедине с дедушкой.

Пахом Федорович восседал в инвалидной коляске и строго смотрел перед собой. Восковые руки были сложены на коленях. Синевато-зеленая щетина на подбородке подозрительно смахивала на мох. Морщины выглядели как насечки на заплесневевшем батоне. На вид ему было около трехсот лет.

— Это же чучело! — вполголоса сказал Макар с плохо скрытым восхищением.

— Я сейчас убью тебя, — процедила Саша. — Замолчи немедленно.

— Хозяйка сама сказала: покойный.

— Она имела в виду — старший брат покойного дедушки. Просто оговорилась.

— Ничего подобного. — Макар, к ужасу Саши, присел на корточки перед патриархом. — У нее был старший дедушка. А это его покойный брат.

— Макар!

— Они его вынимают из шкафа по праздникам.

— Макар!

— И пыль метелочкой отряхивают.

— МАКАР!

Он тяжело вздохнул:

— Пахом Федорович, здравствуйте!

Старец не шелохнулся. «Не мигает», — пронеслось в голове у Саши.

— Как ваше здоровье, Пахом Федорович? — продолжал непринужденную беседу Макар. — Мы к вам в гости на свадьбу приехали.

Саша зажмурилась.

Молчание собеседника заткнуть Илюшина не могло.

— Погоды стоят прекрасные, не правда ли, — невозмутимо продолжал он. — Нам очень понравился ваш город.

Илюшин осторожно потряс руку Пахома Федоровича и обернулся к Саше.

— Холодная! — восторженным шепотом сообщил он.

С Саши было достаточно.

— Пошли!

— Мы еще политическую обстановку не обсудили!

Она без лишних слов тряхнула Макара за плечо.

— Невоспитанная ты женщина, — сказал Илюшин, поднимаясь. — Прервала нашу беседу на самом интересном месте.

Саша попятилась к выходу. И тут патриарх ожил.

— Едрить-колотить! — гаркнул он. — В строй, сукины дети!

Саша выскочила в коридор как ошпаренная, а за ней выскочил Макар, сложившийся пополам от хохота.

Из соседней комнаты выплыла крошечная, прямо-таки карманная старушка, вида чрезвычайно чинного и благонравного. Старушка вытащила из кармашка накрахмаленный платок и громогласно высморкалась. Прищуренные голубые глазки обшарили Илюшина и Сашу с ног до головы.

— Всех на дезинфекцию! — вынесла старушка свой вердикт и удалилась.

Вот тут-то Макар и сказал, что будет весело.

3

Дождь так и не собрался. Стол выставили из-под навеса в сад и торжественно расселись вокруг. Навес пестрел искусственными цветами, которые притащила Криська: у нее мать мастерила их с пулеметной скоростью, а потом продавала на венки.

Ох и лицо стало у невесты, когда она увидала этот погребальный цветник. Скукожилась вся, как потасканный ботинок. Рита испытала короткий приступ удовлетворения. Но Галка ничего не сказала, личико расправила и улыбочку нацепила: мол, очень мило.

Так и чесались кулаки врезать ей. Зря, что ли, Рита в секцию бокса ходит третий год! Тренер ее хвалит, а Валерка прямо расцветает весь, когда видит ее в перчатках.

Но как врежешь, когда Олег сидит рядом и таращится на свою Галку влюбленными глазами. Баран несчастный!

У Ритки стиснуло сердце. Брата она обожала. Он ее всему учил: узлы морские вязать, с тарзанкой прыгать, наживку на удочку цеплять, нырять, драться... К родителям она относилась снисходительно, особенно к отцу. Но Олег — Олег был существом высшего порядка. Брат с большой буквы, который всегда заступится, придет на помощь, утешит, поможет.

И вот явилась бессовестная воровка, глянула на ее Олега, захотела себе такого — и увозит с собой в Москву. Вся жизнь рушилась у Ритки, весь привычный уклад катился в тартарары. Она ненавидела Галку даже за то, что в глубине души колыхалось глухое презрение к поглупевшему брату. Чувство это мучило Ритку, она и рада была бы не испытывать его, но не могла, и в этом тоже была виновата приезжая девица.

Дрянь. Бессердечная, насмешливая, богатая, плюющая на них. Олег для нее — экзотическая обезьянка, развлечение на пару лет. Ежу ясно, что не уживутся они вместе.

Рита привыкла к тому, что ее уважают. Сильная, красивая, боксом занимается, да еще и парень — мастер спорта, не бобер начхал. Она лихо гоняла на тонированной «девятке», презирая ограничения скорости, крыла матом зазевавшихся куриц на кредитных «Пежо» и умела заболтать любого гаишника. В своих собственных глазах она была крута.

Как вдруг появляется не молодая и не слишком симпатичная баба в драной футболке. И все Риткины достоинства для нее — пшик.

Она сообщила, что в машинах всегда пристегивается ремнем безопасности. А поскольку ни один ремень в Риткиной машине не был исправен, грымза отправилась пешком, чем оскорбила Риту как водителя.

Она говорила с Олегом о книгах, которые Рита не читала, и о музыке, которую Рита не слушала. Но когда Сысоева принудила себя и осилила Пауло Коэльо, чтобы не ударить в грязь лицом, обсуждения не получилось. Стоило ей заикнуться про «Алхимика», Галка отрезала, что Коэльо — плагиатор.

Как в душу плюнула.

И так на каждом шагу.

Чем ближе к свадьбе, тем чаще Рита думала: хорошо бы, если б Галя Исаева просто взяла — и исчезла. Нет-нет, не умерла. Всего лишь растворилась в окружающем пространстве.

Понемногу эти размышления приобрели более конкретную направленность. Если произойдет что-то из ряда вон выходящее, думала Рита, что заставит Галину отменить свадьбу... Передумать! Ведь случается такое? На каждом шагу! Девушки разрывают помолвки, убегают из-под венца.

Этот ход мысли и привел ее к идее пригласить Кристину.

— Предлагаю тост! — Воспользовавшись паузой, Рита встала. — За старую дружбу, которая не ржавеет!

— Дружба — это единение родственных душ! — с энтузиазмом подтвердила Алевтина, жена дяди Гриши.

— Какие, к лешему, души, — проворчал Григорий. — Кто займет до получки, тот и дружбан.

— Когда это у тебя в последний раз была получка? — подняла Алевтина нарисованные брови.

Нина Борисовна торопливо вмешалась:

— Тост же!

— За дружбу! — подтвердила Рита и выразительно глянула на подругу.

Кристина совершенно непредсказуема. Казалось бы, обговорили все тысячу раз. По репликам отрепетировали. Но стоило появиться новым людям, и все пошло насмарку.

С настроя ее сбил парень, приехавший вместе с подружкой невесты. Вообще-то он был совсем не в Криськином вкусе. Не высокий, не качок, цепь золотую на бычьей шее не покручивает эдак небрежно одним пальцем, ухмылочки кривые не посылает. Да и прикатил не на черном джипе, а на такси. Худощавый, взъерошенный, не особо приметный. Всей красоты — одни глаза: серые, ясные.

Но Кристина заинтересовалась. И вместо того чтобы действовать по плану, принялась очаровывать гостя с обходительностью парового катка.

Однако тут ей ничего не светило. Это Рита сразу поняла, едва рассмотрела подружку Галки. У них в Шавлове таких женщин не водилось. Они появлялись изредка на экране телевизора, говорили на певучих языках и так отчетливо принадлежали *не этому* миру, что воспринимались эфемерными существами. В глубине души Рита подозревала, что они материализуются только для какого-нибудь фильма.

С точки зрения среднего шавловца ничего выдающегося в женщине по имени Саша не было. Средний шавловец любил женщину низкорослую, крепкую, кудрявую, и чтобы спереди и сзади была обильна телом. Лучшим комплиментом считалась «грудастая». Сама Ритка была как раз из таких и среди шавловских юношей неизменно пользовалась успехом.

Но, увидев гостью, она почувствовала себя барабаном рядом с флейтой. На несколько минут ее охватила острая зависть. И плевать, что оркестру именно барабаны и требовались.

Криська, дурочка, синеглазую флейту сбросила со счетов сразу же. Бюст есть? Губы над бюстом растут? Нет? Ну и освободите место, гражданочка. Она вилась вокруг сероглазого парня с дурацким именем Макар, улыбалась многозначительно и ресницами его обмахивала заботливо. Флейта бледнела и, кажется, переживала, хотя Рита не понимала, о чем она волнуется.

Однако услышав кодовое слово «дружба», Кристина вспомнила о долге. Она обернулась к жениху, обожгла взглядом.

— Олежек, а помнишь, как мы с тобой нагишом купались? Пару лет назад? Дураки были!

Подмигнула и тряхнула копной белых русалочьих волос.

— Нагишом? — переспросила Галина.

Кристина выбрала совершенно верную стратегию: она молча улыбнулась.

Саша давно взяла на вооружение: не хочешь отвечать — молча улыбайся. По правде говоря, язык так и чесался что-нибудь брякнуть в ответ. А вот Кристина улыбалась непринужденно и явно не собиралась развивать мысль.

Мяч, таким образом, оказался на стороне Олега Сысоева.

Едва они познакомились, Саша поняла, что ей по душе этот парень. Долговязый, носатый, с застенчивой улыбкой, он был немногословен, но одним своим присутствием вносил в происходящее ноту безмятежности.

Он был сантехником и год назад пришел чинить унитаз к Галкиной подруге, у которой в это время гостила Исаева. Увидел Галю — и пропал: стоял с открытым ртом и вид имел чрезвычайно глупый.

Исаевой было не до повелителя унитазов. Она пыталась передвинуть шкаф, за которым застряла и громко орала хозяйская кошка. Хозяйка ушла на весь день по делам, подлое животное надрывалось все громче, унитаз тек, и Галка чувствовала, что еще немного — и она заплачет. Все, совершенно все было плохо в Шавлове, старая дружба при встрече куда-то исчезла, и остались две чужие друг другу женщины. Надо было уезжать. Галка уже придумала годный повод, собрала вещи, написала извиняющуюся записку — и тут глупая кошка свалилась за книжный шкаф.

Молчаливый парень в клетчатой рубашке попросил ее отойти в сторону. После чего с поразительной легкостью сдвинул шкаф, поднял перепуганную персидскую кошачью женщину и погладил между ушей. Персидская женщина в благодарность за спасение съездила ему по руке растопыренными когтями. «Ах ты дурында», — ласково сказал сантехник.

Больше всего Галку поразила именно его реакция. Все знакомые ей мужчины отвесили бы неблагодарной скотине хорошего пинка. Нелепо стриженный парень в клетчатой рубашке, смешно красневший и боявшийся поднять на нее глаза, осторожно перенес кошку на диван, приговаривая, что теперь-то уж точно все в порядке.

Галка ощутила противоестественное желание тоже забиться за шкаф, чтобы ее вытащили и успокоили. О чем с присущей ей прямотой и сообщила сантехнику.

Тот поднял на нее глаза.

«В-вы не можете за шкафом, — проговорил он, заикаясь. — Вы принцесса. Принцессы за шкафами не прячутся».

Она — принцесса?! Галка посмотрела на себя в зеркало. Там отражалась лошадь тягловая, одна штука.

— У вас очень качественные розовые очки, — сухо сказала она, подозревая издевку.

Парень в клетчатой рубашке молча смотрел на нее. Потом смущенно улыбнулся и пошел чинить унитаз.

В тот же день Галя съехала от подруги и остановилась в единственной шавловской гостинице.

Вечером в дверь постучали. За дверью стоял сантехник. С волос у него капала вода, а в руках был пучок водяных лилий. Тонкие стебли не держали распустившиеся цветки.

— Куда же я их поставлю? — обескураженно спросила Галка. Прозвучало насмешливо и вызывающе, как всегда, когда она терялась.

Парень потоптался молча и исчез, сунув ей лилии. Спустя пять минут, когда она уже думала, что на этом все закончилось, он вернулся. В руках его сиял эмалированный таз.

Галя начала смеяться. Случалось, ей дарили цветы в вазе, но никогда еще не приходилось получать в подарок целый тазик. Парень налил воды, запустил лилии, поставил посреди комнаты. Тоскливый номер провинциального отеля превратился в берег пруда, где плавали дивной красоты снежные цветы.

— Рыбки золотой не хватает, — пошутила она. Перехватила взгляд парня и поспешно воскликнула: — Не вздумай!

С детства Олег был молчуном, поэтому ему частенько приходилось драться. Словами объяснить, что его не устраивает, он не мог. Там, где другой возмутился бы и поднял крик, Олег молча ждал, что человек сам осознает свою неправоту, а не дождавшись, бил в ухо.

Из десятого класса его выгнали за то, что он врезал физкультурнику, грязно матерившему пацанов.

Олег вернулся из армии и сразу с головой бросился в работу.

У него обнаружился талант. Он был мастер на все руки, повелитель вещей, врачеватель заболевших предметов и спаситель засбоившей техники. Официально Олег трудился сантехником, но весь Шавлов знал: сломайся что в доме — нужно звать младшего Сысоева. Он был из той счастливой породы людей, которые гордятся тем, что делают, и не желают лучшей участи.

Юношеская привычка пускать в ход кулаки с возрастом ушла. А молчаливость — осталась. Олег умел одним своим присутствием, одной улыбкой снять напряжение в любой компании.

«Когда человек, который в тысячу раз лучше тебя, смотрит на тебя снизу вверх, — сказала Галка Стрижу, — ты становишься другим. Потому что не смеешь не оправдать его надежд».

Олег влюбился сразу и на всю жизнь. Он никогда прежде не видел таких девушек. Галка напоминала ему птичку, маленькую, измученную и все равно распахивающую крылья для полета. Его восхищало все, даже ее привычка курить, которую он не переносил в других женщинах. Острые оттопыренные ушки, упрямый выпяченный подбородок — Олег любил все, что Галка считала своими недостатками.

Каждый из них не мог поверить, что другой, такой прекрасный, столь щедро одаренный жизнью, выбрал именно его.

«Саша, мне тридцать пять, — сказала Галя. — Это первый и последний человек, с которым я могу быть счастлива. Если что-то не сложится, я останусь одна. А я хочу прожить следующие сорок лет с ним и умереть в один день. Раздавлю любого, кто попробует мне помешать!»

И вот белокурая Кристина сообщает, что они купались нагишом.

Олег не успел ответить.

— Хе-хе-хе! — многозначительно заскрипели сбоку. — А женишок-то у нас с душком!

4

Если есть старушки — божьи одуванчики, то должны быть и старушки — адские чертополохи. Елизавета Архиповна обладала внешностью первых и характером вторых. Диссонанс этот неподготовленного человека ошеломлял и вводил в ступор. Ибо выглядела Елизавета Архиповна как маленький старенький ангел. Глазки у нее были добрые, голосок хоть и внятный, но мягкий, а личико круглое и милое, как у котенка.

Если существует мир, где люди предстают в виде истинных своих сущностей, то Елизавета Архиповна, без всяких сомнений, была бы там гигантским троллем. Она смердела бы на всю округу, хрипло гоготала, жрала что ни попадя и пугала дикими выходками окрестных жителей.

Всю жизнь она проработала фармацевтом. Отдельные суеверные личности заверяли, что в ее руках даже честный аспирин может превратиться в стрихнин, и обходили аптеку Елизаветы Архиповны тридевятой стороной.

Однако Елизавета Архиповна вовсе не мечтала травить людей. Ее единственной страстью была любовь к правде. Она выискивала ее везде, где пробивалась хоть тончайшая травинка истины сквозь забетонированные плиты лжи. Если в руки ей попадался кирпичик факта, она не успокаивалась, пока не реконструировала все здание: с трубами, подвалами и системой отопления. Шерлоку Холмсу для расследований необходимы были следы преступления. Елизавета Архиповна вышла на сверхуровень: ей достаточно было *знания* о том, что такие следы существовали. Великий сыщик ушел бы на пенсию и запил, если б увидел, как из недомолвок и позавчерашней пыли она вытаскивает крючком петли истины и мастерски сплетает вместе.

Она была осведомлена о том, кто чей любовник и какому блудному сыну достанутся деньги в обход порядочных сынов. Скандалы, застарелые гнойники обид, дети, рожденные не от мужей, и мужья, живущие с несколькими женами, — все было занесено на скрижали невидимой книги. Страсть археолога питала старушку, когда она подбирала отмычки к шкафам, где пылились семейные скелеты.

В другом месте и в другое время Елизавету Архиповну Пудовкину назвали бы гениальным аналитиком.

ЕЛЕНА МИХАЛКОВА

В Шавлове ее в основном обзывали ведьмой и ядовитой поганкой.

Что доказывает, как мало люди ценят настоящий талант.

Когда-то Елизавете Архиповне хватало молчаливого знания. Она могла с многозначительной улыбочкой шепнуть сотруднице: «А я ведь слышу, о чем вы думаете, Марья Петровна!» Испуганный вид прелюбодейки приносил истинное наслаждение. Но дальше этого дело не шло.

Однако к старости Елизавета Архиповна заскучала.

Она по-прежнему выуживала отовсюду секреты, как водяной рыбу из омута. Но все острее хотелось живых чувств. Не боязливого негодования, а полноценного страха! Почтения! Трепета перед ее осведомленностью!

Одна-единственная умная и недобрая заскучавшая старушка способна давать мастер-классы дьяволу на тему «Как превратить в ад жизнь небольшого городка».

К счастью для Шавлова, в брошюре под названием «Как расшевелить окружающих и развеселиться самой» Елизавета Архиповна только начала писать вступительное слово. И тут наметилась свадьба у сына Нины Сысоевой.

Такого шанса старушка не могла упустить.

Сидя за столом, Елизавета Архиповна взвесила собравшихся пучком и по отдельности. Тэк-с, кто у нас тут?

Женишок. Ничего особенного, пустое место. Прямой, как дверной косяк. Скучно!

Нинка, мамаша его. Хитра, лиса!

Муж ее, чурбан армейский. С простака много не возьмешь.

Дочь их Ритка, выпучилась змеей подколодной. Уже интереснее!

И Алевтина здесь со своим беспутным Гришкой! Хе-хе!

Елизавета Архиповна мысленно потерла ручки и приступила к разогреву публики.

— А олуха зачем пригласили? — громко осведомилась она. И обернувшись почему-то к Саше, доверительно прибавила: — Живого человека прикончил, а теперь сияет, как сундук!

ГЛАВА 3

1

Бабкин разулся, закатал до колена штаны и зашел в воду по щиколотку. Под пятками мягко проседал песок, над водой зависали мошкариные тучки. Золотая горбушка солнца размокала в реке.

«Благодать», — подумал Бабкин и прихлопнул комара на плече.

Теплый и тихий вечер обнял его по-дружески, забубнил что-то на ухо разноголосицей с набережной. Сергей подхватил ведерко с червяками и пошлепал прямо по кромке воды.

Впереди шелестел разросшийся ивовый куст. Он наладил удочку, выудил толстого червя. И уже готовился насадить наживку, когда неподалеку раздались женские голоса.

Подслушивать Бабкин не собирался. Однако дважды произнесенная отчетливо фамилия «Сысоевы» заставила его насторожиться.

— ...подсуропил Кожемякин!

— ...а она?

— ...не оставят. Мстить будут.

— ...я мщу, и мстя моя страшна.

— ...типа того.

Бабкин присел на корточки. Червяк по-прежнему болтался в его пальцах, но призрак смертоносного крючка уже поблек перед ним.

— ...прям перед свадьбой!

— ...нарочно, что ли?

— ...кто его знает!

Сергей отложил удочку, выпустил червяка и придвинулся к стволу.

— ...два «Камаза» выгрузил!

— ...будет врать-то!

— ...сами говорили... отравить... А он возьми да смойся...

— И теперь, значитца, они в этом сидят!

Послышался ехидный смешок.

Бабкин извернулся так, чтобы сухая ветка не колола в бок. Голоса приблизились, и пришлось залечь в песке. «Заметят», — огорчился он. Но сам себе возразил: и что? разве не может заезжий рыбак отдохнуть под ивой?

— Нинка ему этого не простит, — сказали хрипло и закашлялись. — Страшная баба.

— А Кожемякин — не страшный? — спросили, сильно окая.

— Перекусит она его пополам.

— А ты откудова знаешь-то?

Бабкин представил простоватую молодую бабенку с ее недоверчивым «откудова». Такая съест любую выдумку и добавки попросит.

— Все знают, — авторитетно заверила старшая. — Помнишь, чего с Алевтиной?..

До Сергея долетел запах крепких сигарет. В подкравшихся сумерках заплясали два красных огонька.

— Не-а, — сказала молодая. — Не помню. А что?

Следующие пятнадцать минут Бабкин пролежал не шевелясь, хотя у него затекла нога, а штанину облюбовали муравьи с чрезмерно активной жизненной позицией.

— Во дает тетка, — восхитилась младшая, когда вторая замолчала. — А Алевтина чево?

— Чево-чево... Ничево!

Рассказчица, кажется, рассердилась за глупые вопросы. На ее месте Бабкин тоже негодовал бы. И без того ясно, что случилось с незадачливой Алевтиной.

— Ладушки. Хорош языками чесать.

Бабкин вжался в песок.

По влажной прибрежной полосе мимо него прочавкали босые ноги.

— А еще у них такая история была... — услышал он, когда женщины отошли уже довольно далеко. Узнать историю ему не удалось: шум близко идущей моторной лодки заглушил слова. На берег выбросились одна за другой три волны. Когда Бабкин торопливо выбрался из-под кустов, женщин уже не было видно. Только красный огонек мелькал где-то вдалеке.

Он вытряхнул из намокшей штанины негодующих муравьев и вывалил оставшихся червяков под куст.

2

— ...Свекровь надо уважать, а сына ее... Ик!.. Ублажать! Или наоборот? — Гриша покачнулся и вцепился в скатерть. Тарелки и бокалы со звоном проехали короткую остановку. — Так выпьем же за родителей! — подытожил он. — За папу с мамой нашего Олежки и за родителей невесты! Где они? — Он озадаченно огляделся. — Оба-на! Убегли, паразиты?!

— Гриша!

Не обращая внимания на сестру, Григорий прошел нетвердым шагом вдоль стола, вглядываясь в лица. Перед Макаром остановился и ткнул пальцем его в грудь.

— Ты отец?

— Потенциальный, — огорчил его Макар.

— П-потенциальный? — Григорий нахмурился, осмысливая, и вдруг просветлел: — То есть с потенцией!

— Григорий, сядь!

— Гриша!

Протестующие голоса сестры и жены не смогли помешать Григорию облобызать Илюшина.

— Так держать! Молодцом! А баб в узде надо! Вот!

Григорий поднял сжатый кулак и внимательно рассмотрел его. Что-то во внешнем виде кулака навело его на новую мысль, и он обернулся к отцу жениха:

— Петя, давай выпьем за подкаблучников! Ик! Блаженны страдальцы, ибо их есть... Их бин есть... В смысле, кушать...

Блуждающий взгляд дяди Гриши остановился на жареной курице. Вонзив вилку со всего размаху в загорелое куриное бедро, он потащил к себе поднос.

— Да отберите вы у него кто-нибудь эту вилку! — в сердцах вскричала Нина.

— Лучше курицу отберите, — посоветовала Рита.

— Я твоя девочка! — пропела Кристина. — Я твоя птичка! Ты поймай меня в свои силки!

Она всем корпусом обернулась к жениху и призывно улыбнулась.

— Сильно декольтированная птичка, — пробормотал Илюшин. Саша пнула его под столом. — Я хотел сказать, декоративная!

Петруша под шумок опрокинул рюмку.

— За подкаблучников пьет, — шепнул Макар Саше. — Без меня!

— Пороть! — грянул артиллерийским басом Пахом Федорович. — На конюшне!

— От жеж кретин, — посетовала Елизавета Архиповна.

Рыжий кот Берендей издалека одобрительно мяукнул.

Семейный вечер стремительно набирал обороты.

Саша впервые в жизни наблюдала своими глазами, как чопорное сборище родственников превращается в форменную вакханалию.

Для начала брат Нины, толстый кудрявый брюнет с вкрадчивыми манерами, напился и объявил, что необходимо внести в торжество неформальную струю. Когда его сняли со стола и заставили застегнуть ширинку, он притих, как человек, у которого отняли последний праздник, и понуро ушел в уборную.

Вернулся Григорий повеселевший, в венке из одуванчиков и кокетливых женских шортах. Галя покраснела. Макар захохотал. Нина возмутилась. Парень, которого Елизавета Архиповна назвала лысым олухом, подбежал к Григорию и попытался стащить с него чужие одежды. «А старушка-то была права!» — думала Саша, пока все вокруг орали друг на друга, а Григорий вырывался и верещал. Наконец олуха оттащили, на Григория натянули брюки, и на пять минут воцарилось спокойствие.

Тогда на сцену выступил Пахом Федорович.

Первые полчаса патриарх добросовестно исполнял роль чучела свадебного генерала. То есть восседал неподвижно и скупо блестел медалями. Саша, уже слегка знакомая с повадками старца, ожидала сюрприза.

И дождалась.

— Ветер веет с юга! — богатым басом сообщил старик. — И луна взошла! Что же ты, подлюга, ночью не пришла?

Саша оцепенела. Пахом Федорович декламировал препохабнейшие стихи, приписываемые Есенину.

Галка взорвется, если услышит следующие строки.

— Макар, оглуши его чем-нибудь, умоляю, — торопливым шепотом попросила Стриж.

Илюшин соображал очень быстро.

— А заря, лениво обходя кругом, — громко продолжил он, — посыпает ветки новым серебром.

— Поэзия! — восхитилась Алевтина. — Как это возвышенно!

Патриарх почуял подвох, но осознать, в чем он заключается, не смог. На лице его отразилось смятение. Саша воочию видела, как со скрипом проворачиваются в его черепе ржавые шестеренки.

— Ветки... Посыпает... — пробормотал он.

Ритм совпадал, и это сбивало с толку.

Несколько минут Пахом Федорович напряженно шевелил губами, но все-таки оставил Есенина в покое.

Однако с поэтической стези сойти не пожелал.

— Я мало жил и жил в плену, — грустно поведал он.

В миску салата вонзилась деревянная стрела. На скатерть щедро брызнули помидоры.

— Ванька! — вскрикнула Нина Борисовна, багровея. — Лешка!

Топоток быстрых ног свидетельствовал, что маленькие чингачгуки разбегаются от мстительных бледнолицых.

«Пацаны балуются», — сообразила Саша. Благостная старушка привезла с собой двух мальчишек лет шести, которые весь вечер носились по саду и сшибали гостей с ног, пока Макар не соорудил им лук из ивового прута и лески. Они тут же кинулись мастерить стрелы, забыв про свадьбу.

— Поганцы!

— Уши им оборвать!

— Но в горло я успел воткнуть и там два раза повернуть свое оружье! — сообщил Пахом Федорович.

Саша с Галкой обменялись взглядами, в которых читалось одно слово. «Дурдом».

— Гнать малолеток в шею! — возмущалась Алевтина.

— Я те погоню! — прорезалась старушка.

— Погоня, погоня, погоня, погоня в горячей крови! — немузыкально завыл Григорий.

Макар наклонился к Сашиному уху:

— Я пацанов нейтрализую. А ты держи все под контролем.

Саша засмеялась ему вслед. Удержать эту вечеринку под контролем можно было только связав всех присутствующих.

Кристина вытащила из дома магнитофон и отплясывала перед женихом полный страсти танец. В стороне мрачно улыбалась кудрявая черноволосая Рита. Алевтина пискляво вещала о любви, соединяющей сердца, Григорий голосил «есть в графском замке черный пруд», Пахом Федорович икал. Посреди этой катавасии сидела бледная Галка и не сводила взгляда с танцующих.

Все вертелось, кружилось, бранилось и пело, злилось и хохотало, и Саша почувствовала, что и ее захлестывает и несет эта дурная волна. Хотелось то ли выпить, то ли набить кому-нибудь морду. И чтоб плечо раззуделось, а рука размахнулась. Или наоборот.

— «Ма-ахнатый! Шмель! На душистый! Хмель!» — надрывался магнитофон.

— Цапель серый — вах! — в камышах, — сказал бесшумно подошедший Макар. — А что это у нас цыганская дочь вытворяет?

Кристина мелко трясла обнаженными плечами перед Олегом. Вслед за плечами тряслись и близрастущие части тела.

Рита схватила лысого парня за руку и ведьмой ринулась к танцующим. К ним присоединился Григорий, и вокруг жениха двинулся разнузданный хоровод.

— «Так вперед за цыганской звездой кочевой!»

Мимо опять лениво пролетела стрела. Алевтина взвизгнула.

— Мы в гномика целились! — долетел жалобный детский голос. — Извините!

— А кто у нас гномик? — хладнокровно осведомилась Саша. Она рассудила, что если уж оказался на чаепитии у мартовского зайца, лучше принимать все как должное. — Кого ты назначил на роль жертвы?

Макар фыркнул.

— Да я им обычного садового гнома нашел. Тяжелый, подлец! И краска вся с него облупилась. Зато теперь у них есть мишень. Кстати, ты знаешь, что в местном цветнике обитает куча мифических существ?

— Почему же в цветнике? — Саша прищурилась на танцующих. — Прямо сейчас вижу кадавра, ведьму, русалку и сатира.

Илюшин молчал. Она обернулась к нему и наткнулась на странно насмешливый и теплый взгляд серых глаз.

— Ты что как смотришь? — смутилась Саша.

— И эльфа.

— Что — эльфа?

Вместо ответа он наклонился и поцеловал ее. На несколько очень долгих секунд все вокруг растворилось в летящей яблоневой листве, и музыка деликатно притихла, и пьяные голоса сатиров заглушил ветер.

— Горько! — вдруг заорали над ухом.

Саша вздрогнула, открыла глаза и обнаружила нависающую на ними щекастую красную физиономию.

— А что это вы тут целуетесь? — на удивление внятным голосом поинтересовался дядя Гриша. — Разве вы жених с невестой? — Он щелкнул пальцами. — Кстати, я уж подзабыл: кого замуж-то выдаем?

«А взгляд у него трезвый».

Эта мысль неприятно кольнула Сашу. Да нет же, он просто пьянчужка! В следующую секунду, словно подтверждая характеристику, дядя Гриша рванул на груди рубаху и надрывно выкрикнул:

— Свобода! Гибнет свобода!

— Чья? — удивился Петруша.

— Холостяцкая!

Он погрозил кулаком в небеса.

— Сириусу больше не наливать, — вполголоса сказал Макар.

— Сириуса надо бы отправить к Большому Псу!

Саша и Макар одновременно повернулись на эту реплику.

Елизавета Архиповна как ни в чем не бывало взяла двумя пальцами дольку лимона и сжевала, не морщась.

— Что это значит? — спросил Григорий.

В наступившей тишине его голос прозвучал почти испуганно.

— Да заговаривается Елизавета Архиповна, — сладким голосом заверила жена. — Перебрала малость.

Старушка взглянула на нее голубыми глазками. Ох и кусачий же это был взгляд! На месте Алевтины Саша улепетывала бы уже со всех ног, наплевав на свадьбу и чувство собственного достоинства. Было что-то такое в Елизавете Архиповне... Жутковатенькое. Как в богомоле.

«Баба-Яга!»

Старушка сложила губы в трубочку.

— Ай-яй-яй! Что же ты, Алевтина, никакого почтения к старшим не проявляешь?! — Ничего не прозвучало особенного. Но Саше показалось, что жена Григория вздрогнула. — Гришку ты за бейцы держишь, это каждая дворняга знает, — невозмутимо продолжала Елизавета Архиповна. — Кстати, как там тебе, Григорий, — не жмет? — Григорий оскалился в кривой ухмылке, но промолчал.

— А про яблочную тетку ты никому ни полсловечка, — пробормотала Елизавета Архиповна совсем уж странное.

Саша тоже решила бы, что старушка заговаривается. Но очень уж проницательно смотрела старая ведьма.

А главное, Алевтина занервничала. Выпила залпом вина из чужого бокала. Храбро закусила куском вареной колбасы и без промедления тяпнула водки.

Петруша, у которого из-под носа утянули стопку, только глазами захлопал.

— Елизавета Архиповна, ну что вы всем настроение портите, — миролюбиво укорила Нина.

Старушка тоненько захихикала:

— Э-э, мил моя! Я даже еще и не начинала!

— Хорошо ведь сидим, празднуем...

Розовое личико Елизаветы Архиповны выразило преувеличенное изумление.

— Что ж вам праздновать? Сына ты выдаешь за пиявку московскую!

«Пиявка московская» только усмехнулась. То ли Галка устала переживать, то ли дошла до стадии, когда «чем хуже, тем лучше».

— Дочь — за тамбовского болвана, — продолжала старушка с милейшей улыбкой.

— Чево?!

Тамбовский болван, он же лысый олух, угрожающе приподнялся с места.

— Сядь, лободырный! — посоветовала Елизавета Архиповна. — Тебя в приличное место позвали, дурня! А ты...

Она сокрушенно махнула белоснежным платочком.

«Ей-богу, у нее сейчас из рукава косточки полетят».

— Лободырный... — шептал рядом впечатленный Макар. — Только б ее не прервали! Может, она еще кого-нибудь обзовет!

— Словарик составляешь? — тоже шепотом спросила Стриж.

— Рука бойцов колоть устала! — взвыл патриарх так, что все вздрогнули. — Мочи их... картечью!

Нина закрыла лицо руками. Макар хрюкнул и сполз на стуле.

— Угомоните его кто-нибудь!

— Не то, что нынешнее племя!

— Да отвезите же его в дом!

— В чистом поле под ракитой богатырь лежит убитый!

— Я его сам сейчас убью!

Патриарх напоминал попугая, который порет чушь, но всегда удивительно к месту.

Наконец лысый юнец, которому больше всех досталось от Елизаветы Архиповны, схватил коляску со старцем и потолкал к дому. Оставшиеся вздохнули с облегчением.

Но радость их была преждевременна.

— Как там змея называется, которая свой хвост жрет? — сладко пропела Елизавета Архиповна.

— Дура оголодавшая, — предположил Гриша.

— Это ты дура оголодавшая, — отрезала старушка. — Мимо юбки пройти не можешь, слюной захлебываешься. А змея — она человек нормальный.

— Уроборос, — подсказала Саша.

И съежилась на всякий случай.

Однако старушонка глянула на нее одобрительно.

— Точно! Уроборос! Вы все тут уроборосы.

— Это почему еще? — взвилась чернокудрая Рита.

— Дык поедом себя едите, что не уберегли мальчонку!

— Елизавета Архиповна!

— Ты, змея подколодная, уж поди и топорик приготовила!

Рита в онемении уставилась на старушку. И непонятно было, то ли ее поразило оскорбление, то ли старушка неожиданно попала в точку.

Вернулся Ритин друг и встал, набычившись, в тени деревьев.

— Всех вас насквозь вижу! — Страшно довольная эффектом Елизавета Архиповна откинулась на стуле. — А ты чего молчишь, Петюня?

Петр поперхнулся куском рыбы.

— Петрушу-то не трожь, — внезапным басом потребовала Нина.

— Ой! Ой! — Старушка всплеснула руками. — А то что? К Ивану своему пойдешь?

Нина Борисовна глотнула воздух, как рыба, вытащенная из воды.

— Это что еще за Иван? — удивилась Алевтина и закрутила головой во все стороны. — Кто такой? Почему мы не знаем?

«Дура непроходимая», — ужаснулась Саша.

А старушонка зашлась в злорадном хихиканье.

— Вы посмотрите на себя! Хи-хи-хи!.. Один другого хлеще! А ты, Петька, что молчишь? Уворованное маслице вспоминаешь? Интендантишка!

Петруша начал багроветь.

— Эх, компашка! — подытожила Елизавета Архиповна. — Один убивец, другой ворюга, у третьего пожар в штанах... Ты, Ритка, чего лыбишься? Я про тебя все знаю! Плацдарм-то уже подготовила, а?

Рита молчала, только глаза яростно блеснули из-под челки.

— Ритк, о чем она? — громко спросила Кристина.

— Старый человек Елизавета Архиповна, — спокойно ответила вместо дочери Нина. — Не знает, что говорит.

Старушка удовлетворенно сложила ручки на животе.

— Посмотрю я на тебя, Нинка, когда внуков будешь выпрашивать. Невеста-то у вас бесплодная, м?

Галка уронила чашку, уже поднесенную к губам.

— Это еще что за новости? — ахнула Рита.

— А я так и думала, — засмеялась Кристина.

— Криська!

— Олежек, ты ведь не виноват, что она тебя обманула!

Олег не услышал: он вытирал пролитый чай.

У Галки наконец прорезался голос:

— Кого я обманула? Господи, да о чем вы?!

— Тебе не о детишках пора думать, а о кладбище! Старая ты! — пригвоздила Елизавета Архиповна.

— Если мне о кладбище, то вам о Страшном суде, — отрезала Исаева.

— С судьями я сама разберусь! — заверила старушка. — О себе подумай, врушка!

Галка вскочила. Челка взмокла, побелевшие пальцы сжимали бокал с такой силой, что казалось, тонкая ножка вот-вот переломится.

Саша поняла, что струна сейчас лопнет. Подлая старушонка взгромоздила на спину уставшего верблюда не соломинку, а целый воз кирпичей.

— С чего вы взяли, что у меня детей быть не может? — отчаянно выкрикнула Галка.

— Да уж я-то знаю! Ты аборты по молодости делала? Ась?

Галка побледнела.

— Что вы несете, Елизавета Архиповна... Какие еще аборты?

— Криминальные! — пригвоздила старушка.

— Вы не можете ничего знать! Олежка, это неправда!

— А вот мы увидим, правда или неправда! — самодовольно усмехнулась Елизавета Архиповна. — Поживем годик — и ясно будет! Вся правда наружу выплывет. Хе-хе!

Этого ехидного «хе-хе» Галка не выдержала. Она схватила со стола первый попавшийся предмет — увесистую солонку — и замахнулась.

«Стоп-кадр!» — сказал кто-то в Сашиной голове. Старушка с ее злорадной ухмылочкой, Алевтина, вскинувшая брови, белая как скатерть Галка с солонкой возмездия, удивленный Олег — все замерли на долю секунды.

Громкий хлопок в ладони прервал налившуюся яростью тишину.

— Все, хватит!

Григорий широко расставил руки.

— Надо прогуляться! — объявил он. — Головушки буйны проветрить! Верно я говорю, Нин?

Исаева медленно опустила солонку. Рука у нее дрожала.

Нина поднялась. Саше показалось — она избегает смотреть на всех, кроме брата.

— Пойду еще курицу в духовку суну.

— Вот и правильно! — обрадовался Григорий. — Курица — это наша птица, русская!

— А я покурю. — Рита ушла за дом.

За ней как-то очень быстро, даже не взглянув на Галку, исчез жених. Петруша, пробормотав что-то про малинник, тоже сбежал.

— Малина ведь еще не поспела! — удивилась Алевтина.

Григорий страдальчески закатил глаза.

— От меня он сбежал, дурында! — раздельно объяснила Елизавета Архиповна. — Эх, прав Гришка! Надо косточки старые размять.

Она легко поднялась со стула и уковыляла в тень деревьев.

Григорий и Алевтина ушли, препираясь. Только теперь Саша заметила, что и Галка незаметно исчезла. Они остались за столом втроем.

Кристина обернулась к Макару:

— Танцуешь?

— Музыки нет, — указал Илюшин на очевидное препятствие.

— А музон будет! — оживилась Кристина. — Магнитофончик-то щас зарядим!

— Я тебе щас заряжу, — отчетливо сказала Саша Стриженова. — Я тебе щас так заряжу, что на костыли работать будешь, Плисецкая!

На самом деле Саша мило улыбнулась и выразила надежду, что подходящая романтическая песня непременно найдется. Они с Макаром сто лет не вальсировали!

Кристина некоторое время оценивающе изучала Сашу.

— Нету у нас песен, под которые вам танцевать нравится, — наконец хмуро сказала она. Что означало: «Женщина, не жадничайте, а то нарветесь».

— А мне под любые нравится, — просияла Саша. — Хоть под негритянский рэп. Есть такой певец — Шакур Тупак, знаете? Очень известный, между прочим.

«За Тупака-то ответишь!» — пообещал взгляд Кристины.

«Руки коротки», — молча отрезала Саша.

Возможно, на этот раз Илюшин что-нибудь и уловил бы, но у него заиграл телефон. Стриж прислушалась.

— Ты поставил для звонка саундтрек к «Трупу невесты»? — недоверчиво спросила она.

Макар жестами просигнализировал, что он, во-первых, не понимает, о чем речь, во-вторых, так само получилось, а в-третьих, вынужден срочно уйти для серьезного разговора.

И ушел, подлец.

Оставшись наедине с Сашей, Кристина поскучнела.

— Помочь там надо, — неопределенно махнула она рукой. — Вам-то хорошо, вы тут развлекаетесь...

И загарцевала в сторону дома.

Саша швырнула ей вслед обглоданную куриную ногу, а потом догнала бесстыжую лахудру и сломала стул об ее загривок четыре раза.

Конечно, нет. Саша вздохнула и пошла в глубь сада.

За корявыми яблонями и вишнями темнели какие-то технические постройки — кажется, погребица и сарай. Вдалеке шумел сосновый бор. Оттуда насмешливо куковала кукушка.

«Почему хороший и плохой человек всегда легче договорятся, чем два хороших, но не похожих друг на друга? Взять маму жениха: приятная ведь женщина. Болтливая, но при том собранная. Странное сочетание».

Саша остановилась и задумалась. Не бывает такого, решила она. Или болтливая, или собранная. Где-то Нина Сысоева притворяется.

«Ну и пусть. Она пока не сделала Галке ничего, за что ее стоило бы ненавидеть. И неприязнь ее оправдана. Если смотреть на Исаеву не моими глазами, а с чужой колокольни, что в ней хорошего?»

С другой стороны, подумала Саша, если на кого угодно посмотреть с чужой колокольни, ничего хорошего в нем не обнаружится. С колокольни сверху все как маленькие противные червячки. Ты сначала слезь с нее, встань рядышком на травке, вглядись как следует, а потом уже суди.

«И Галка ничем от Сысоевой не отличается. Тоже забралась на башню и рассыпает оттуда листочки с диагнозами».

Саше представилась необъятная равнина, на которой в отдалении друг от друга торчат, как поганки, белые колокольни. С одних звонят, с других плюют, с третьих машут флагом. И все друг друга не понимают и понимать не хотят.

Где же Исаева?

«Надо ее успокоить. Она, бедная, и про пиявку московскую выслушала, и про старородящую. Словечко-то какое, бр-р-р! Словно про ящерицу говорят, а не про женщину. И еще эта Кристина...»

Саша не заметила, как прошла сад насквозь и оказалась в редком лесу. Сосны здесь подступали совсем близко. Кое-где между двух деревьев был натянут гамак, в другом месте с толстой ветки свисали детские качели. Поляна напоминала то ли заброшенную стройплощадку, то ли гигантскую коробку со старыми игрушками. Вокруг валялись кубики, обрывки веревок, какие-то чурбачки.

Под ноги попалась ржавая проволока, притаившаяся, как змея в траве, и Саша едва не упала.

«Кристина, Кристина... — размышляла Саша. — Что бы такое убедительное сказать, чтобы Галка поняла, что не нужно волноваться на ее счет?»

Самое печальное — Саша вовсе не была уверена, что Галке действительно не нужно волноваться насчет светловолосой русалки. Нагишом они купались, ишь! Знаем мы этих подруг детства. Оглянуться не успеешь, как из них вырастают девицы юности и бабы зрелости.

«А еще старушонка! С ней-то что делать?»

Саша обогнула старую толстую сосну, раздваивающуюся метрах в четырех от земли на причудливо извивающиеся стволы, и встала как вкопанная на краю поляны.

Прямо перед ней на вытоптанной земле лежала Елизавета Архиповна. На лице ее застыла ухмылка, язвительный взор был устремлен в небеса, словно она сообщала тому, кто наверху: «Все про тебя знаю, голубчик! Не отвертишься!»

А рядом на старом садовом гноме сидела, как на пеньке, Галка и невидящими глазами смотрела на нее.

Глава 4

1

Несколько мгновений Саша
ждала, что старушонка сейчас дрыгнет ножкой и за-
трясется от смеха, радуясь безобразной своей шуточ-
ке. Вместо этого Галка подняла к подруге бледное лицо и выговорила, заикаясь:

— С-сашка, она м-м-мертвая!

Стриж присела на корточки над покойницей и про-
верила пульс. Последняя надежда на то, что Елизавета Архиповна порадует ее слух хихиканьем, растворилась бесследно.

— М-м-мертвая, — повторила ошеломленно Исаева.

«Конечно, мертвая! — чуть не рявкнула Стриж. —
Какой же ей быть, когда ты ее и прикончила!»

Вместо этого Саша тряхнула подругу за плечи:

— Как это случилось? Как?!

Галка помигала непонимающе и вдруг вышла из
ступора. Долю секунды Саше казалось, что сейчас по
черепу достанется и ей.

— С ума сошла?! — заорала Исаева шепотом. — Думаешь, это я ее?.. Я три минуты назад здесь оказалась!

Выхожу на поляну — а она тут! Мертвая! И вообще, захоти я ее убить, я б ее прямо за столом солонкой и отоварила!

Отчего-то именно последний довольно нелепый аргумент убедил Сашу в том, что подруга не врет.

— Не убивала? — на всякий случай переспросила она.

— Господи, Стриж! Нет, конечно!

— Но отчего-то же она умерла!

— От старости!

— Шла, шла, раз — и скончалась от старости? — подозрительно сощурилась Саша.

— Может, перенервничала? — предположила Галка.

— Перенервничала?! Она-то? Если от нервов помирают, здесь мы все должны лежать посиневшие и тихие. Кроме нее. Меня чуть кондратий за столом не хватил. А мне ведь она никаких гадостей не сказала.

— Просто не успела, — утешила Галка.

Обе женщины уставились на покойную старушку.

— Ты точно никого не видела?

— Говорю тебе, я вышла — а они тут лежат с гномом!

— Каким гномом? — непонимающе спросила Саша.

— Вот с этим же! — прошипела Исаева и ткнула вниз пальцем. — Стриж, включи башку, если не хочешь рядом валяться!

Саша Стриженова не только не хотела валяться рядом, но всей душой желала быть как можно дальше и от соснового леса, и от Елизаветы Архиповны, и даже от своей подруги Галки Исаевой.

— Ты в «Скорую» позвонила? — спросила она, доставая телефон.

— Ты что? Какая еще «Скорая»?

Саша уставилась на подругу.

— Шавловская. Какая тебе еще нужна?

В глазах Исаевой сверкнул недобрый огонь.

— Вот что, Стриж, никому мы звонить не станем. Ясно?

— То есть как?

— А вот так!

— Галка, ты сдурела? — осторожно поинтересовалась Саша.

— Стриж, послушай! У меня судьба решается! Мне нужно еще два часа выдержать этот проклятый ужин!

— Какой еще ужин?! Галка, человек умер!

— Так себе человек был, по совести говоря.

Саша на секунду потеряла дар речи.

— Да какой бы ни был! — выдохнула она наконец. — Все, я звоню в «Скорую».

— Стой!

Галка вскочила, отпихнула жизнерадостного гнома в сторону и в два прыжка оказалась возле Саши.

— Стриж, я тебя умоляю! Два часа! Дай мне два часа! Она все равно скончалась, ей уже не поможешь ничем!

— Галка, что ты несешь? А вдруг она не совсем умерла?

— Как это не совсем? — изумилась Галка. — Местами, что ли?

Саша потрогала старушку за руку.

Пульс не прощупывался.

— Вдруг у нее летаргия? Или эта... каталепсия.

— Идиотия, — припечатала Галка. — У тебя. Короче: мне нужно время. Давай будем считать, что у нее летаргия. Пусть она пару часов полетаргирует в уголочке, а когда ужин закончится, мы ее достанем.

— Это ты меня достала! — взвилась Стриж. — Галка, так нельзя!

Щеки Исаевой вспыхнули лихорадочным румянцем.

— Два часа, — повторила она шепотом. — А потом хоть меня сдавай в полицию.

— Да что они изменят, эти твои два часа? — заорала тоже шепотом Саша.

— Чертов ужин закончится! Для Олега это важно, понимаешь?

— Нет! Не понимаю и не хочу понимать!

— У них традиция... Примета... Я тебе говорила! Эта вечеринка важнее свадьбы!

— Галка, иди к лешему!

Галя схватила ее за руки, и Саша чуть не вскрикнула от ее горячечного прикосновения.

— Все наперекосяк, — забормотала она. — Кристина, Григорий, старуха со своим бесплодием... Но еще можно все исправить. Если только ничего не случится.

— Но *уже* случилось!

— Только мы об этом знаем! И будем молчать!

— А я не буду! — разъярилась Саша. — Галка, ты совсем свихнулась со своей последней любовью. Иди к черту! Групповое помешательство — не для меня.

Галя перестала сжимать ее и отодвинулась. Лицо ее утратило исступленное выражение и стало собранным и волевым.

«Вот теперь пора всерьез бояться», — поняла Саша.

Боялась она не за себя, а за Галку. Внешняя нервозность Исаевой никогда ее не обманывала: Саша отлично понимала, что это всего лишь оболочка. Сковырни трясущийся студень — и внутри обнаружится танк на гусеничном ходу. Кажется, герой фильма «Чародеи» говорил: «Видеть цель, верить в себя, не замечать препятствий». Галка замечала препятствия. Надо же ей было знать, что предстоит уничтожить.

— Ты что там задумала?

Исаева сосредоточенно кусала ноготь.

— Галка!

— Не мешай.

— Галка!

Исаева поднялась и посмотрела на нее сверху вниз.

— Сашка, я его люблю, — сухо сказала она. — И он меня любит. Но вот именно сейчас все висит на волоске. Я это чувствую. И не вздумай говорить мне, что браки заключаются на небесах. Если б это было так, то когда я выходила за Сеню, там бы половина ангелов передохла от смеха. Молчи!

Саша вообще ничего не говорила. Она с оторопью смотрела, как румянец на острых исаевских скулах разгорается все ярче. Отблески внутреннего пламени сверкали и в ее глазах. В эту минуту перед Стриженовой стояла не Галка, когда-то рыдавшая у нее на кухне о том, что три года жизни впустую потрачены на прожорливое ничтожество, а стенобитное орудие таран. И это орудие готовилось нанести удар.

— Ей, — Галка кивнула на старушку, — уже ничем не поможешь.

— Может, ты ее с собой заберешь и за стол посадишь?

— В общем, так: я сделаю вид, что ничего не произошло, — железным голосом отчеканила Исаева. — Вернусь, закончу это проклятое празднование — а там будь что будет.

Саша посмотрела на Елизавету Архиповну. Потом на Галку. Потом снова на Елизавету Архиповну.

Исаева скрестила руки на груди.

— Галь, ты ничего не замечаешь? — осведомилась Саша.

— Что?

— Серьезно, ничего?

Галка даже огляделась. Только ее недоумевающего вида Саше и не хватало, чтобы ее терпение окончательно лопнуло.

— Труп, например! — заорала она. — Думаешь, ты можешь так просто оставить тут Елизавету Архиповну и надеяться, что на нее никто не наткнется? Или ты ждешь, что она сойдет за фрагмент рельефа? Мол, разбросал тут кто-то мертвых старушек, бывает, не обращайте внимания!..

Она закашлялась от переполнявшего ее возмущения.

— Разумеется, нет, — отрезала Исаева тоном глубокого превосходства. — Я не собираюсь ее здесь оставлять.

— Вот и правильно! То есть подожди, — спохватилась Саша, — что значит не собираешься оставлять?

— Господи, Стриж, не будь идиоткой! Ну конечно, я собираюсь ее спрятать.

2

Саша бежала, спотыкаясь, по тропинке, и непечатно ругала про себя всех твердолобых идиотов обоих полов. Ей срочно требовался Макар Илюшин, поскольку она не понимала, что ей делать.

Совершенно не понимала.

Саша Стриженова привыкла рассчитывать на себя. Она была самостоятельная женщина, профессионал своего дела, ответственный квартиросъемщик, заемщик в банке и прочие статусы, из которых собирается, как из конструктора, взрослая личность. В данную ми-

ЕЛЕНА МИХАЛКОВА

нуту эта взрослая личность хотела только одного: пе-
ревесить решение на кого-нибудь другого, еще более
взрослого.

— Макар!

Как же трудно кричать вполголоса! А громко нельзя. Набегут Сысоевы, станут спрашивать, все ли в порядке, что это вы тут орете как оглашенная, Александра, и кстати, не встречалась ли вам наша любимая
прабабушка Елизавета Архиповна?

Представив такое развитие событий, Саша похо-
лодела.

— Макар!

Куда же он делся?

Саша добежала до калитки и остановилась, вглядываясь в сгущающиеся сумерки. Окна сысоевского дома
светились желтым, внутри громко разговаривали, хло-
пали дверями, чем-то звенели и стучали. Неужели
Илюшин с ними?

«Макар, там невеста прячет мертвую старушку, я
не знаю, что мне делать, срочно пойдем со мной и отбе-
рем у нее труп».

Блестяще.

Саша прислонилась к калитке и закрыла глаза.

Истина заключалась в том, что она даже не знала,
что говорить Илюшину. Однако при этом со свойствен-
ной влюбленным женщинам последовательностью ни
секунды не сомневалась, что Макар поможет.

Пять минут назад Галка Исаева взгромоздила на
себя маленькую легенькую Елизавету Архиповну и,
сопя, направилась прочь. Сашины вопли о месте преступления были проигнорированы. «Я... должна... ее
спрятать! — прокряхтела Галка. — Потом положу на
место».

На место. О господи.

Стриженову разрывало от необходимости хоть что-нибудь предпринять.

«Я в полицию звоню!» — бессильно пригрозила Стриж вслед Галке.

«Звони! — прокряхтела Галка, скрываясь за деревьями. — Вонзай нож в беззащитную спину».

И исчезла в сумраке вместе с покойной Елизаветой Архиповной на горбу. А Саша осталась на оскверненном месте происшествия. Она сделала было шаг вслед Галке, наткнулась на что-то и чуть не вскрикнула от неожиданности: из зарослей черники ей милостиво улыбался садовый гном.

А через минуту из кустов бесшумно выступил рыжий кот, уселся рядом с гномом и принялся вылизываться, время от времени заинтересованно поглядывая на Сашу.

— Берендей, тут все сошли с ума! — шепотом поделилась Стриж.

— Мр-р, — согласился кот.

Саша осознавала, что самое правильное — обратиться в полицию. Отчего же, интересно, именно правильные решения сплошь и рядом вызывают тошноту и отвращение?

Они с Исаевой провели три года вместе. Дурацкое времечко! Половину времени хохотали до слез, половину плакали до икоты. Одни колготки на двоих, так что никаких свиданий одновременно. А туфли! Одна-единственная бесподобная Сашкина пара — серебристые, как роса, на каблучке-рюмочке: подарок родителей. Конечно, она разрешала носить их Исаевой, благо размер позволял. Однажды Галин ухажер в ссоре обозвал ее дурой. Галка сняла туфлю и лупила его до тех пор, пока от обуви не отвалился каблук. Рассматривая вечером безвременно погибшую туфлю, Саша посоветовала: «В следующий раз двумя лупи, по очереди. На плоской подошве бегать удобнее». А Галка вдруг заревела и кинулась прощения просить, дурында.

Пустяки какие-то вспоминаются. Однокурсница Лариса, девица безмерной, прямо-таки космической глупости, как-то сообщила напыщенно, что решила назвать своего сына Цитрамоном. Мол, редкое имя, и мальчик будет красавчик. «Ты откуда его взяла, это редкое имя?» — давясь смехом, спросила Саша. Древнегреческое, отрезала Лариса. «Ибупрофеном назови! — серьезно посоветовала Исаева. — Всех известных философов так звали. Уменьшительное — Проша». «Аспирином Валерьяновичем можно», — прошелестела Саша. «А если девочка, то Люголь». «Люголь Евгеньевна!» «Можно и Люголь Борисович!» И хохотали, повалившись на подоконник и дрыгая ногами от счастья.

Лариска, кстати, потом наябедничала на них в секретариат, что курят за институтом. Хотя Сашка не курила, только сигарету вертела в пальцах за компанию.

А драка с пьяными пэтэушницами в парке за качели! А украденная у обеих в один день стипендия (обе тут же нашли работу и потом врали друг другу, что родители присылают денег. Стриж строчила на машинке какие-то трусы в холодном подвале, а чем занималась Галка, она так и не выяснила толком).

Исаева давно вписала себя в Сашину биографию красными чернилами. И подчеркнула для верности.

Но пес бы с ней, с биографией! Мало ли кто там плавает, как муха в борще. Не это объединяло Исаеву со Стриженовой, по правде говоря.

Ощущение сопричастности друг другу — вот от чего никуда не деться. Галка была родной. Ангелы, что ли, ставят печати, маркируя тех, кто попадет после рождения в одну когорту. Ты не видишь печать, но ощущаешь шестым чувством. По ней узнаешь своих, даже если встретились на пять минут в прокуренном тамбуре плацкарта «Москва — Томск» и сразу же разбежались навсегда.

Куда бы и на сколько лет Галка ни пропадала, Саша всегда знала, что Исаева где-то рядом. Встретившись после долгого перерыва, они начали разговор с того же места, на котором оборвали его восемь лет назад.

Саша никогда не задумывалась над тем, какая из нее получилась подруга. Но в табеле о рангах дружбы ее чин был бы не ниже штаб-офицерского.

События неслись стремительно и непредсказуемо, как пьяный лыжник под гору, и задержать их не было никакой возможности. Саша подозревала, что близок миг, когда на пути у лыжника окажется и Галина. Достаточно ей наткнуться, скажем, на отца жениха. «А что это вы такое тащите, Галочка?» И все. Десять лет за предумышленное.

А если Петруша Сысоев, узрев застывший в окончательной насмешке лик Елизаветы Архиповны, схватится за сердце и приляжет на травку с инфарктом, то и все двадцать.

— Мака-ар!

Пока Саша металась вокруг дома, Макар Илюшин уходил все дальше и дальше от участка Сысоевых. К уху он прижимал сотовый телефон и время от времени бурчал в него что-то неодобрительное.

ЕЛЕНА МИХАЛКОВА

Едва ему позвонили, он сразу понял: разговор вырисовывается не самый приятный, а главное — требующий полного внимания. Общаться же в доме, где каждую минуту кто-то орал, хохотал, звал с ним выпить или просил смастерить арбалет вместо лука, было немыслимо. Поэтому Макар тихо исчез.

— Ты уверен, он так и выразился? — спросил он в трубку. — «Ваш друг вернулся»?

Собеседник заверил, что именно так и было сказано.

— Он передал, чего хочет от меня?

— Нет, — сказал человек, которого явно тяготил этот разговор. — Он лишь просил сообщить о том, что снова здесь.

— И счел нужным поставить меня в известность, — задумчиво проговорил Макар. — Спасибо, дружище.

Он нажал на кнопку отбоя и постоял, качаясь с пяток на носки. В это время Саша Стриженова подпрыгивала под окнами, пытаясь разглядеть Илюшина в комнате, но каждый раз натыкалась взглядом лишь на выпученные в поэтическом экстазе глаза Пахома Федоровича.

— И зачем же он решил вернуться? — вполголоса осведомился Илюшин у куста лебеды.

Подскакивая на ухабах, мимо проехала машина. Фары ослепили Илюшина, и он спохватился, что пора возвращаться. Но прежде нужно было позвонить Бабкину.

— Серега, как там рыбалка?

— Фигово, — пробасил Бабкин. — Кстати, у меня для тебя новости.

— У меня для тебя тоже. Начинай.

— Что скажешь о Монтекки и Капулетти шавловского разлива?

— Неужели Сысоевы?

Бабкин одобрительно хмыкнул.

— Точно так.

— А кто второе семейство?

— Долго рассказывать, давай при встрече. Как у вас там дела? Невеста удила еще не закусила?

— Даже копытом никому в лоб не дала, — заверил Макар. — У меня новость круче.

— Да брось. Ты мою еще не слышал. Монте-Кристо лежит в красном углу ринга в нокауте.

— Похоже, Михаил Гройс вернулся, — сказал Макар.

В трубке раздался долгий свист.

— Точно?

— Не точно. Но похоже на то.

— Вот старый хрыч. Чего хочет?

— Понятия не имею. Пока что предупредил нас, что он здесь.

— И больше ничего?

— И больше ничего.

Сергей попыхтел в трубку.

— И какие планы?

— Напиться и забыться, — усмехнулся Илюшин. — Вернемся в Москву — там видно будет. Ладно, пойду я праздновать.

— Весело там у вас?

— Очень! — заверил Макар. — Тебя не хватает. Может, придешь, поглазеешь? Как сиротка в щелочку в заборе?

Бабкин издевательски хохотнул и повесил трубку.

Макар вздохнул. С большим удовольствием он сгреб бы Сашу в охапку и смылся с этого дурацкого ужина.

«Скука смертная. Разве что бешеная бабка дает жару. Даже любопытно, что она еще выкинет».

3

Любой человек, знакомый с Валерием Грабарем, рано или поздно сталкивался с необходимостью охарактеризовать его интеллект. Обыкновенно это случалось, когда слушатель какой-нибудь истории с участием Валеры восклицал: «Он что, идиот?»

И вот тут рассказчик замолкал в смятении.

Ибо лаконичное слово «идиот» не передавало всего того огромного, безграничного простора, который существовал в Валериной голове.

Впрочем, нельзя исключать, что какой-никакой ум у Грабаря имелся. Однако он им не пользовался. В его инструментарии по освоению окружающего мира это был самый бесполезный предмет. Грабарь неоднократно имел возможность наблюдать людей, которые по общепринятому мнению являлись умными. Любого из них он отправил бы в нокаут в первые десять секунд боя.

Ну и зачем тогда тот ум?

Шуток Валера не понимал, а к людям с чувством юмора относился подозрительно. Чего смеются? Зачем смеются? Лучше бы картошку копали.

В школе он учился на удивление легко, ибо у него оказалась отличная память. По ключевым словам, произнесенным учителем, Валера без труда вспоминал весь прочитанный дома параграф. Единственным предметом, по которому он перебивался с двойки на кол, была литература. Легче было страусу переплыть Ла-Манш на спине, чем Валере написать сочинение. К тому же в отношении прочитанных книг его великолепная память отчего-то давала сбой. Возможно, Грабарь просто не в состоянии был запоминать *несуще-*

ствующее. Он прославился на всю школу, когда в сочинении по Тургеневу написал, что барыня утопила Герасима, причем с братской фамильярностью обозвал ее Муму.

«Постмодерн», — выразилась училка непонятно. А за сочинение все равно влепила двойку. «Выругалась, значит!» — понял Валера и с тех пор иногда, когда положение требовало крепкого словца, бранился: «Позмодерном тебя!» То есть вроде как дихлофосом, но изысканнее.

Тренер в их секции на него нарадоваться не мог: дисциплинированный, непьющий, с отличной реакцией. Красота! На ринге Валерка двигался с грацией ягуара. Он предугадывал движения противника, он хитрил, блефовал и атаковал молниеносно, как кобра. Ловкий, точный, быстрый Грабарь оказывался, наконец, в своей стихии. Ему не требовались друзья — он рад был бы довольствоваться всю жизнь одними лишь соперниками.

Рита Сысоева стала исключением.

Увидев в клубе чернобровую деваху с тяжелым взглядом, Валера понял, что его сердце разбито. Сам он ощущал это скорее как вздутие живота, но кто такой боксер Грабарь, чтобы спорить с трубадурами любви.

Он объяснился Рите почти сразу. Это звучало как «Слышь! Пошли, по делу перетрем».

И сразу получил по морде.

Последний раз Валеру тыкали кулаком в зубы, когда ему было десять. Правда, третьего молочного по результатам скупого диалога не досчитался именно его противник (обычная развязка для всех Валериных драк).

Но на этот раз Грабарь не рассердился, а восхитился. Именно так, по его убеждению, и должна была выглядеть страсть.

«Втюрилась в меня как дура», — самодовольно подумал он про Ритку.

И начал осаду по всем правилам, с цветами и конфетами.

Рита орала на него. «Во горячая девка!» — восхищался Валера.

Рита расцарапала ему физиономию. «Ревнивая», — оценил он.

Рита заявила, что никогда не станет встречаться с таким уродом. «Гордая!» — одобрил Валера.

Рита пошла на танцы с Димоном Волковым по прозвищу Волчок. Любимую женщину Валера великодушно простил, а Волчка отметелил так, что тот при одном упоминании Ритиного имени рефлекторно закрывал голову и принимал позу эмбриона.

Валера упорно продавливал действительность под себя. И действительности ничего не оставалось, как сдаться.

Друг из Грабаря вышел на удивление заботливый. В тонкостях движений женской души Валера разбирался примерно так же, как в шумерской клинописи. Но у него имелся свод правил, свой собственный джентльменский набор. Согласно этому кодексу чести благородного рыцаря, баба вышеупомянутого благородного рыцаря должна быть: а — сыта, бэ — весела и вэ — с сухими ногами.

Поэтому Валера Риту: а — кормил, бэ — веселил и вэ — носил на руках.

Из них вышла гармоничная пара. А уж когда Валерка пристрастил подругу к боксу, стало совсем славно.

Вот только со вторым пунктом последнее время были проблемы. Рита грустила. Перед торжественным ужином и вовсе затосковала: даже влепила милому другу половником по макушке, когда он сказанул что-то под руку.

Бедная девочка!

И тогда Валерке пришла в голову гениальная идея.

Он порадует любимую ценным подарком. Рита увидит его, и на душе у нее станет тепло.

· ·

—Это что? — подозрительно спросила Ритина мать, узрев Грабаря в дверях в обнимку с какой-то гигантской синей гусеницей в полиэтилене.

— Мешок, — ухмыльнулся Валера.

— Вижу, что не авоська, — отрезала старшая Сысоева. — Ты зачем его сюда припер?

— Так это, того... Боксерский мешок! «Юниор»!

— Что?

— Сорок пять кило весит! — похвастался Валерка, похлопывая по мешку жестом крестьянина, продающего на рынке упитанного поросенка.

Нина принюхалась. От мешка отчетливо несло какой-то резиновой гадостью.

— Воняет!

— Попахивает, — не согласился Валерка.

— Унеси его отсюда!

— Ну Нинборисна! Это Ритке подарок!

— Валера, чтобы этой штуковины в моем доме сегодня не было! У нас гости! — Нина вытерла вспотевший лоб. Господи, еще не хватало дурня с его сюрпризами. — Завтра подаришь!

— Куда ж я ее дену? — озадачился Валерка. — Сорок пять кило!

— Придумай что-нибудь, — решительно сказала Нина. — Ты умный, у тебя получится.

Она не удивилась бы, если б небеса разверзлись и из них посыпались, скажем, волосатые лягушки. Все-таки не часто человеческий язык рождает настолько вопиющую ложь.

Но лягушачий дождь не пролился.

— Ага, — мрачно согласился Валерка. — Ща. Сообразим.

И ушел, волоча подарок.

Нина вздохнула с облегчением. Если б она могла предвидеть, к чему приведет ее запрет, то своими руками повесила бы боксерский мешок на хрустальной люстре в зале.

. . . .

Валера мрачно влачился среди деревьев в обнимку с подарком. Как вдруг увидел вдалеке над яблоневыми шапками листвы крышу сарая. Грабарь воспрял духом. Вот он, выход! Как стемнеет, приобнять Ритку за талию, пообещать сюрприз — и отвести в сарай. А там боксерский мешок!

Валера представил лицо любимой и удовлетворенно засмеялся.

Но в сарае его радость сменилась ужасом. Небольшое помещение было забито хламом теснее, чем пиратский трюм контрабандой. Все Сысоевы мастерски умели делать окружающему пространству инъекцию бардака, но Петруша достиг в этом деле недосягаемых высот.

Если бы его поселили в пустыне, через пару недель единственный оазис был бы сметен рухлядью вроде дырявых шин, сгнивших досок и проржавевшего насквозь реликтового холодильника, помнившего рождение кинескопного телевизора.

В доме Нина строго следила за супругом. Однако сарай был полностью отдан ему на откуп. Неудивительно, что Валера глотнул спертого воздуха и бежал прочь, смутно ощущая, что его вот-вот поглотит океан космического хаоса.

В саду он сел под деревом и пригорюнился. Сюрприз пропадал!

«Мозгом работай, мозгом», — посоветовал себе Валера.

Проходивший мимо Григорий случайно взглянул на его перекошенное лицо и шарахнулся в сторону. Свят-свят-свят! Нога провалилась в канаву, и Гриша смачно выругался.

Валера тут же очнулся от тягостных дум.

Кто сказал «мяу», в смысле — «вашу мать»?

Григорий торопливо ковылял прочь. Но не он интересовал Валеру, а первопричина явления.

Канава!

У канавы была драматичная история.

Когда-то Петруша Сысоев, охваченный необъяснимым помешательством, вырыл на участке четыре дренажные траншеи. Три из них Нина вскоре закопала, отгоняя лопатой вьющегося вокруг супруга. Петенька заламывал руки и кричал, что их затопит при первом же дожде. Участок Сысоевых стоял на высоком сухом склоне, поэтому Нина никак не могла взять в толк, какой взбесившийся крот укусил ее мужа.

Разгадка его сумасшествия в конце концов была обнаружена в уличном клозете. Нина, гневно ругаясь, изъяла из пыльного угла годовую подписку журнала «Строим дом сами». Петенька молил оставить хотя бы номер со статьей о подвалах. Но супруга пригрозила, что там же его и закопает, если он не прекратит строительные эксперименты.

На четвертую же канаву, выкопанную сразу за сараем, она махнула рукой.

....

Валера походил вокруг рва, надувая щеки. Уложил в яму мешок. В длину уместилось бы еще три, а по ширине легло так, словно под него и копалось.

Грабарь возликовал.

Он наломал за забором бесхозной калины и забросал сюрприз ветками.

Оставалось только привести любимую.

И когда Рита в расстройстве ушла с ужина, Валера понял, что час пробил.

4

Бритая шишковатая голова просунулась в приоткрытое окно кухни.

— Ищу тебя везде, ищу, — недовольно прогнусавила она.

— Тоже мне, поисковая овчарка! — мигом разозлилась Рита.

— А чего сразу овчарка? — помрачнел Валера. — Я тебе не кобель какой-нибудь. Я верность блюду.

Рита вздохнула. На кого она злится...

— Матери помочь надо, — проворчала она. — Иди сюда, будем салаты заправлять.

Валерка отмахнулся от заманчивого предложения.

— Слышь, чего скажу! — Таинственностью его голос мог бы соперничать с голосом феи-крестной. — Сюрприз есть.

— Какой еще сюрприз?

— Кайфовый.

Рита заправила за ухо выбившийся завиток.

— Валер, а Валер, — с тоской сказала она. — Не до сюрпризов мне сейчас.

— Крутяцкий! — настаивал Валера. — Пошли, позыришь.

Рита поняла, что возлюбленный от нее не отвяжется. Если Валера вбивал что-то себе в голову, то выбить это можно было только кувалдой и вместе с мозгами. Навыков убеждения у него было не больше, чем у дохлой моли, зато упорного занудства хватило бы на караван верблюдов. Как уже было сказано, Валера Грабарь прогибал под себя действительность. Вздумай он прокатиться на еже, несчастное млекопитающее вскоре согласилось бы считать себя ездовым, лягаться и закусывать удила.

— Далеко? — сдалась Рита.

Валера запрыгнул на подоконник и перевалился внутрь. Когда он объяснил, куда им предстоит направиться, в кухню заглянула старшая Сысоева.

— Валера, шагом марш со мной, — не терпящим возражений тоном приказала она. — Надо помочь.

— Ван момент, Нинборисна!

— Клей тебе «Момент», а не Нина Борисовна. Идем.

Валера был упорен, но спорить с Ритиной матерью не осмеливался. Он со значением подмигнул подруге напоследок: мол, шагай, ничего не бойся, — и скрылся в коридоре.

5

Поняв, что Илюшина ей не отыскать, Саша кинулась обратно. «Скажу, что все-таки позвонила в «Скорую» и они уже едут».

Но она опоздала. Навстречу по тропинке, вдоль которой светились фонарики, двигалась Галка с присущей ей стремительностью.

— Что, закопала? — севшим голосом выдавила Саша, вглядываясь в лицо подруги.

Как выглядит человек, перепрятывающий мертвых старушек?

Приходилось признать, что так же, как всегда. Разве что глаза блестят ярче обычного. Впрочем, при Галкиной возбудимости она практически постоянно выглядела как преступник, который только что скрывал следы содеянного.

— Да не трясись ты, Стриж! Все нормально.

— Нормально? *Нормально?*

— С поправкой на дурдом, — поправилась Исаева.

— О, господи... А если нас посадят за сокрытие трупов?

Галка одернула блузку, холодными пальцами взяла Сашу за запястье и увлекла за яблоню.

— Послушай, я все беру на себя, — тихо, но очень твердо сказала она. — Я спрятала, мне и отвечать. Мне жаль, что ты оказалась во все это замешана, но тут уже ничего не исправишь. Если что, я попрошу, чтобы нас с тобой закрыли в одной камере.

— Шутишь, — мрачно констатировала Саша.

— Пытаюсь. Что еще остается!

И Галя усмехнулась. Это была улыбка человека, которому нечего терять.

Саша снова хотела сказать «о господи», но решила, что достаточно сегодня взывала к Всевышнему.

— Мы с тобой будем гореть в аду, ты понимаешь это? — обреченно спросила она.

— Сначала я выйду замуж! — отрезала Галка. — А потом пусть чистят свои котлы и разводят огонь.

Стриженова обернулась к дому. Где-то там по комнатам бродил Олег, искал свою невесту. А может, целовал длинноногую Кристину. Или понуро выслушивал мать. «Я же говорила! Передумай, Олежек, пока не поздно!»

— Знаешь, Галка, если вы разведетесь через год, я тебя своими руками придушу. Ты столько положила на алтарь этой свадьбы...

Саша споткнулась.

— Не разведемся, — оборвала Галка ее метания. — Дай нам только пожениться для начала.

— Тебе еще сутки до свадьбы! Кстати, ты понимаешь, что ее отменят, как только найдут тело?

— А это уже не важно, — отмахнулась Исаева. — Надо лишь закончить на радостной ноте сегодняшнюю пирушку. Поверь мне, мертвая Елизавета Архиповна для этого гораздо пригоднее, чем живая.

С крыльца донесся скрипучий голос Алевтины, извещавший, что через полчаса планируется продолжение банкета.

— Пропадай моя телега, все четыре колеса! — с отчаянной веселостью шепнула Исаева. — Высидим попойку — и в дамках! Стриж, смотри веселее! Что у тебя лицо какое похоронное!

— Как мне смотреть веселее, когда у меня бабушки кровавые в глазах? — взвилась Саша.

— Бери с меня пример!

— Тебе Олег все затмил. А мне все затмевает уголовный кодекс и соображения морали.

Галка сделала сложный жест, который должен был обозначать, что с уголовным кодексом она связываться не планирует, а против соображений морали у нее есть соображения большой и чистой любви.

— Между прочим, — нахмурилась она, — а почему ты спросила, куда я ее закопала?

— В каком смысле?

— Я ее не закапывала.

Чутье предостерегало Сашу от следующего вопроса, но удержаться она не могла.

— А что ты с ней сделала?

— Спрятала, как мы и договаривались.

— Вот чтобы больше я от тебя этого не слышала! — вздрогнула Стриж. — Не договаривались мы ни о чем! Просто ты присвоила чужой труп и сбежала с ним, поставив меня перед фактом.

— Короче, Елизавета Архиповна в надежном месте.

Саша попыталась представить надежное место на участке в пятьдесят соток. В голову настойчиво лез дурацкий детский стишок: «Утопилась тетка Смита у себя в колодце. Значит, воду через сито процедить придется».

— Чего ты там бормочешь? — подозрительно спросила Исаева. — Какое еще сито?

— Не сито?

— Что — не сито?

— В колодце.

— Стриж! Ты меня пугаешь!

— А ты меня, можно подумать, радуешь безостановочно, — прошипела Саша. — Хватит тень на плетень наводить. Куда дела покойницу?

Галка огляделась и подалась к ней.

— За сараем есть канава. Я про нее вспомнила в самый ответственный момент!

— Чш-ш-ш!

— Отличная канава, поверь! Словно нарочно для этого дела выкопана. Я даже грешным делом подумала, уж не для меня ли они ее приготовили.

— Возможно, это был бы не худший вариант, — пробормотала Саша.

— Да ну тебя. Слушай, там даже веток целая куча оказалась навалена. Старушка лежит, как дитя в колыбели. Идеальное место, Стриж! Никто ее там не найдет, поверь мне.

6

Рита Сысоева когда-то начала встречаться с Валерой Грабарем, рассчитывая лишь посмеяться над ним. Грабарь был не из тех, кто мстит обидевшим его девушкам. Он бы даже не понял, что его оскорбили.

Именно это в конце концов и удержало ее от всех заготовленных планов. Рита была беспечна, но не жестока, а в том, чтобы выставить назойливого боксера на всеобщее посмешище, было что-то от издевательств над ребенком.

Сначала она его вышучивала. Шутки эти были злы и колючи, но Валера не понимал и половины, поэтому издевки Рите скоро прискучили.

Тогда она стала пытаться от него избавиться. Грабарь пыхтел, мрачнел, жевал щеки и выглядел еще большим идиотом, чем был на самом деле, но продолжал бродить за Ритой неотступно.

«Не повезло парню влюбиться в тебя», — сказала однажды Нина. Рита поразмыслила, и честность заставила ее признать, что мать права. С этой минуты она начала жалеть Грабаря.

Жалость, как волшебная палочка, которой коснулись чудовища, высветила то, что прежде было скрыто грубой мохнатой шкурой. Валера был бесконечно терпелив к ней, с ее тяжелым и взрывным характером. Он готов был ради нее на все, и если бы Рита попросила, принес не один персик среди зимы, а вырванное с корнем персиковое дерево и заодно агронома. Наконец, сияние Риты освещало и тех, кто находился рядом с ней. Поэтому грубый Валера с почтением относился к ее отцу, дяде Грише и Алевтине и с благоговением — к ее матери. Он был, пожалуй, единственным человеком в целом Шавлове, который всей душой любил Сысоевых, потому что они были — Ритина семья. Рита с ее практичным умом не могла не понимать, что детей он будет обожать еще сильнее.

В конце концов, ей просто льстило поклонение такого сильного человека. Силу она уважала.

«В канаве ищи». Надо же, в канаве!

Пентюх бритый.

Рита Сысоева обогнула сарай, наклонилась и потащила на себя верхнюю ветку калины, не переставая изобретательно ругать своего приятеля.

Ветка зацепила вторую, та — третью, и внезапно все зеленое покрывало сползло в сторону.

Рита хватанула ртом воздух.

Сюрприииз! — пропел кто-то невидимый тоненько, будто комар.

Надо сказать, вид у Елизаветы Архиповны был почти довольный, словно она наконец-то нашла подходящее место и собирается пребывать здесь и дальше в тиши и покое.

Несколько мгновений Рита, в точности как Саша, ждала от старушки какой-то реакции. «А ну положь веточку на место! — отчетливо проговорил в ее голове ворчливый голос. — Уж полежать спокойно не дадут».

Но затем Рита окончательно совместила пазлы.

— Баб Лиза!

Будь Елизавета Архиповна жива, она задала бы младшей Сысоевой трепку за бесцеремонное обращение. Поэтому несколько секунд Рита возносила хвалу Господу за то, что старушка мертва и не слышит ее.

— Вот же, вашу мать, сюрприз, вашу мать, — прохрипела она, когда к ней вернулся дар речи.

Грабарь, чертов придурок!

Рита дрожащими руками вытащила сигарету и закурила.

Елизавета Архиповна безмятежно глядела в небеса.

Картина произошедшего была ясна. Валера, про которого не зря говорили, что у него в голове одна веревочка, на которой уши держатся, обиделся за свою подругу и решил отомстить старой ведьме. Елизавета Архиповна и впрямь начала выбалтывать то, чего знать не должна была. И уж подавно не имела права произносить вслух!

Итак, Грабарь разъярился, пошел за старушкой и стукнул по голове. Или придушил.

Много ли Елизавете Архиповне надо! Тюк — и нету.

Вся биография Грабаря подтверждала Ритину версию. Волчка избил? Избил. За нее готов любого разорвать и сшить из клочков вымпел? Готов: и разорвать, и сшить. Силы много? Много. Дури еще больше? Ведром не вычерпаешь.

Сильнее всего Риту поразило не убийство, а желание Валеры похвастаться делом своих рук. Вырвал, значит, старую поганку с корнем и вздумал порадовать возлюбленную.

Рита всегда трезво оценивала умственные способности своего друга. Однако психом она его не считала. Прикончить старушку — это еще полбеды! Но позвать любимую девушку насладиться видом хладного трупа — поступок, мягко говоря, экстравагантный.

«Сволочь, — с бессильной яростью подумала Рита. — Свихнувшийся сукин сын!»

Не зря мать всегда твердит: мужчины существуют для того, чтобы создавать женщинам проблемы. Вспомнить хоть отца с его канавами!

Впрочем, одна вот пригодилась.

С этой мыслью Рита закурила вторую сигарету. Стадия возмущения сменилась стадией анализа случившегося.

Логика ее была проста. Во-первых, Грабарь пошел на преступление ради нее. Во-вторых, она сама пригласила его на этот ужин. Надеялась, идиотка, что он выкинет что-нибудь эдакое. Ну и пожалуйста: дождалась.

В-третьих, с чего она решила, что Валерка хотел похвастаться? Нет же! Это был завуалированный крик о помощи. Умственных способностей Грабаря хватило лишь на то, чтобы припрятать Елизавету Архиповну. И скажите еще спасибо, что он ее в дом не потащил, с него бы сталось.

Значит, ей это все и разгребать.

К концу второй сигареты Рита уже перешла к стадии планирования. Галя Исаева, считавшая сестру Олега туповатой, поразилась бы, как быстро та соображает в критической ситуации.

Оставлять тут Елизавету Архиповну нельзя, думала Рита. По участку постоянно кто-нибудь шатается. В яблоневой рощице ей и вовсе встретилась московская пиявка (удачное все-таки словцо подобрала покойница, меткое. Насквозь людей видела, светлая ей память, стерве).

А где пиявка, там и ее подруга. Неровен час отправятся гулять, наткнутся на траншею и заинтересуются, кто это тут прилег отдохнуть в тени калиновых ветвей.

И тогда хана Валерке. Этот дурень отпереться от убийства в жизни не сможет.

Рита потерла лоб.

Получалось так: во-первых, перепрятать. Во-вторых, потом уже решать, куда перенести труп на вечное хранение. В-третьих, подучить своего идиота, что отвечать на нехорошие вопросы. «Не знаю, не видел, не привлекался». А нехорошие вопросы непременно возникнут, когда к утру Елизавета Архиповна не вернется домой!

«Ушла в лесочек погулять, — быстро сочиняла Рита, — заблудилась в темноте, не рассчитала силы — и отбросила коньки».

Чушь собачья! До настоящего леса здесь топать километров пять, не меньше. Может, старуха и могла преодолеть их без труда, но разве что в вальпургиеву ночь.

С версией потом! Она придумает что-нибудь, когда будет время. Но вот тело надо убрать, и убрать незамедлительно.

Рита вмяла окурок в землю и вскочила. Сарай? Нет, туда даже дохлого голубя не засунешь. К тому же отец любит заглядывать внутрь, особенно когда выпьет.

Кусты? Опасно! Мальчишки шныряют по лесочку и саду!

Про дом и говорить нечего. Место-то найдется, но как пронесешь незаметно Елизавету Архиповну мимо гостей и собственной семьи?

О полиции Рита не подумала ни разу. Это было семейное дело, и решать его следовало по-семейному, в тихом кругу.

«По-семейному! Свадьба!»

Рита чуть не подпрыгнула. Она поняла, куда спрячет тело Елизаветы Архиповны.

. . . .

Десять минут спустя вышедший на крыльцо сосед Кожемякин мог бы наблюдать редкую картину. По приставной лестнице к навесу, установленному у задней стены дома Сысоевых, карабкалась крепкая угрюмая девушка. Через плечо ее перевешивалось тело сухонькой старушки. Девушка походила на охотника, завалившего первую в своей жизни серьезную добычу и волочащего ее в племя.

Рите было не занимать силы и выносливости. А Елизавета Архиповна последние двадцать лет законсервировалась в состоянии крохотной и легкой птички. Теперь к тому же покойной, что отчасти облегчало Ритину задачу. Однако восемнадцать ступенек, которые девушке пришлось преодолеть, дались ей не легче, чем Сизифу подъем в гору. С тем лишь отличием от несчастного царя, что ее ноша не скатилась вниз в конце пути.

Когда вспотевшая и запыхавшаяся Рита перебросила свой груз на крышу навеса, до ее слуха донеслись одобрительные выкрики невидимых зрителей, болевших за нее. К счастью, они существовали лишь в ее воображении.

Сосед Кожемякин никак не мог восхищаться подвигом младшей Сысоевой по той простой причине, что исчез еще накануне. А вся родня сосредоточилась в доме. Рита не зря выбрала навес в качестве последнего приюта. Риск оправдал себя: из дома никто не вышел, а со стороны соседского сада подглядеть за ней было просто некому.

Во всяком случае, так она полагала.

— Сейчас, Елизавета Архиповна, цветочками вас укроем, все честь по чести, — бормотала взмокшая как мышь Рита, подкрепляя слова действием. Хвала Кристине и ее матушке! Навес так щедро украсили искусственными букетами, что хватило бы на пять старушек.

Замаскировав покойницу, Рита перевела дух. Первоочередная часть плана была выполнена.

— Вы пока полежите, Елизавета Архиповна. А там уж решим, что с вами делать.

Она поправила последнюю бумажную ветку, огляделась и начала спускаться вниз. Еще лестницу предстояло вернуть на место.

Глава 5

1

И всё продолжилось на удивление прилично!

Олег вывез самоуглубленного Прохора Федоровича на коляске. Явился откуда-то из кустов Гриша, то и дело лукаво подмигивавший, так что Саша даже заподозрила у него тик. Наконец, выплыла Нина в лиловом платье до пят, выглядевшая в нем весьма импозантно, и водрузила на стол салатник с чем-то крабовым и кукурузным.

— Шикарно выглядишь, Ниночка, — неодобрительно заметила Алевтина.

— Праздник же, — сухо напомнила Сысоева. — Могу себе позволить.

Саша смотрела на нее, в этом нелепом торжественном платье, и поймала себя на ощущении, что все это происходит не на самом деле. Как будто артисты разыгрывают спектакль, комедию абсурда. И зрителю еще не ясно, кто благородный герой, кто коварная отравительница, а кто бог из машины.

— Майонезу не хватит! — озабоченно сказала Нина, и Саша вернулась в реальность.

— Я принесу! — вскочила Рита.

Кстати, где ее боксер?

Саша огляделась. Ни боксера, ни Кристины, ни, между прочим, Макара Илюшина. Где ж его носит?

А вот Исаева — молодец. Галка ведет себя с такой непринужденностью, словно перепрятывать покойных старушек для нее самое привычное дело.

«А впрочем, что еще ей остается? — подумала Саша. — Когда все катится в тартарары, есть только один способ удержаться: сделать вид, что все нормально. Самогипноз. Аутотренинг! Сестра жениха мечтает сжить тебя со свету, его мать готовит козни, вокруг зреет и сгущается что-то странное, в дренажных траншеях лежат покойные старушки, а ты знай себе беседуешь с отцом жениха о тонкостях выращивания топинамбура в средней полосе».

— Кроликов еще хорошо им кормить... — расслышала Саша обстоятельный голос Петруши.

Модельной походкой от бедра вышла Кристина на каблуках высотой со стилет. Дядя Гриша перестал дергать глазом и уставился на нее. Да что там — все уставились на Кристину, а Саша мигом сложила в уме формулу привлекательности: дерзкая, красивая и на шпильках. Даже Петруша позабыл своих кроликов и завороженно наблюдал, как деваха сужает круги возле Олега Сысоева.

— А канавка-то длинная, — сказала Саше на ухо Галка, невесть когда успевшая переместиться к подруге. — Еще как минимум одного уложить можно. Одну.

И с радушной улыбкой пошла навстречу Кристине.

Две акулы покружили друг возле друга.

— Вы не споткнетесь? — забеспокоилась Исаева. «Я тебе, мымре провинциальной, этот каблук в глаз воткну, если не угомонишься».

— Я привычная, — сверкнула зубами Кристина. «Кто из нас еще мымра!»

— Часто приходится ходить на каблуках? — посочувствовала Исаева. «Шлюха!»

— Когда ноги красивые, чего б и не походить. «Завидуй молча!»

Кристина из-под полуприкрытых ресниц оглядела Галку с ног до головы. Этот был взгляд колдуньи. Саша давно замечала: для колдовства женщине не обязательно быть ни умной, ни образованной. Дар наводить чары от интеллекта не зависит.

Кристина, наследница русалок и мавок, одним взглядом состарила Галку, укоротила ей ноги и вместо стильной прически сотворила на исаевской голове грязное сорочье гнездо. Не наблюдай Саша этого своими глазами, не поверила бы. На месте победоносной невесты на поляне возникла побитая жизнью крыска с нелепой синей челкой. Московская дамочка с претензиями, а по сути — жалкое болезненное существо!

По контрасту с ней все Сысоевы до единого выглядели здоровыми и полными жизни. Соль земли!

Кристина торжествующе обернулась на Олега. Полюбуйся, мол, кого ты себе выбрал!

Но она недооценила, с кем имеет дело.

Не для того Исаева держала танковую оборону, перетаскивала на горбу мертвых старушек и давилась фальшивыми крабовыми палочками, чтобы какая-то провинциальная кикимора безнаказанно творила с ней что хотела.

Она снисходительно улыбнулась Кристине.

— Имя у вас редкое. Особенно для Шавлова. И с фамилией красиво сочетается. — Галка сделала выразительную паузу и мечтательно произнесла: — Куря-я-я-ятина!

Это был сильный удар. Заклинанием «Курятина» Кристину отбросило назад. Сгинула русалочья краса, и глазам окружающих предстала вульгарная провинциалка с плохо окрашенными волосами.

Галка улыбнулась шире — и Кристина зашаталась на стриптизерских своих каблуках. Щелкнула пальцами — и безвкусная мини-юбка стала выглядеть до неприличия вызывающе.

Не Кристина, соблазнительница мужчин и дерзкая красотка, а наглая беспардонная Криська Курятина беспомощно открывала и закрывала рот. Кстати, накрашенный помадой из непростительно устаревшей коллекции.

Попутно одним движением бровей Исаева развеяла чары вокруг Сысоевых. Соль? Какая еще соль? Не смешите мои угги! Захолустные простаки, уездные караси — вот кто собрался здесь на самом деле.

Галка выпятила подбородок и краем глаза глянула на жениха: видит ли он? Оценил ли?

И тогда вперед выступила Нина Сысоева. Лицо у нее было такое, что Саша сглотнула и отодвинулась в тень, Кристина слезла с каблуков и босиком ушлепала на свое место, и лишь Галка попыталась скрестить с ней взгляды как рапиры.

Вот тут и стало ясно, у кого какая весовая категория. Олег любил Галю, и это придавало ей сил. Но главной здесь была Нина. «Моя земля. Мой сын. Мои крабовые палочки». Будь ее воля, Сысоева отправила бы эту вечеринку в пропасть забвения, а невесту наградила амнезией и аллергией на высоких мужчин с фамилией на «С». Но партия уже была наполовину сыграна. Пешка неумолимо продвигалась к клетке, на которой ждал ее король, а Нине было не чуждо представление о честной игре.

По ее правилам.

Она выставила вперед ладонь — и мощная ледяная волна окатила всех участников этого действа: «Что люди скажут?!» Если бы таким тоном Сысоева обратилась к леди Макбет, та раскаялась бы в намерении убить короля и ушла в монастырь щипать корпию.

— Девочки, вы салаты не разложили, — укорила она.

«Вы что себе позволяете, рожи бессовестные?!» — перевела Саша.

— Мы как раз собирались, — невинно сказала Исаева.

Клинок ее бессильно царапнул броню.

— Долго собираетесь, — отрезала Нина. — Гости вот-вот скатерть жевать начнут.

Острие сверкнуло, ослепляя Галку.

Сысоева покосилась на Алевтину.

«Разнесет эта дура сплетни по всей округе, ославит меня. Ты, девчонка, сбежишь в столицу. А мне здесь жить. Ты еще подерись с Кристиной, порадуй общественность!»

Галка обернулась к общественности. Алевтина жадно впитывала каждое слово, запечатлевала в памяти малейший жест, чтобы потом принести всем любителям обсасывать сплетни сочную мозговую кость. На лбу ее гигантскими буквами, как вывеска на казино, сияло, что не будет для нее большего наслаждения, чем если ревнивые девицы примутся мутузить друг друга и выдирать клочья волос, возя противницу мордой в салате. Это ж рассказов на тысячу лет хватит! На две недели Алевтина станет самой востребованной дамой во всем Шавлове! А Нинка будет в ногах ползать и упрашивать ее о молчании. Но не снизойдет она, ха-ха, не упустит такой шанс!

Все это Галка оценила в долю секунды.

А потом вспомнила, что есть кое-что, Нине Борисовне не известное.

Мать Олега нравилась ей меньше, чем вегетарианская диета каннибалу. Но Исаева и так достаточно натворила, чтобы в запальчивости прибавлять к спрятанной покойнице драку на торжественном вечере.

Она отступила на шаг и почтительно склонилась перед превосходящими силами противника.

— Григорий, вы позволите за вами поухаживать?

Исаева капитулировала.

Нина оглядела свое семейство и примкнувших к ним гостей, оценивая разрушения.

Мужики ничего не поняли. Куда уж им! Они бы и в последний день Помпеи потягивали пивко, обсуждая гетер и недавнее выступление кентуриона Главка, пока от пепла за шиворотом не стало бы горячо.

Молчаливая подруга с лебединой шеей и умным — слишком умным! — лицом смотрела понимающе. Но от нее Сысоева никаких подлостей не ждала.

А вот Алевтина, жадная до чужих промахов, хищно водила длинным своим носом, бровками шевелила вопросительно. Чуяла, что случилось что-то, прошло мимо нее, — да не могла сообразить, что именно. «Шиш тебе на босу морду», — солидно пожелала Нина.

И с чувством удовлетворения опустилась в кресло. Удовлетворение, правда, было слегка омрачено некоей тревожной нотой. Как если бы благодаря своевременному вмешательству начальника подчиненные вовремя опомнились и не устроили групповую оргию под прицелом камер своих сотовых. То есть ситуация разрешилась мирно, но тенденция настораживала.

У Нины были и другие поводы тревожиться. Куда более серьезные. Однако за пятьдесят лет старшая Сысоева обросла такой броней самообладания, что Атос завидовал бы и просил мастер-класс. Проще было пройти сквозь Великую Китайскую стену, чем догадаться, что на уме у Нины, если она этого не хотела.

— Дорогие мои! — Растроганный Олег поднялся и потянулся за бокалом. — Давайте выпьем в этот прекрасный час за...

— За гибель свободы! — проскрипел дядя Гриша.

· ·

Пока женщины соревновались, чье колдовское кунг-фу крепче, Григорий утащил со стола бутылку калиновой наливки и потихоньку прикладывался к ней. Прежде Григорий сладкое спиртное не уважал. Но чем меньше оставалось жидкости в бутылке, тем тверже он убеждался, что совершал гигантскую ошибку.

«Ошибки надо исправлять!» — заявил себе Гриша. И немедленно приступил.

А именно — украдкой смылся в дом, чтобы из темной пасти буфета изъять еще одну бутылочку: пузатенькую, сияющую на свету, как кристалл, розовым содержимым.

Нина в пылу наведения порядка этого даже не заметила.

— Чьей свободы, дядь Гриш? — озадачился Олег.

Григорий всхлипнул и зачем-то схватил за руку Пахома Федоровича.

— Гибнет свобода! — драматично выкрикнул он.

— Да чья?

— Холостяцкая!

— Чего?!

— Растопчут ее, бедную, — всхлипнул Гриша. — Пустят под нож.

— У-у, понеслось, — с мрачным удовлетворением человека, любящего напомнить «а я предупреждал», констатировала Алевтина.

Пахом Федорович вздрогнул и шевельнул волосатыми ноздрями.

— Под насыпью, во рву некошеном! — рявкнул он. — Лежит и смотрит как живая!

— А я предупреждала!

— Алевтина!

— Кто ему налил? Вот кто, я спрашиваю?

Прищуренные глазки Алевтины обшарили присутствующих и остановились почему-то на Саше.

— Ты налила!

— Я?

Сашины пальцы действительно нежно обнимали горлышко графина с водкой. Но лишь потому, что она представила, как Кристина лупит ее тощую мелкую Галку, и решила в крайнем случае вмешаться.

— Споить его хочешь! — обвинила Алевтина. Ее терзали муки неудовлетворенного любопытства, и она была зла, как оголодавший заяц, обнаруживший вокруг вожделенной рощицы ограждение под током. — Приехали городские и давай наших мужиков отбивать!

Саша выпустила графин и заинтересованно оглядела дядю Гришу. Надо же понять, что ей инкриминируют!

Дядя Гриша, несомненно, был хорош. Буйные кудри прилипли ко лбу, из-под расстегнувшейся рубашки выпирала складка обильного живота, не сказать пуза. Щеки красные, глаза масляные, уши оттопыренные. Красавец!

Однако Саша не могла не признать, что Григорий не лишен известного обаяния, проистекающего из его огромного жизнелюбия. Как этот ловелас и веселый алкоголик женился на сначала замороженной, потом размороженной, а потом снова замороженной треске Алевтине, она не могла взять в толк.

— Алевтина! — привстала Нина. — Ты что несешь?

— Вижу я, как она на моего мужа смотрит! — запальчиво отбилась та. — Так и шарит глазюками своими, так и шарит!

Саша еще раз пошарила глазюками, чтобы уж наверняка оправдать репутацию.

— Вот! — обрадовалась Алевтина. — Вишь, прям таки раздевает его!

— Ты что, выпила? — заподозрила Нина.

— Пей со мной, паршивая сука! — завопил Пахом Федорович так, что подпрыгнули чашки и гости. — Пей со мной!

— Опять Есенин, — констатировала Стриж.

— В огород бы тебя, на чучело! — настаивал патриарх. — Пугать ворон!

Алевтина отшатнулась.

—Свят-свят, чего это он? Зачем сразу на чучело-то?

Олег постучал ложечкой по тарелке.

— Ты мне еще отцовский сервиз кокни, — покивала Нина.

— Мама! Галя! Пахом Федорович! Ну мы же взрослые люди! Можем мы выпить за нас, в конце концов?

Олег укоризненно оглядел собравшихся.

— Отчего не выпить бедному еврею, если у него нет срочных дел? — согласился патриарх.

«За одесскую «Мурку» взялся! — восхитилась Саша. — Вот неугомонный старикан!»

Она уже поняла, что всплески диких скандалов регулярно окатывают семейство Сысоевых. И... ничего не меняется. Если хотя бы десятая часть от предъявленных нынче обвинений прозвучала на любой знакомой Саше свадьбе, гости разбегались бы во все стороны быстрее, чем кролики от своры борзых. Это означало бы конец вечеринки. Вдребезги испорченное торжество. Добрая половина присутствующих потом делала бы вид, что друг с другом незнакома. А злая половина кидалась при встрече в драку.

Сысоевы же встряхивались, вытирали физиономии от брызг — и продолжали общаться как ни в чем не бывало. Вон Алевтина: только что обвинила Сашу в покушении на ее мужа и уже просит передать грибочки.

— Смогу я сказать сегодня тост за нас с Галкой? — рассердился Олег. — И закончим на этом торжественную часть.

Галка посмотрела на Сашу. Саша посмотрела на Галку. На лицах обеих подруг явственно выразилось: «Неужели?!»

Один-единственный тост — и все? Галка прошла инициацию? С честью выдержала испытание?

«Можно откапывать старушку?»

— Не можешь! — пробасил кто-то.

Закрутили головами, завертели, нахмурились. Кто это сказал, кто?

— Не можешь! — зычным басом повторили из-за стола, и стало ясно, что это Пахом Федорович.

Подождали, не последуют ли за этим вступлением стихотворные строки. Но вскоре стало ясно, что старец неожиданно переключился на прозу.

— Почему не могу, Пахом Федорович? — оторопело спросил Олег. Его, как и остальных членов семьи Сысоевых, относительно связная речь патриарха повергла в изумление.

ЕЛЕНА МИХАЛКОВА

Старец подвигал кадыком и веско уронил:

— Нет ее.

— Кого ее?

— Аграфены.

— Кого?!

— Матрены.

— Ну уж ему-то не наливали! — шепотом взмолилась Нина.

— Лукерьи! — рявкнул почтенный старец. — Почем мне знать, как ее зовут, эту вошь!

Все дружно посмотрели на макушку Пахома Федоровича, словно ожидая увидеть там дерзкое членистоногое, явившееся на торжество инкогнито.

— Эту блоху, жабенку эту прыгучую, — продолжал цепочку старец. — Кошку драную, бесхвостую, подзаборную. Шмыгает везде, падла... Не углядишь!

На лице Риты Сысоевой первой отразилось понимание. Кто вечно носился вокруг Пахома Федоровича, создавая у него иллюзию беспрестанного стремительного движения и покусывания?

— Елизавету, — слабо выдохнула она.

— Елизавету! — обрадовался патриарх. — Где она?

Все огляделись. Особенно тщательно оглядывались Саша с Галкой.

— Нету ее! — Алевтина недовольно отправила в рот гриб.

— Гуляет, — подтвердила Нина.

— Сплетни собирает! — хрипло квакнула Рита.

— Грибы... — прошептала Исаева.

— А должна быть!

— Ну нету, Пахом Федорович! — взмолилась Нина.

— А давайте ее позовем! — прорезалась долго молчащая Кристина. — Е-лоч-ка! — вдохновенно проскандировала она. — Заж-гись!

Сашу бросило в холодный пот. К ее удивлению, Рита Сысоева тоже выглядела не лучшим образом.

— Не надо зажигаться, — слабым голосом попросила Исаева.

— Нету — да и пес с ней! — твердо подытожил Григорий.

Саша взглянула на дядю Гришу с благодарностью. Как она раньше не замечала, сколько скрытой мужественности и привлекательности в этом человеке?

И тут Пахом Федорович обрушил на столешницу кулак. Эффект был такой, словно неподалеку упал фонарный столб.

— Я те дам пса! — прогремел он. — Одни мы с ней! От нашего, значит, поколения! Почти в могиле! Одной ногой!

«А некоторые уже и двумя», — отрешенно подумала Саша.

Судя по выражению лица Галки, ей пришла в голову та же мысль.

— Я тут! — продолжал возмущаться старец. — Она там!

«Поменять бы вас местами, Пахом Федорович».

— Благословения не дам! Может, она у вас уже давно в ящике! Девять на двенадцать!

«С наивной подписью «На память», — про себя прошептала Саша.

— Ну что вы такое говорите, Пахом Федорович! — огорчился Петруша.

Но старец понес уже полную чепуху о том, что может, уже и похоронили, а ему не сказали, и вот теперь празднуют, но он должен убедиться, иначе — шиш им всем.

Три женщины холодели с каждым его словом. Ибо околесица патриарха представлялась таковой только людям, не знакомым с истинным положением дел.

— Пить буду! — завершил Пахом Федорович свою суровую речь. — Петь! Но того-этого — никогда!

— Того-этого — это он о чем? — сунулась было Кристина. — Он же старый!

Но на нее шикнули, зашипели и заставили прикусить язык.

После чего и сами замерли в растерянности.

Положение было сложное. Пахом Федорович, в котором внезапно прорезалась относительная ясность мысли, дал понять, что без второго представителя старикашек семейства Сысоевых не видать Олегу благословения на свадьбу. И тост за без пяти минут новобрачных он поддерживать не станет. И даже, может быть, начнет снова декламировать Есенина и Пушкина! Благо запасы нецензурщины у великих русских поэтов практически неисчерпаемы.

Саша почему-то не сомневалась, что Пахом Федорович знает их все наизусть.

Первым собрался с мыслями Петруша.

— Ну, — нерешительно начал он, — чего тут думать: надо пойти да привести ее.

— В самом деле! — поддержал Григорий. — Нечего сидеть! Девчонки, дуйте за бабкой!

Саша зыркнула на дядю Гришу с плохо скрытым негодованием. О, как она была слепа! Как можно было не замечать этой порочности в изломе толстой нижней губы? Этого нависшего над глазами толстокожего лба? Этого похотливого взгляда, устремленного на крабовые палочки?

— Откуда же нам знать, где она, — медленно, взвешивая каждое слово, проговорила Рита.

— Так поищите!

— Вот сам и ищи.

— Я на ногах не стою! — с достоинством поведал Григорий.

Противопоставить этому аргументу было нечего, и Рита заткнулась.

Олег поднялся.

— Я поищу! — спокойно известил он. — Ждите, сейчас приведу.

С одной стороны на нем повисла Галка, с другой сестра.

— Вы чего? — Олег огляделся с удивленной улыбкой. — Галка, Рита!

Те, спохватившись, выпустили его.

— Она, кажется, к магазину пошла прогуляться, — вспомнила Исаева.

— Так он же закрыт!

— А она без денег пошла, — неожиданно поддержала невесту Рита. — Дай, говорит, пройдусь.

Обе женщины внимательно посмотрели друг на друга и торопливо отвели взгляды.

— К магазину так к магазину. — Олег, явно несколько озадаченный их дружным утверждением, двинулся вразвалочку к калитке.

— А мы что же, сидеть будем, как си́роты? — возмутилась тетя Алевтина. — Расходимся!

— Куда расходимся-то?

— По местам, — туманно пояснила Алевтина.

— Как притащите эту хрычовку — зовите! — согласился ее муж.

И через три минуты поляна опустела. Исчезло даже блюдо с крабовыми палочками: его унесла с собой задумчивая Нина.

2

Сашиной выдержки не хватило бы на то, чтобы выслушивать от родственников Елизаветы Архиповны заверения, что Олег с бабулей вот-вот появятся. Она трусливо сбежала в сад и там бродила между яблонь как привидение, когда на нее налетел еще один призрак в белой блузке.

— Галка!

— Тихо!

— Я чуть в ящик не сыграла из-за тебя!

— Еще не хватало! Не вздумай. Ты мне нужна...

И не успела Саша обрадоваться, что подруга признает ее важность в своей жизни, как Галка добавила:

— ...для дела.

Саша немедленно преисполнилась дурных предчувствий. Даже можно сказать, что Саши Стриженовой вообще не осталось, а на ее месте выросло одно большое Дурное Предчувствие.

— Иди в задницу, Галка, — превентивно сказало Предчувствие.

— Я уже там. Но мне все равно нужна твоя помощь.

— Какая же? — Предчувствие стало не только Дурное, но и Язвительное. — Может, Пахома Федоровича убрать, чтоб не омрачал праздник?

— Я об этом думала, — признала Исаева. — Но он все время под присмотром. А главное, коляску трудно спрятать.

— А чего ее прятать! Садись на нее — и катись под горку в светлое будущее!

— Сама катись!

— Я-то старушек по канавкам не маскировала!

Галка издала глухой рык. Но Дурное Предчувствие не испугалось. Оно же было Дурное.

— Или еще можно чучелко посадить на место Елизаветы Архиповны! — импровизировало оно. — А лучше найти похожую старушку, обрядить ее в чепчик и... Ой!

Галка ущипнула Предчувствие за бок, и оно боязливо растаяло.

— Чего щипешься? — мрачно спросила Саша.

— Вот именно! Сашка, это же выход!

Саша пригляделась в сумраке к подруге. Нет, признаков тяжелого помешательства не заметно. Но это ни о чем не говорит. Вон, Пахом Федорович и вовсе выглядит как монах-подвижник.

— Стриж, нам надо ее вернуть! — быстро проговорила Исаева.

Саша представила, как они возвращают к жизни Елизавету Архиповну. Круг, свечи, заклинание, кровь, стекающая по пальцам... «Черное как ночь, белое как снег, верни нам то, чего нет! Белое как снег, черное как ночь, унеси смерть от нас прочь!» К сожалению, фильмом «Практическая магия» представления Саши о воскресении мертвецов и исчерпывались.

— Ты обряды знаешь? — уважительно спросила она.

— Какие к дьяволу обряды! — ласково сказала Исаева. — Стриж, приди в себя. Нам нужно показать Елизавету Архиповну народу.

— Я сразу это предлагала!

— Но выдать ее за живую.

Саша отступила на шаг. Ей показалось, что она сама вдруг стала участницей того абсурдного спектакля, который привиделся ей недавно. Мучительно хотелось, чтобы скорее раздались слова режиссера «репетиция окончена, всем спасибо». Но режиссер молчал.

— Стриж, я все продумала! — затараторила Исаева. — За столом сейчас никого нет. Мы посадим Елизавету в сторонке, как будто она устала от прогулки, и в платочек ее замотаем.

— А ниточки мы к ней не привяжем? Чтобы дергать в нужные моменты?

— Старикану этого будет достаточно! — заверила Галка, пропустив мимо ушей кощунственное Сашино предложение.

— Ха-ха!

— Олег толкнет свой тост...

— Толкнет, — подхватила Саша, — а потом все — глядь: а Елизавета Архиповна-то во время тоста померла! Причем уже два часа как. Сила искусства, не кот начхал.

Галка насупилась.

— Ты мне все рушишь.

— А Елизавета Архиповна тебе помогает, — согласилась Саша. — Это, знаешь ли, старинная русская примета: посадить мертвую старушку за свадебный стол и притвориться, что она живая. Бывает, по дворам сваты ходили, старушек у соседей занимали. Кстати, с этим связан и известный обряд отсроченных похорон. Мало ли, кому-нибудь бабулька понадобится. Не зарывать же раньше времени!

Галка озадаченно помолчала.

— Это ты сама все придумала?

— Что ты! Об этом еще Пушкин писал. «Ты еще жива, моя старушка? Как скончалась? Свел в могилу круп? Ничего, какой-нибудь невесте твой еще послужит хладный труп!»

— Сашка! — взмолилась Исаева.

Саша перевела дух.

— Галка, ты представляешь, что несешь? Оставим моральную сторону вопроса в покое. Ну, посадишь ты ее в сторонке. Ну, просидит она там пятнадцать минут. Допустим даже, что к ней никто не подойдет с вопросом, где она шлялась.

— Я об этом позабочусь!

— Но ведь ужин-то закончится! И что ты станешь делать — понесешь ее обратно в лесок под удивленные взгляды публики? Галка, Елизавета умерла! А ты из нее свадебную куклу на тортик лепишь! Очнись, дорогая.

Исаева сникла. Над их головами в темно-синем небе пронеслась летучая мышь.

— Нет, Галя, судьба в лице патриарха против тебя. Не надо было уносить Елизавету Архиповну.

Едва сказав это, Стриженова сразу поняла, что совершила чудовищную ошибку. Галка согласна была проиграть Пахому Федоровичу. Но проиграть судьбе?! Никогда!

Ей бросили вызов. А Галка всегда поднимала поднятую перчатку, независимо от того, обронил ли ее Каменный Гость или Железный Дровосек.

Так что она развернулась на сто восемьдесят градусов и помчалась к сараю со скоростью страуса эму.

— Стоять! — страшным шепотом закричала Саша ей вслед.

Как же, стоять. Исаева неслась так, словно она советский разведчик, которого преследует гестапо.

Саше ничего не оставалось, как последовать за ней. Ужасные образы теснились в ее сознании, пока она уворачивалась от веток и старалась не споткнуться. Галка, предъявляющая Елизавету Архиповну разгневанному патриарху и чревовещающая от ее имени, была наименее бредовым из видений.

«Еще не хватало шею свернуть на бегу». С Галки станется, во избежание испорченного вечера, положить ее рядом с Елизаветой.

«Во что я ввязалась!»

Стриж догнала подругу у самого сарая. У нее зародилась мысль повалить ее, связать и накапать успокоительного, но одного взгляда на Галкино лицо хватило, чтобы Саша отказалась от этой идеи.

Исаева застыла над траншеей с таким видом, словно к Елизавете Архиповне присоединился кто-то еще. Саша вполне допускала, что так оно и есть. После всего, что сегодня случилось, осталось очень мало вещей, которые бы она *не* допускала.

— Что там? — Саша вытянула шею и заглянула в канаву.

— Ее тут нету, — одними губами сказала Исаева.

Саша отказалась верить очевидному. Она обшарила ров, залезла под ветки, пнула какой-то довольно твердый мешок, обнаружившийся с края канавы. Но и в мешке Елизаветы Архиповны не обнаружилось.

Старушка исчезла без следа.

3

На неугомонную Исаеву пропажа покойницы оказала такое же воздействие, как на танк лобовая встреча с паровозом. Танк — очень большая махина. Тем непривычнее видеть его перевернутым вверх гусеницами.

— Ушла, — бормотала потрясенная Исаева. — Покинула нас...

— Она нас давно покинула, — цинично возразила Саша.

— Была — и нету...

Саша покровительственно похлопала Исаеву по плечу и заверила, что где-то Елизавета Архиповна непременно есть. Галка устремила взгляд в небеса. Похоже, она всерьез высматривала облако, на котором сидела бы старушка с ангельской внешностью и троллльской начинкой и показывала сверху язык.

Впрочем, с покойницы сталось бы и плюнуть им на макушки.

Стриженовой пришлось буквально тащить на себе расклеившуюся Галку обратно к столу. На их счастье, никто еще не вернулся.

— Привяжу тебя веревочкой к стулу, — бормотала Саша, усаживая подругу ровно. — Как ты Елизавету Архиповну планировала. И буду подергивать время от времени.

Но даже это предложение не расшевелило Галку. Саша, поколебавшись, плеснула в чашку наливку, припрятанную кем-то под столом. Исаева осушила чашку, не поморщившись, и кажется, не поняла, что это был не чай.

— Галка, приди в себя! — Саша бережно потрясла ее за плечи. Она и сама признавала, что исчезновение Елизаветы Архиповны выглядит очень странно. Но если подумать, этому факту наверняка найдется объяснение. Иногда не нужно даже искать его: достаточно понимать, что оно существует.

Именно в этом месте у Галки был затык. Сколько она ни пыталась придумать обстоятельства, при которых труп исчез бы из тайника, ей ничего не приходило в голову. Набег каннибалов Галка отвергла. Оголодавшего медведя тоже. Причем не потому, что материализация их на окраине Шавлова была маловероятной, а потому, что не сомневалась, что и первые, и второй побрезговали бы Елизаветой Архиповной. Она и при жизни-то не была особо аппетитна...

Перебрав все варианты, Галка вдруг нащупала путеводную ниточку. Тонкую и в узелках, но хоть что-то. Ею овладела навязчивая идея.

— Она была живая!

— Кто? — поразилась Саша.

— Бабулечка наша светлая!

— Демоническая старушка, ты хотела сказать? Галка, не блажи.

— Живая! — всхлипывала Исаева.

— Мертвая, — успокаивала Саша.

— Очнулась, встала и пошла!

— И куда же она направилась?

— В больницу...

— Врачей пугать? Голубушка! У вас тут не закрытый, у вас тут открытый перелом!

Саша представила, как Елизавета Архиповна, бледная и грязная, как свежевыкопанный покойник, вваливается в приемное отделение шавловской больницы. С губ сорвался нервный смешок.

— Как ты можешь смеяться? — с неподдельным трагизмом шептала Исаева. — Ты бесчувственная!

— ...сказал человек, от которого даже мертвая старушка ушла.

Саша бесцеремонно одернула на Галке смявшуюся блузку. Все переживания последних часов как хамелеон языком слизнул. Похоже, она перенервничала до такой степени, что маятник качнулся в обратную сторону. Теперь они с Галкой поменялись местами, и у Саши появилась возможность оценить, до чего же раздражает хладнокровного циника трепетный невротик.

— Ты опять улыбаешься! — обвинила Исаева. — Господи, ну что смешного?

«Смех — это анестетик, — подумала Саша. — Прививка легкой бесчувственности в той ситуации, когда нужно обезболить ноющее место. Просто у Галки она перестала действовать. А у меня только начала».

— Анекдот дурацкий вспомнила, — соврала она. — Школьный.

— Про ушиб всей бабки?

— Нет. Про то, что в советские времена рассеянные пионеры прибивали старушек и переводили через дорогу скворечники.

Галка икнула и закрыла глаза.

4

—**Н**е нашел, — сказал, возвратившись, удрученный Олег.

«И у нас бабуля потерялась!» — мысленно пожаловалась Саша. Но вслух выразила вежливую надежду на то, что и без Елизаветы Архиповны праздник пойдет своим чередом.

— Хотя я понимаю, что она для тебя значит...

Жених внезапно покраснел.

— Да она... ничего! Баба Лиза, ну. Это!

— Ты ее не любил, что ли? — осторожно спросила Саша. — Обычно дети любят бабушек.

Олег помялся.

— Она, это... Шутила.

— Издевалась, что ли? — помогла ему Саша.

— Это, сказала, что комаров в аптеку можно... Килограмм. Три рубля. Я все лето! По болотам! Мама ругала. Набрал! А они...

— Ты принес комаров в аптеку, а они посмеялись?

— Ну! — веско сказал Олег.

«Мегера была покойница», — одобрительно подумала Саша и сочувственно погладила Олега по руке.

Над головой тихо щелкнули два фонаря, расталкивая в стороны доверчиво сгустившиеся сумерки, и в круг света влетели, как бабочки, чуть ли не все члены семейства Сысоевых.

Порхала тетя Алевтина, размахивая нелепой накидкой в блестящих нитях люрекса. Степенно плыла, не теряя достоинства, лиловая Нина с шелковистым отливом. Суетился в своем пиджачке припыленный Петруша, а рядом шевелил усиками и топорщил рубашку сияющий дядя Гриша.

Но самое главное — за всеми ними шел от калитки Макар Илюшин. Под ногами у него вальяжно вышагивал кот Берендей.

Все пакости Елизаветы Архиповны вылетели у Саши из головы.

— Где же ты был?

В этом вопле отразилось все сразу: и страх, и беспомощность, и невозможная надежда на то, что теперь все встанет на свои места. Лишь одно совершенно не интересовало Сашу: где в самом деле бродил Макар Илюшин.

С интуицией у Макара все было в порядке.

— Что случилось? — тихо спросил он и отвел Сашу в сторону. — Что такое?

В голове Стриженовой вихрем пронеслось несколько вариантов ответа.

«У нас труп пропал!»

«Покойница Елизавета Архиповна исчезла».

Саша нервно засмеялась. Она не могла ни в чем признаться Макару, не получив разрешения Галки, а Исаева скорее укусила бы себя за локоть, чем позволила вовлечь третьего человека в их тайну. Тем более — частного сыщика.

— Нет, почти ничего, — соврала Саша. — Просто мне тут одной было... не по себе.

Ну вот. И не такая уж вопиющая ложь получилась.

Макар огляделся, не выпуская Сашиного локтя.

— Тебя обидел кто-то?

Саша молча помотала головой.

— Колибри эта декольтированная? — нахмурился Илюшин. — Или дядя-алкаш?

«Колибри, как же! Страус в бусиках!»

— Неужели боксер? — помрачнел Макар.

— Да нет же! Я просто беспокоилась за Галку! — соврала Саша второй раз.

И снова получилась не ложь, а без пяти минут чистая правда.

Илюшин приобнял ее за плечи.

— Извини, что пришлось уйти. Больше я такой глупости не совершу. Что-то тут у вас явно пошло не так.

Саша снова засмеялась. Макар даже не представлял, до какой степени верно описывает положение дел.

Вокруг шумели, бестолково топтались у стола, поглядывали на куриные окорочка, заманчиво истекающие прозрачным соком, и на наливку, и на рассыпчатую картошку под зелеными брызгами укропных веточек. Нина Борисовна бережно выставила в центр длинный салатник с красно-желтой пестрой смесью. Похоже, это блюдо представлялось ей совершенным.

— Крабовые палочки! — воодушевился Макар. — При изготовлении которых ни один краб не пострадал. А когда пригласят к столу?

— Мы не можем сесть без Елизаветы Архиповны, — шепотом объяснила Саша.

— Сюда, сюда его катите! — громко распоряжался боксер Валера.

— Не нашли! — страдала Алевтина. — Как же так? Неужели бросила нас?

— Архиповна могла!

— Вернется! Погуляет — и вернется, вот увидите!

— А мы-то как же?

— Есть хочется!

— И выпить!

— Тихо! Пахом Федорович не одобряет!

— Вот пускай дома сидит и не одобряет, — негромко, но внятно пробормотал дядя Гриша.

Назревал бунт.

Галка сидела ни жива ни мертва и с трудом поддерживала светскую беседу с собственным женихом. Ей представлялось, что из кустов вот-вот вынырнет Елизавета Архиповна и обвинительно ткнет в нее желтым пальцем.

Молчаливые мальчишки, похоже, утомившиеся от своих игр, сидели на стульях и невыразительными глазами смотрели на яства. Нина, пожалев, отправила их в дом. Кое-кто проводил их завистливыми взглядами: на кухне оставались запасы жареной курицы.

— Эх, курочка-то стынет!

— ...а наливочка-то выдыхается!

«А Елизавета Архиповна все лежит и лежит...»

— О чем задумалась? — внезапно спросил Илюшин.

Саша утратила почву под ногами. Надо было в очередной раз соврать, но как назло, именно в этот момент ее охватила беспомощность. У Макара нюх на вранье. Он все поймет!

Спасла Сашу мать жениха.

— Пахом Федорович! Ужин наш, выходит, отменяется. Нет Елизаветы Архиповны!

Патриарх дернул седыми бровями. Все почтительно примолкли.

— Зачем они советуются со старым маразматиком? — озадаченно прошептал Илюшин.

— Традиция! — пояснила Саша.

— А почему все вокруг стола топчутся?

— Традиция!

— А зачем ждут старушку?

Саша выразительно глянула на него.

— Сам догадаешься или объяснить?

Пахом Федорович тем временем проводил какую-то глубокую внутреннюю работу.

— Нету, значит, Аграфены? — вопросил он.

— Нету, — горестно всплеснул руками Григорий. — Нету голубушки нашей Пелагеи Силантьевны! Бросила нас Гликерия. Не снизошла Матрена Прокофьевна.

— Гриша!

Но патриарха ничто не могло отвлечь от раздумий. Он скрипел, кряхтел и ворочал головой. Больше всего Пахом Федорович напоминал ржавый автомат, в который бросили монетку. И непонятно, то ли сейчас в стакан хлынет газировка, то ли заиграет «Рио-Рита», то ли вообще все разнесет к чертовой бабушке.

— Сейчас покажет кузькину мать! — предупредил Макар.

— Мяу! — вякнул Берендей.

Саша по опыту уже знала, что предсказания Илюшина относительно Сысоевых полностью оправдываются. Тем временем патриарх раздувал щеки и топорщил редкую щетину. Внутри него булькало и хрипело, шестерни вращались уже неостановимо. Чаша весов от «Рио-Риты» и газировки явно склонялась в сторону уничтожения главных сил противника.

— Пусть не показывает! — испугалась Стриж. Происходящее со старцем выглядело все более устрашающим. Кажется, даже Нине стало не по себе.

— Терпи.

— Я не хочу!

— Традиция!

— Макар, останови его!

— Как я его остановлю? Не видишь, у него унутре неонка и думатель!

— У него сейчас будет унутре инфаркт микарда, вот такой рубец!

— Мяу!

Их тихому препирательству положил конец сам Пахом Федорович. Невидимое кипение внутри него достигло пика, из ноздрей вырвался пар, волосы на бровях встали дыбом, и патриарх исторг гневный рык:

— Напрасно прятал я в траву свою усталую главу!

«Господи, — мысленно ахнула Саша. — За «Мцыри» взялся!»

— Напрасно, — подтвердил Илюшин.

Остальные, оторопев, внимали.

— Мой труп холодный и немой не будет тлеть в земле родной!

— Отчего же? — не согласился Макар. — Смотря откуда вы родом.

— И с этой мыслью я засну и никого не прокляну!

— А вот это правильно! — одобрил Илюшин. — Это гуманно.

В глазах Олега мелькнуло восхищение. Кажется, до сегодняшнего дня никто не осмеливался вести осмысленный диалог с Пахомом Федоровичем, когда творческий родник пробивался наружу и смывал окружающих полноводной рекой поэзии.

Патриарху беседа тоже пришлась по вкусу.

— Теперь один старик седой, развалин страж полуживой, — пробурчал он куда более миролюбиво.

— Да вы еще всех нас переживете, Пахом Федорович! — заверил Макар.

— Но в нем мучительный недуг развил тогда могучий дух! — приободрился старец.

— Это заметно!

— Он знаком пищу отвергал!..

— А вот здесь, простите, не соглашусь, — твердо заявил Илюшин, перебив патриарха на полуслове.

Пахом Федорович от такой дерзости забыл про Мцыри и озадаченно крякнул.

— Нина Борисовна стол накрыла! — Макар широким жестом обвел салаты и горячее. — Гости собрались! Разлили по чарочке!

— Чашу, полную вина! — мечтательно отозвался старикан.

Что-то в напевной речи Илюшина явно находило отклик в его сердце.

Он глубоко вздохнул и уставился на куриные ножки.

— В России вряд ли вы найдете две пары стройных женских ног, — ностальгически прошептал патриарх.

— Вот именно! А здесь этих ног... — Илюшин склонился над блюдом с курицей. — Раз, два, шесть... Десять пар!

— Десять! — восхищенно икнул Григорий.

— Десять! — страдальчески отозвался Валера.

— Мяу! — с надеждой высказался кот.

— Я полагаю, — осторожно вступила Нина, — мы можем продолжить без Елизаветы Архиповны?

Все выжидательно посмотрели на Пахома Федоровича.

— Еще бокалов жажда просит залить горячий жир котлет, — прошептал наконец, старикан.

Секунду Саше казалось, что сейчас все примутся аплодировать. Но осмотрительность победила.

— Если просит, грех не дать, — веско уронила Нина Борисовна. — Гриша, налей!

— Намек понят!

Вино полилось в бокалы и брызнуло на скатерть. И сразу же поднялся гомон, застучали придвигаемые к столу стулья. Только Галка сидела без малейших признаков аппетита. В глазах ее светилась надежда, что все вот-вот закончится. До цели оставалось каких-то несколько метров! Проползти их на последнем издыхании — и победа!

— Пахом Федорович, что желаете откушать?

Патриарх осоловело молчал. Похоже было, что действие брошенной монетки закончилось.

— Вы в зоопарке дрессировщи-ик!-иком не работали? — осведомился разрумянившийся Гриша, уважительно обходя Илюшина по широкому кругу. Правда, его так пошатывало, что диаметр круга можно было объяснить и опасением упасть на предмет своего восхищения.

— Только учителем пару месяцев, — весело отказался Макар.

— В началке?

— В седьмых-девятых.

По лицу Григория пробежал отсвет нимба, только что загоревшегося над вихрастой головой Макара Илюшина.

— Григорий, отстань от человека! — потребовала Алевтина.

— В седьмых-девятых, — благоговейно прошептал Гриша и вдруг возвысил голос. — Товарищи! Друзья! Любимые мои люди! И прочие... — Он замялся.

«Родные и близкие Кролика», — предложила про себя Саша, но Григорий подсказкой не воспользовался.

Стремительными, хоть и не совсем верными шагами он обогнул стол и остановился возле навеса. Широко расставив ноги и тем самым относительно прочно утвердив себя в пространстве, дядя Гриша взмахнул ладонью.

— В этот час я хочу произнести тост за нашего гостя! За человека, который.. благодаря которому... вследствие чего... А иначе бы!..

Григорий несколько запутался и был вынужден потянуться за бокалом. Вышел акробатический трюк: одной рукой он держался за столб, вторую протягивал к столу.

Нина со страдальческим видом подала ему искомое.

— Сестра! — обрадовался Гриша.

— Давай тост заканчивай! — потребовала Алевтина.

— Жена! А впрочем, черт с вами со всеми! — внезапно проорал он. — Вон сидит среди нас ангел, который исправил то, что напортачили и углубили! Наш драгоценный человек! Муж подруги, дочери, сестры!

— Внучки, — подсказал веселящийся Макар.

Григорий на мгновение сбился с мысли:

— Внучки? Да, и внучки! Пускай растет девочка большая и хорошо учится!

— Ты хорошо учишься? — деловито спросил Илюшин у Саши.

— По-моему, он сейчас упадет, — пробормотала Стриж.

Но дядя Гриша держался молодцом. Причем держался в основном за счет столба. Если бы не навес, Григорий и в самом деле давно рухнул бы. Тем более что в такт словам он широко размахивал свободной рукой.

— Так выпьем же за то! Что! Среди нас! Вот такие люди! Вот такие, понимаешь, Маресьевы эпохи! Коня на скаку! И горячую полбу сожрут!

— Я те щас дам по лбу-то, — негромко пообещала Алевтина. — А ну кончай этот балаган.

Но дядя Гриша уже забрался на броневик и слезать не собирался.

— Ша! Тетки! Ма-а-лчать! Распустили, значит, то одна, то другая... Замуж повыскакивали, чертовки!

— Ну все, понеслась душа в рай...

— Алевтина, успокой его.

Жена Григория вызывающе расхохоталась.

— Его в таком состоянии только поленом можно успокоить.

— Я могу и без полена! — буркнул Валера.

— Ты сиди вообще! — взвизгнула Рита. — И молчи!

— Мам, дайте уже ему закончить!

— А я закончу! — пригрозил дядя Гриша. — Я вам ответственно заявляю: жениться — не надо! Не-ет! — Он помотал головой, как лошадь. — Ни-на-да!

При каждом толчке навес сотрясался все сильнее. Рита Сысоева, леденея, смотрела, как потихоньку сдвигаются к краю крыши бумажные цветы.

— Но если уж решились, пусть у вас все будет! — Дядя Гриша качнулся вперед и сделал попытку упасть. Жена с сестрой подались было к нему, но надежда не оправдалась: он удержался на ногах. — И мужик вот такой! — Он ткнул свободной рукой в Илюшина. Навес качнулся. — И хлеб-соль вот такие! И дом полная чаша!

С каждым новым пожеланием Саше казалось, что сила притяжения вот-вот победит. Но всякий раз Григорий каким-то чудом уцеплялся за столб.

— Валера, останови его!

— Стихи! — во весь голос заорал дядя Гриша. — Цыц! Всем слушать!

Боксер Валера уже плавно двигался к нему. Алевтина выжидательно привстала.

— Любовь пришла к героям нашим! — Дядя Гриша тесно прижался к столбу. — Хоть ты, Олежек, и балбес!

Подоспевший Валера обхватил его обеими руками за то место, которое природой было предназначено для талии, и сделал попытку оторвать от навеса. Не тут-то было.

— Не тяни его! — кричала Рита.

— Тяни его!

— Он выскальзывает!

— Вытри его!

— *Не тяни его!*

Голос Григория достиг апогея торжества:

— Пусть дом ваш будет полной чашей! И счастье сыпется с небес!

На этой ноте Валере удалось, наконец, оторвать его руку от столба, и оба полетели на землю.

Старый навес, не выдержав предсвадебного пыла, покачнулся. Столб медленно, но неумолимо накренился и просел. Крыша подалась вперед, и все, что лежало на этой крыше, поехало вниз. Хруст, треск, визг, крики, мяуканье, вопль «уйдите все», непонятно кому принадлежащий, звон поспешно оттаскиваемых в сторону тарелок — все это оборвал один громкий внушительный «шмяк».

Когда обрывки лепестков рассеялись, на столе лежала Елизавета Архиповна, удобно пристроив голову в салат с крабовыми палочками.

Остолбенелое молчание воцарилось на поляне. Можно было расслышать, как с тихим шелестом опускаются на траву бумажные цветы Кристины Курятиной. В стеклянной тишине испуганно прозвенел одинокий комар и в ужасе стих.

Первым, кто оценил ситуацию, был Макар Илюшин.

— Символично, — сказал он. — Хотя я всегда полагал, что счастье выглядит несколько иначе.

Глава 6

1

—Есть царство растений, — сообщил Сергей Бабкин. Задумчиво потер нос и оглядел собравшихся. — Есть царство грибов. А есть царство идиотов! — рявкнул он.

Собравшиеся понуро молчали.

— И мы сидим в нем по уши!

— А бывает царство грибов-идиотов? — невзначай поинтересовался Макар.

Бабкин только фыркнул.

Саша и Галка обменялись тоскливыми взглядами. Каждой было понятно, что как минимум два представителя грибов-идиотов присутствуют в помещении. Две.

— Как вы вообще смогли...

Бабкин задохнулся от возмущения.

— Да она легкая! — заступился за молчащих женщин Илюшин. — Чего там мочь-то: взял да потащил.

Саша взглядом попросила его, чтобы он немедленно заткнулся. Но на Макара иногда нападала слепота.

— И потом, они ведь ее не расчленили. — Он загнул один палец. — Не утопили. — Загнул второй. — Не сбросили в погреб! Гуманно обошлись, короче.

На лице Галки промелькнуло запоздалое сожаление. Погреб!

— Нет, конечно, — подозрительно покладисто согласился Бабкин. — Они ей всего лишь свили гнездо на крыше, а потом уронили на свадебный стол.

— Мы не вили!

— Мы не роняли!

— Оригинальное вышло блюдо, — признал Илюшин. — Но запоминающееся. Ей бы еще веточку укропа в рот...

Галка закрыла лицо руками.

— Он не всегда такая циничная сволочь, — успокоил ее Бабкин. — Обычно хуже.

Теперь в ладони уткнулась Саша.

2

Когда Макар выдал свою на редкость неуместную реплику о счастье, она сработала катализатором. Все присутствующие разом вышли из ступора. Женщины в ужасе завизжали и кинулись к покойнице.

— Господи, твоя воля! Померла!

— Не может быть!

— Баба Лиза!

— Молчи, дурак! Не то воспрянет!

Потрогали пульс, зачем-то похлопали по щекам, несмотря на возражения Илюшина. Но Елизавета Архиповна лежала кротко и не проявляла намерения присоединиться к празднику.

Тут-то всех и охватило горе.

— Голубка наша! — завыла Алевтина, забыв о том, что голубка вела себя с присутствующими так, как обычно эти славные птицы обходятся с памятниками. — Ласточка! Улетела наша птичка, бросила, осиротила!

— Елизавета Архиповна, что ж вы наделали! — в тон ей причитал Петруша.

— Бац — и того! — соглашался Валера.

Нина судорожными движениями зачем-то придвигала к себе тарелки, Галка вцепилась в Олега, Рита молча открывала и закрывала рот.

Только дядя Гриша сидел на земле, уставившись осоловело в небеса. Словно ожидал, не сбросят ли ему оттуда кого-нибудь еще. Во взгляде его читался отчетливый запрос на продолжение.

Патриарх тоже не подвел.

— Даже слабый стон из детских уст не вылетал, — огорчился он.

— Боюсь, теперь уж и не вылетит, — отозвался Илюшин. И, перебивая горестные причитания и визг, попросил: — Все оставайтесь на своих местах, пожалуйста.

Разумеется, они его проигнорировали.

Саша еще раньше заметила, что все Сысоевы склонны к чрезмерной суете. В критической ситуации эта семейная особенность достигла апогея.

Сперва поднялась беготня вокруг Елизаветы Архиповны. Двигались хаотично, пока в лидеры марафона не выбился Валера. Он проходил быстрым шагом четыре метра, останавливался, взглядывал пытливо на старушку, словно желая убедиться, не провалилась ли она за прошедшее время в ад, и устремлял свои стопы к следующему стулу. За ним колобком катился Петруша. Следом неслась Алевтина, выпучив глаза. Григорий перебирал ногами, патриарх ерзал. Кот исчез от греха подальше, рассудив, что не затопчут, так хвост отдавят.

Мельтешение пресекла Нина:

— С ума посходили?! А ну, по местам!

От ее зычного окрика Валера встал как вкопанный. В него воткнулись Петруша и Алевтина.

Патриарх перестал ерзать в своем кресле и талантливо изобразил памятник.

Макар уважительно взглянул на Сысоеву. Однако Нина тут же разрушила благоприятное впечатление. Поискав глазами подобие покрывала и не обнаружив его, она схватилась за ближайший аналог.

— Алевтина, загибай скатерть.

Даже привычный ко всему Илюшин так и сел.

Поступок Нины можно было объяснить только шоком, ибо вместе с покойницей в скатерти оказалась и вся снедь. Получившаяся композиция пугающе напоминала рулет с начинкой.

— А теперь в духовку ее? — предположил Макар.

Его сарказм оказал отрезвляющее воздействие. Скатерть размотали, Елизавету Архиповну переложили на стул.

Пока бестолково метались вокруг, кричали и плакали, рвали на себе волосы и требовали простыню, пока раз за разом, на что-то надеясь, щупали пульс и тормошили, дважды уронили многострадальную старушку на землю. После чего Илюшин внес рацпредложение: вернуть покойницу на крышу. С обоснованием «целее будет».

Семейство Сысоевых дружно обернулось к нему. Наконец-то оно осознало, кому обязано своими бедами. Вот этому глумливому, жестокосердному, бесчув-

ЕЛЕНА МИХАЛКОВА

ственному человеку, прямо говоря — хмырю, который в трагическую минуту смеет издеваться над их горем!

А осознав, скооперировалось вокруг идеологического противника.

— Как язык-то твой повернулся? — клокотала Алевтина.

— Ничего святого! — вторил Петруша.

— Рыло ему начистить, — гудел Валера.

— Чтобы тут второй труп лежал? — вдруг выкрикнула Рита звенящим голосом.

Все посмотрели на нее.

— Прошу внести в протокол: я категорически против того, чтобы меня заворачивали в скатерть! — тут же вставил Макар.

Саша не знала, что принесет ее душе большее успокоение: растворение в воздухе самого Илюшина или же всех Сысоевых, живых и усопших. Лишь одно внушало некоторый оптимизм: Елизавета Архиповна все-таки нашлась.

У Галки дело обстояло в точности наоборот. Исчезновение Елизаветы Архиповны нанесло ее психике серьезный удар. А планирование с крыши навеса на обеденный стол усугубило плачевный результат.

Галка кусала ладонь и пыталась представить: как? Каким образом древняя старушка, к тому же мертвая, забралась наверх?

Предположение о том, что кто-то перетащил тело из дренажной канавы на крышу навеса, было отвергнуто ею сразу же. Кто в своем уме пойдет на такое! Оставалось одно объяснение, которое она уже приводила Саше: Елизавета Архиповна в первый раз вовсе не померла.

«Жива была, жива! — думала Галка, разве что не подвывая от ужаса. — А я ее в канавку!» Зримо представляла она, как старушка, очнувшись, вылезает из ямы, ковыляет к навесу и...

В этом месте размышлений перед Исаевой выплывало белое пятно размером с Антарктиду. Лестницы рядом с навесом нет. Что же получается: Елизавета Архиповна карабкалась по столбу вверх, как опытный электрик, матерясь и цепляясь когтями? Зачем?

«Чтобы быть ближе к небесам!» — укоризненно шепнул внутренний голос, а на заднем плане ангелы чистыми голосами запели хорал.

Исаева вздрогнула и отыскала взглядом среди бурлящего семейства Сысоевых лицо подруги. Та обладала целительной способностью возвращать здравый смысл происходящему.

— Стриж! — пискнула Исаева. — Стриженова!

Но Саше в эту минуту было не до сходившей с ума Галки и даже не до покойницы. Под боком у нее Илюшин изо всех сил провоцировал новое нарушение закона.

— Ты язык-то придержи, ага! — посоветовал боксер Валера, наливаясь злобой.

Валере было плохо. На него отчего-то зверски ополчилась возлюбленная и слова не давала сказать: рычала и щелкала зубами. За подарок даже жалкого «мерси» не бросила. А он так старался!

На этом фоне несколько неожиданное появление Елизаветы Архиповны за свадебным столом прошло для Валеры Грабаря почти незаметно. Его мозг не в силах был вместить столько объемных событий сразу. Он купил для Риты боксерский мешок, а она отвергает их обоих — вот что терзало ум и душу боксера. Как и Галя Исаева, Валера мучительно искал объяснения — и не находил.

А тут еще этот приезжий тип! Чего талдычит, непонятно, но по лицам окружающих видно, что ничего хорошего. В скатерть, требует, не заворачивайте меня! Да кто ты такой, чтобы тебя в скатерть не заворачивали? Или ты нашими скатертями брезгуешь, скотина? Сказано завернем — значит, завернем!

И Валера, решив, что ситуация кристально ясна, попер на Макара Илюшина.

3

—**Ч**ем ты ему врезал? — вздохнул Бабкин.

— Салатничком, — миролюбиво отозвался Макар.

— Я тебя чему учил?

Илюшин поднял брови. Сергей Бабкин, тренированный боец, проводил в зале по два часа в день и учил Макара очень многим вещам.

— Удару по почкам, — предположил он.

— Мимо.

— «Кочке»?

— Мимо.

— «Цапле»?

— Снова нет.

— А что такое цапля? — на минуту оторвав руки от лица, спросила Саша.

— Это когда в глаз бьют длинным заточенным предметом, — любезно пояснил Илюшин.

Саша подумала и снова закрыла лицо руками.

— Очень редко применяется, — успокоил Бабкин. — Этим приемом вообще-то убивают.

Илюшин усмехнулся:

— Прикинь комизм ситуации, если б сначала померла бабуся, а потом прикончили жениха сестры! Во ужин с невестой выдался!

Бабкин одобрительно гыгыкнул.

— Вы два грубых мужика! — с тоской констатировала Стриженова. — Люди мрут как мухи, а вам лишь бы смеяться.

— Один точно грубый, — согласился Сергей. — Вот сидит.

Утверждение его выглядело, мягко говоря, преувеличенным. Макар Илюшин был худощав, не слишком высок, физиономию имел симпатичную и обаятельную, а волосы русые и вихрастые, что придавало ему сходство то ли со студентом, то ли с младшим научным сотрудником. В отличие от Сергея Бабкина, мускулы на нем не бугрились и рубашки не расходились по швам.

В смысле физической силы Илюшин во всем уступал своему щедро одаренному природой другу.

Именно поэтому Бабкин пять лет назад сам взялся тренировать его. «Дохляк! — ругался он. — Слабак! Тебя бить будут, а ты даже не трепыхнешься!» «Трепыхнусь!» — сопротивлялся Илюшин и показывал руками, как будет трепыхаться. Он ненавидел спорт в любом виде, кроме бега на короткие дистанции.

«Убьют!» — орал Бабкин. «Удеру!» — настаивал Макар. «Куда ты удерешь? До ближайшего травмпункта?» «Если он будет в пределах ста метров!»

Сергей подошел к делу жестко. Он поставил условие: они работают с Макаром вместе с одним условием: Илюшин начинает заниматься под его, Бабкина, руководством. «Не хочу душевной боли, — мотивировал он свое требование. — Привяжусь к тебе, скотине, а тебя грохнут. Мне будет грустно».

Илюшин ходил два дня мрачный. Бабкин, взятый им в помощники для выполнения черной работы, очень быстро доказал свою незаменимость. А также то, что слов на ветер он не бросает.

На третий день Макар сдался. «Давай, терзай мою плоть, мучитель».

За четыре года «мучитель» не смог сделать из своего ученика чемпиона по ближнему бою и вообще никакого чемпиона сделать не смог. Перед ним и не стояла такая задача. «Если на тебя попрет придурок с ножом, ты должен уметь защититься. Если у него будет обрезок трубы, я хочу, чтобы ты остался жив и с непробитой башкой. Если их трое, из которых один боксер, выигрыш все равно должен остаться за тобой. Выигрыш в данном случае — это грамотно вырубить одного и свалить».

«А если их будет пятеро и со стволом?» — немедленно спросил Илюшин.

«Тогда пусть мочат тебя, — разрешил Бабкин. — Не повезло, значит».

По иронии судьбы именно боксер и подвернулся Макару Илюшину.

По той же иронии судьбы парень, меньше всего похожий на человека, от которого можно дождаться сдачи, вырубил Валеру Грабаря с первого же удара.

«С одного салатника! — похвастался Макар. — Серега, ты бы оценил».

4

Когда Валера Грабарь пришел в себя, над ним склонились два озабоченных женских лица и одно насмешливое мужское.

— Живой? — выдохнула Нина.

— Живой, — хмуро констатировала Рита.

— Салатник жалко, — сказало мужское лицо.

Валера пошевелил губами и остальной физиономией. Физиономия была на месте, но голова гудела крепко.

— Что ж ты... — укоризненно просипел он. — Я тебя пальцем не тронул.

Мужское лицо приятно улыбнулось.

— А бить надо до того, как тронут, — сообщило оно. — Задолго до! Ты ж спортсмен, должен понимать.

Дорога за калиткой осветилась фарами: приехала машина полиции, а за ней «Скорая», которых успел вызвать Макар Илюшин.

5

—**Х**лебников, Дмитрий Дмитриевич, — повторил следователь. Сверкала вспышка фотоаппарата, эксперт что-то диктовал лопоухому юноше, ходившему за ним по пятам с блокнотом, еще двое, почему-то в бахилах, перетаскивали в машину Елизавету Архиповну — в общем, атмосфера была самая деловая.

Следователь Хлебников имел до того вытянутое в длину лицо, словно целью его подбородка было встретиться с коленями. И подбородок, упорно следуя за мечтой, оттягивал остальную физиономию. Щеки пошли у него на поводу и тоже обвисли, нос поразмыслил и не стал сопротивляться. «Черт с вами», — согласились нижние веки и собрались в длинные мешочки. Один лишь лоб твердо удерживал позиции. Лоб у Дмитрия Дмитриевича был ровненький и будто бы по линейке отмеренный. Хлебников этим ровным лбом втайне гордился.

— Пудовкина, значит, Елизавета Архиповна?

— Пудовкина, — кивнула несчастная Нина.

— Матушка ваша?

Сысоева непроизвольно перекрестилась.

— Господь с вами.

«Будь она моей матушкой, я бы до таких лет и не дожила, в петлю б полезла», — читалось за ее импульсивным восклицанием.

— А кто? — нахмурился Дмитрий Дмитриевич.

— Тетка она мне. Двоюродная сестра матери покойной.

— Тоже покойной? — остро глянул следователь.

— Такая у нас семейка! — внезапно раздался хриплый рык Пахома Федоровича. — Все покойные, в кого ни плюнь!

Все дружно вывернули головы. Старец удовлетворенно пощипывал щетину.

— Дед — скончался! — отметил Пахом, очень довольный всеобщим вниманием. — Бабка — померла! Сестра ее — туда же! И племяшка отдала Богу душу. Псина — и та чуть не сдохла! — Он торжествующе оглядел присутствующих и закончил свою мысль: — Неладно что-то в датском королевстве!

Следователь быстро записывал.

— Где обычно Пахом Федорович проживает? — спросил Макар у Риты.

— В квартире своей, — процедила та. — С сиделкой. Которой мать с отцом платят, чтобы она за ним ухаживала.

«А лучше бы заплатили, чтобы она его подушкой придушила», — отчетливо слышалось в её интонациях.

— Так и запишем, — согласился Илюшин.

И Макар, к изумлению Саши, выудил откуда-то карманный блокнот и действительно принялся что-то лихо строчить не хуже следователя.

Дмитрию Хлебникову этот демарш не понравился. Он в довольно резкой форме попросил представиться.

— Илюшин, Макар Андреевич, — ласковым голосом, которым царица сообщала «Марфа Васильевна я», сказал Макар. — Юрист из Москвы.

Хлебников исподлобья уставился на него. Юрист. Из Москвы.

Он непроизвольно сделал пальцами движение, будто давил блоху.

— А вот следствию мешать не надо, Макар Андреевич.

— Ни в коем случае.

Хлебников сверлил его взглядом.

— Почему у вас покойная с крыши упала?

— Гравитация? — предположил Илюшин.

— Как она там оказалась?

Макар заверил, что гравитация, если верить ученым, оказалась на этой планете с момента ее возникновения.

— Пудовкина! — повысил голос следователь.

— Где?

— На крыше!

Макар задрал голову и с любопытством уставился на крышу. Интерес его был так заразителен, что вслед за Илюшиным туда устремило взгляды все семейство Сысоевых, словно надеясь обнаружить там ещё одну старушку.

— Нету, — разочарованно констатировал Макар, обозрев шифер. — Ну у вас шуточки, господин следователь.

«Побьют, — подумала Саша. — Его здесь побьют. И нас с ним за компанию».

Судя по выражению лица следователя, он тоже понемногу подбирался к этой мысли. Но его отвлекли.

— Димдимыч! — позвал стажер откуда-то из забора. — Глянь-ка.

Хлебников тут же исчез.

Все присутствующие подобрались.

— Что они там нашли? — пробормотал Илюшин.

Всем остальным тоже очень хотелось это знать. В глубине сада замаячила тощая сутулая фигура следователя. Хлебников возвращался обратно.

Он что-то нес.

Все пригляделись. Алевтина даже привстала со стула, вытягивая шею, как черепаха при виде земляники.

В голове Саши тем временем вызревало решение. Чем дольше она смотрела на оцепеневшую Галку, тем отчетливее понимала, что нужно что-то предпринять.

«Следователь опросит нас, — быстро соображала она. — Выяснит, что Галка поссорилась с покойницей и даже замахивалась на нее. И задержит её, не дожидаясь результата экспертизы. Все сорвется. Все наши мучения окажутся напрасны».

Существовал лишь один способ изменить ход событий так, чтобы ужин продолжался.

Саша жалобно взглянула на Макара, словно извиняясь за то, что собирается сделать.

Тем временем Хлебников приблизился к столу. Все увидели, что на руках у него сидит садовый гном и улыбается улыбкой существа, закончившего трудную, но необходимую работу.

Стриж ещё не успела сообразить, зачем он понадобился следователю, но уже догадалась, что дело плохо. Длинное лицо Хлебникова стало похоже на батон. Во всех случаях, когда лица окружающих становились похожи на батоны, ничем хорошим это не заканчивалось.

Это ее подстегнуло.

— Хочу сделать заявление, — объявила она срывающимся голосом.

— Заявление?

— Да!

— Какое еще заявление?

Хлебников в перчатках заворачивал гнома в какой-то пакет.

Саша слегка подалась вперед, словно отталкивалась с верхушки огромной ледяной горы, и брякнула:

— Это я ее убила!

— Чего?

— Елизавету Архиповну, — подтвердила Саша.

И для убедительности сделала руками жест, как будто скручивала крышу с банки.

В наступившей ошеломленной тишине раздался желчный смех. Смеялась Алевтина.

— А я говорила! — Она ткнула пальцем в Сашу. — Все зло от москвичей!

— Аля!

— Жена!

Но Алевтина не вняла призывам родни.

— И едут к нам, и едут, и едут! Кто торговый центр на Красносельской выкупил?

— Мы не выкупали! — открестился Илюшин.

— Сквер вырубили!

— Ни за что!

— Кто домишки на холме снес? Кто вместо них коттеджи себе отгрохал? Кто по реке носится на своих водяных, прости господи, мотоциклах?!

— Мы на поезде...

— Не сидится им в своей Москве! Елизавета из-за них померла!

— Возражаю!

— Назаренко сместили, — вдруг поддакнул молчавший до того Петруша.

Сысоевы в ответ зашумели. Они могли простить Елизавету Архиповну, но увольнение Назаренко не шло с ней ни в какое сравнение.

Назаренко был глава шавловской администрации, прохиндей и ворюга масштабов не провинциальных, а прямо-таки областных. Это при нем на центральной шавловской улице однажды утонул баран (дорогой производитель, купленный на ферме аж в самом Нижнем Новгороде).

Баран утонул оттого, что прошли дожди, а о том, что такое асфальт, шавловчане помнили только по рассказам дедов с бабками. Дороги не ремонтировались никогда. Ошметки асфальта сохранялись на них лишь потому, что Назаренко не придумал способа загнать кому-нибудь уже использованный асфальт.

Ямы на центральной улице были такой глубины, что автобусы давно начали перепрыгивать через них, бешено эволюционировав за каких-то пятнадцать лет. Ибо других способов проехать по улице Дзержинского просто не существовало.

Гибель бедного парнокопытного переполнила чашу терпения шавловчан. Поднялось возмущение.

И вот тут Назаренко показал, что такое матерый чиновник. Городская администрация вчинила иск владельцу барана за нарушение правил содержания скота и создание угрозы для движения транспорта.

— От дает чертяка! — весело делились друг с другом шавловчане. — Угрозу, ить!

Большинство из них не имело машин, потому что выехать из дворов можно было только на вездеходе, а на вездеход денег не хватало.

«По улице гуляют дети! — сообщил представитель администрации журналистам. — Они могли встретиться с обезумевшим животным!»

— Н-ну, мать ихову! — восхитились шавловчане. Подразумевая, что кто б еще с кем мог встретиться. Баран легко отделался. Шавловские-то дети были привычны к окружающей среде — не то что заезжий интеллигентный баран.

«В связи с этим мы полагаем необходимым ужесточить правила содержания крупного и мелкого рогатого скота в черте города», — поведал представитель администрации.

— От сука! — ахнули шавловчане в адрес владельца барана. — Под монастырь нас подвел!

И кинулись с прошением к главе администрации.

Назаренко поупрямился. Однако к коллективной мольбе снизошел и ужесточать ничего не стал. Великодушен был глава администрации.

И такого человека уволили!

Место его занял бывший замначальника департамента сельского хозяйства, человек со всех сторон для Шавлова чужой. Был он не москвич, а коренной свердловчанин. Но сам факт, что вместо родного вора в кресле оказался залетный, шавловчан возмущал до глубины души.

Первым делом новый глава заасфальтировал многострадальную улицу. «От хапуга! — ахнули шавловчане. — Сколько ж тебе выделили, если еще и на асфальт осталось!»

— ...аптеку на Ленина закрыли! — Алевтина впала в обличительный раж. — Салон свадебный во что переделали? В интим-шоп! «Бархатная роза!» Тьфу! Разврат везде!

Илюшин заметил, что в некотором смысле замена свадебного салона секс-шопом выглядит вполне соответствующей логике жизни.

— Ох, не для всех! — с горечью брякнул дядя Гриша.

— Молчи уж, алкаш!

Но Григорий молчать не пожелал. Он сообщил, что свадебный костюм человеку нужен один раз в жизни, да и то если обстоятельства сложатся не в его пользу. А вот определенные товары почти повседневного спроса... Ну хорошо, еженедельного...

Тут его хором попросили заткнуться и Алевтина, и Нина, и покрасневший Петруша.

На следователя Хлебникова эти препирательства произвели такое же впечатление, как если бы перед ним восемь кошек начали отжиматься от пола. Сперва Хлебников изумился и протер глаза, желая убедиться, не галлюцинации ли у него. Для человека, никогда не сталкивавшегося с Сысоевыми, это было простительно. Затем Хлебников возмутился. Затем Хлебников выразил это вслух:

— А НУ МОЛЧАТЬ!

Разом наступила благословенная тишина. Некоторое время Дмитрий Дмитриевич наслаждался отсутствием звуков человеческого голоса.

— Вы! — обернулся он к Саше. — Вы признаете себя виновной в убийстве?

За его спиной лопоухий стажер приготовился наблюдать, как по горячим следам колют преступника.

Стриженова вздрогнула, но не сдалась.

— Признаю!

«Меня задержат. Галка закончит свой дурацкий предсвадебный обряд, а я потом признаюсь, что оговорила себя. Ну, посижу в камере два-три дня... Скажу, помутнение нашло, не соображала, что несла».

Этот ход мыслей показывает, как мало Саша Стриженова была знакома с отечественной системой правосудия.

— Убили, значит? — осведомился Хлебников.

— Придушила.

Следователь поднял брови.

— Прибила, — не совсем уверенно исправилась Саша и повторила для верности: — Я прибила покойницу.

— То есть вы ее уже мертвую душили и били?

— Нет! Живую!

— И она умерла?

— Умерла, — кивнула Саша, обрадованная, что ступила на твердое поле уверенности после зыбких болот предположений. Уж в чем-в чем, а в смерти Елизаветы Архиповны причин сомневаться не было.

— И вы ее на крышу, того... закинули?

Следователь с сомнением окинул взглядом худую Сашину фигуру.

— Находилась после убийства в состоянии аффекта! — оттарабанила Стриж.

Сбоку Макар Илюшин что-то сказал, но она не расслышала.

— Ай да молодец! — раздался веселый голос с той стороны, где Олег Сысоев обнимал невесту. — Ай да умница! Убила, значит?

Саша взглядом приказала Галке Исаевой заткнуться. Но Исаева была слишком взбешена предположением, что отряд не заметит потери бойца и бодро поскачет дальше штурмовать брачную крепость.

— А за что ты убила Елизавету Архиповну, можно полюбопытствовать? — сладко пропела Исаева.

— Не твое дело. Следствию расскажу.

— Ничего ты не расскажешь! — вскипела Галка. — Лгунья! Товарищ следователь, она врет!

«Молчи, дура!» — призвала Саша взглядом.

«Очумела? Что творишь?» — молча проорала Исаева.

«Тебя, идиотку, выталкиваю из задницы в светлое будущее!»

«Иди ты!»

И нагрубив таким образом собственной спасительнице, Галка перешла к активным действиям.

— Господин следователь, это все моя вина...

— Хорош чушь-то нести, — грубо прервал ее Олег. — Разыгрались тут... Бабы!

Саша с Галей опешили.

Олег Сысоев поднялся и пересел ближе к Хлебникову.

— Тут, короче, такое дело, — без выражения сказал он. — Я бабулю... Того. Разозлился.

— Неправда! — выкрикнула Рита. — Тебя там близко не было!

— Однако и тебя тоже, милая! — заволновался Петруша. — Я могу подтвердить... Доказать... Да что там доказывать! Дмитрий, простите, не помню, как вас по батюшке. Разрешите обратиться с повинной.

— Коллективной, — тяжело добавил дядя Гриша. — Оба мы...Обои...

— Втроем! — поправил Валера.

Заорали все и сразу, но разноголосицу перекрыл зычный голос Нины Борисовны:

— Моих это рук дело!

Пахому Федоровичу даже откашливаться не понадобилось.

— Ночью было тихо, только ветер свищет! — рявкнул он. — А в малине собрался совет! Все они бандиты, воры, хулиганы выбирают свой авторитет!

Только этого следователю Хлебникову и не хватало.

Дмитрий Дмитриевич был человеком хоть и ограниченным, но неплохим. То есть не получал удовольствия от причинения вреда ближним. Начальство ценило его за добросовестность и особенно за то, что в запой Хлебников уходил строго два раза в год, по праздникам: под новогодние каникулы и на майские. Остальное время он был кристально трезв, а оттого сосредоточен и уныл.

Больше всего Хлебников ненавидел две вещи: когда он чего-то не понимал или когда его не понимали. Дмитрий Дмитриевич ценил прозрачность мира. Он сам в какой-то мере вносил лепту в эту прозрачность. Среди Сысоевых он ощутил себя как в каком-то пьяном тумане: идешь неведомо куда, а из серой мглы на тебя то лошадь выплывет, то верблюд, то блоха на танке.

— А ну прекратить карнавал! — взорвался он.

— Балаган, — поправил его тот самый парень в джинсах и белой рубахе, который назвался юристом.

Хлебников диковато взглянул на него.

— Карнавал — это немножко другое, — извиняющимся тоном пояснил тот.

— Карнавал — это ик!.. в Бразилии! — влез Гриша.

— А балаган — в России, — подтвердил парень. — И в этом принципиальная разница между нашими странами.

Следователь не мог понять, издеваются ли над ним, и на всякий случай решил, что да, издеваются. Не считая старца в инвалидном кресле, этот московский юрист, кажется, был единственным, кто пока не пытался признаться в убийстве. Из чего Хлебников сделал пусть и спорный, но ожидаемый вывод.

— Ты убил? — хмуро спросил он.

Макар Илюшин поднял брови.

— Почему вы, Дмитрий Дмитриевич, решили, что Пудовкина умерла насильственной смертью? Уже готовы результаты экспертизы?

ЕЛЕНА МИХАЛКОВА

— Результатов пока нет, но по всему видно, это убийство! — влез стажер, не выдержав такой наглости.

Воцарилось молчание. Саша нутром чувствовала, что подобная недобрая тишина обычно предшествует нанесению тяжких телесных. Стажер угрожающе пыхтел и шевелил ушами. Хлебников, налившись негодованием, принялся что-то черкать на листе.

Дело усугубил Пахом Федорович.

— Зачем твой дивный карандаш рисует мой арапский профиль? — осведомился он.

Карандаш с хрустом сломался.

Глава 7

1

Если бы успели быстро уехать, как предлагал Бабкин, все дальнейшее не обрушилось бы на них, как снежная лавина. Во всяком случае, до Галки не добрались бы так скоро.

Но длиннолицый следователь их опередил.

— Задержана в качестве подозреваемой, — сердито объявил Илюшин, едва войдя в дом.

Саша так и села.

— Все-таки убийство... — пробормотал Бабкин.

— Это не мы! — жалобно сказала Стриж. — Мы ее всего лишь нашли!

— Убита тяжелым предметом, удар нанесен по голове. — Макар глотнул воды. — Подозреваю, хотя Хлебников этого прямо не сказал, что в роли тяжелого предмета выступил гном.

— Какой еще гном?

— Садовый. Я только одного понять не могу — откуда на нем отпечатки Исаевой. Если она задержана, с большой вероятностью можно предположить, что они там есть. На основании одной лишь ссоры Хлебников вряд ли решился бы на такие меры.

— Ну почему... — начал было возражать Бабкин.

Но тут Саша отчетливо покраснела, и оба уставились на нее.

— Так, — помолчав, сказал Макар. — Похоже, отпечатки в самом деле есть. Правда, Саш?

Стриженова тяжело вздохнула и призналась:

— Она на нем сидела!

— Кто на ком?

— Галка. На гноме.

— Отпечатки пальцев! — напомнил Илюшин.

— Понимаю, что не попы, — рассердилась Стриж. — Галка его в руки брала, чтобы сесть.

Бабкин поднял брови.

— Зачем понадобилось садиться на гнома?

— А куда еще? Не на старушку же!

— Зная Галку, я бы не удивился, — пробормотал Илюшин.

— Макар!

— Я бы тоже, — согласился Сергей.

Саша махнула на них обоих рукой.

Илюшин побарабанил пальцами по столу и подытожил:

— Пудовкина убита, Исаева — подозреваемая, и следователь Хлебников сейчас вцепится в нее всеми жвалами.

— Молодец он, — нехотя буркнул Сергей. — Ничего не скажешь, оперативно сработано.

....

Они втроем устроились на кухне в его доме и слушали, как между занавеской и стеклом неодобрительно жужжит муха. Утро за окном вызревало золотисто-зеленое, как антоновка. День обещал быть июньским до самых кончиков лип, и никаких вам следов майской прохлады. Но ни одного из троих это не радовало.

— Подожди-ка, ты говорил, дети хватались за гнома, — вспомнил Бабкин. — Значит, как минимум должны быть еще их отпечатки.

Илюшин оживился:

— Может, детишки ее и прикончили? Они боевые пацаны.

— Тогда скажи спасибо, что не из лука пристрелили. Представляешь, идет невеста по саду, а тут бабуля падает.

— Убита стрелой в глаз.

— И шкурка не попорчена!

Саша обхватила голову руками:

— Я вас слушать не могу! Галка арестована, а вы шутки шутите.

— Во-первых, не арестована, а задержана, — дотошно поправил Макар. — Во-вторых, вы свое отшутили, теперь наша очередь.

— Надо ж было додуматься унести тело, — поддержал Бабкин. — Пусть теперь попробует объяснить Хлебникову мотивы.

Макар, соглашаясь, угумкнул по-совиному и пересел к печке на пол.

— И заодно расскажет, как труп оказался на крыше навеса!

— Она не знает! — простонала Саша.

— А у меня одна догадка имеется, — внезапно сказал Макар. — Убийца следил за вами, когда вы наткнулись на труп. И поскольку старушка была ему дорога как память, он перепрятал ее от вас, без пяти минут осквернительниц могил. Мало ли, думает, надругаются еще...

— Иди нафиг, — обиделась Саша.

Муха взвыла, как истребитель на взлетной полосе.

— Убейте ее кто-нибудь, — лениво попросил Бабкин и покосился на Макара.

— Хватит с нас насильственных смертей!

— Я тебе за это пирога дам. Грибного.

— А пиццы?

Сергей немного подумал.

— Могу и пиццы.

Илюшин поднял голову. За пиццу он готов был душу продать. Может быть, не свою, но чужую-то уж точно.

— Закрытую, — уточнил Бабкин. — С грибами и с луком. Называется «грибной пирог».

Макар разочарованно вздохнул. Муха, испуганно притихшая на секунду, зажужжала с новыми силами.

Саша без аппетита пила сваренный Бабкиным кофе: отличный кофе, надо сказать. Но она нутром ощущала, что радоваться вкусу, когда подруга томится в тюремных застенках, не имеет права. Бабкин раскладывал перед собой костяшки домино, Илюшин заинтересовался кочергой и рассматривал ее со всех сторон. Вот уж кто разрешал себе любые эмоции вне зависимости от происходящего.

Бабкин выстроил из костяшек змейку и щелкнул по крайней. Змейка с тихим треском повалилась.

— Саш, Галка призналась следователю, что она перепрятывала труп?

— Понятия не имею, — отозвалась расстроенная Стриж. — По-моему, даже она сама не знает, что может выкинуть. Господи, как вспомню ее идущей через лес со старушкой на плече!

— Вам еще повезло, что убили не патриарха, — заметил Макар, постукивая кочергой по листу оцинковки.

— Это почему? — заинтересовался Бабкин. — Он что, увесистый?

— Он с коляской!

— Так укатили бы его куда-нибудь — и с концами!

— Верно. Не подумал.

— Мы бы его и увозить бы не стали, — огрызнулась Стриж. — Привязали бы к коляске и посадили за столом как живого. Галка предлагала проделать это со старушкой.

Илюшин с Бабкиным переглянулись.

— Серьезно, она хотела посадить труп за свадебный стол? — не поверил Макар.

Саша молча кивнула.

— Это зачем же?

— Пахом Федорович отказывался продолжать празднование без Елизаветы.

Макар некоторое время осмысливал, и видно было, что он впечатлен. Даже при его легкомысленном отношении к чужим покойным старушкам ему не пришло бы в голову использовать Елизавету Архиповну в качестве реквизита.

— Да твоя Исаева просто фонтанирует нестандартными идеями!

— Может, пускай сидит? — предложил прямолинейный Сергей.

— Чтобы энтузиазм не выплескивался за пределы тюремной камеры?

— Именно.

Стриж встала, открыла окно и выпустила настрадавшуюся муху.

Галка дурында, тут и говорить нечего. Но дурында из ближнего круга. А чем отличаются те, кто стоит поодаль, от тех, кто рядом? Тем, что только первые могут позволить себе руководствоваться справедливостью.

Казалось бы, здравый подход: напортачила — расхлебывай. Объясняйся со следователем, нанимай адвоката! Деньгами поможем, но за твою выходку расплачиваться не станем, уж извини. У нас свои счета, у тебя — свои.

«Черта с два, — со вздохом подумала Саша. — И ведь дело даже не в том, что совесть потом заест, и не в том, что подругу потеряю. Галка-то как раз поймет! Будь ее воля, она сама бы отправила меня подальше отсюда. Но нельзя ее бросить, и все тут. Легко и приятно вести себя правильно в правильных ситуациях. А ты попробуй быть хорошим другом, когда твой приятель идиот».

— Вы, мои дорогие, как хотите, — твердо сказала она, — а я отсюда никуда не уеду. Исаевой нужно помочь.

— Как насчет договориться с местной тетушкой, чтобы носила ей передачи? — Илюшин перелистнул старый справочник адресов, который Бабкин использовал для растопки печи. — Сойдет за помощь?

— Не сойдет!

— А что тогда?

Саша помялась. Ее отличный замысел, как только возникла необходимость назвать его вслух, вдруг съежился, потускнел и стал выглядеть не более серьезным, чем хомяк в балетной пачке и на пуантах.

— Надо отыскать убийцу, — неловко призналась она.

— И убить! — воспрял Бабкин.

Саша засмеялась. Она сразу знала, что эти двое не оставят ее тут с Галкой, а их притворно безучастный диалог окончательно ее в этом убедил.

— Может, положимся на профессионализм товарища Хлебникова? — спросил на всякий случай Макар.

Но спросил без особого энтузиазма. Ему тоже все было ясно. Острой радости при мысли о том, что они застряли в Шавлове, он не испытывал. Однако опция «бросить двух сглупивших женщин разгребать последствия своих поступков» в базовых настройках Илюшина не была прописана.

Бабкин отобрал у него кочергу и сунул в угол.

— Профессионализм — дело хорошее. Но на месте Хлебникова я б не стал искать решение, когда есть готовый ответ. Старуха невесту доставала?

— Доставала.

— В бесплодии обвиняла! — подсказала Саша.

— Тут любая озвереет. Отпечатки нашлись? Нашлись. И в общем, даже свидетели есть.

Верно трактовав направленные на нее взгляды, Саша замотала головой:

— Я не свидетель!

— Ты видела ее возле трупа сразу после убийства. В компании гнома.

Бабкин вновь принялся выстраивать костяшки домино в извилистую линию.

— Давайте исходить из того, что Галина говорит правду. Она увидела тело, инстинктивно схватилась за гнома, чтобы присесть на него как на пенек, и тут появилась ты.

— Нормальный инстинкт самосохранения требовал бы при виде трупа держать руки при себе, — заметил Илюшин. — Сашка, ты в самом деле уверена в Исаевой? Пойми меня правильно: мы в любом случае постараемся ей помочь.

Стриж честно прислушалась к себе.

Способна Исаева ударить Елизавету Архиповну?

Да, способна, — признала Стриж.

А стала бы она врать своей подруге?

Нет, не стала бы.

— Когда она говорит, что не убивала, я ей верю. Понимаешь?

Макар отлично понимал. Он не видел оснований принимать на веру слова Галки Исаевой, зато доверял своей подруге.

Илюшин встал, потянулся и в движении стал на секунду похож на небольшого хищного зверя.

— В общем, любовь моя, дело обстоит так...

— Это он ко мне обращается вообще-то, — буркнул Бабкин. Но счастливая улыбка на лице Саши стала только шире.

— Дело обстоит так, — повторил Макар. — Расследовать убийство мы не можем, но тихо пошуршать о том о сем со свидетелями — вполне. Серега, доступ к уликам не получим?

Бабкин нахмурился:

— Без вариантов, извини. Можно, конечно, подкатить к Хлебникову. Но я б не стал. По вашему описанию не обрадуется он нам.

— Что значит «подкатить»? — осторожно уточнила Саша.

Оба, и Бабкин и Макар, синхронно покачали головами.

— Не надо тебе в это вдаваться, поверь.

Саша подумала и решила, что безопаснее поверить.

Илюшин легко вскочил с пола.

— Серега! Ты со мной работаешь?

— Шутишь, что ли, — проворчал задетый Бабкин. — Что за вопросы!

— Если предпочтешь рыбалку, я пойму.

— Так себе здесь рыбалка. Так что давай лучше пораскинем мозгами, кого обидела ваша старушенция.

— Где расположимся?

Бабкин огляделся. Кофе в шкафу, хлебом он еще вчера запасся, буженина с маслом в холодильнике. Так что бутербродами они обеспечены. И пиво, отменное свежее пиво из ближайшего ларька! Что еще нужно человеку для продуктивного раскидывания мозгами? Только вобла. «За воблой Илюшина сгоняю», — подумал Бабкин.

— Здесь нам точно никто не помешает! — заверил он.

И тут раздался пронзительный, как вопль мартовского кота, звонок в дверь.

2

—**В**ы же это самое, — утвердительно сказал Олег Сысоев. — Детективы!

— Мы расследуем в основном случаи пропажи людей, — уточнил Илюшин, внимательно разглядывая гостя.

На ужине у Макара не было необходимости оценивать его, но первое впечатление он не мог не составить. «Феноменальный молчун. Флегматик. Долго запрягает, быстро едет. Уровень агрессии кажется, принудительно понижен. Потом так и привык. Что у него, бурная юность? Или сидел? Надо бы у Саши поинтересоваться».

Олег придвинулся со стулом ближе.

— У меня как раз невеста пропала.

«Где находится — знаю, но вытащить ее оттуда сам не могу», — подумал он.

Человек, сидящий в углу, пробурчал что-то невнятное. Его слова можно было трактовать в диапазоне от «не может быть!» до «мы так и поняли».

Саша ласково улыбнулась Олегу, и он слегка приободрился. Хоть один человек полностью на его стороне!

Дома творился бардак, Содом и Гоморра в одном флаконе. Это был хорошо взболтанный флакон, в который щедро сыпанули перца и соли. Сысоевы бранились, отчаянно обвиняли друг друга и тут же вставали на защиту тех, кого только что предлагали гильотинировать. То есть не вносили ничего принципиально нового в уже обкатанный репертуар.

В то же время Олегу чудилось нечто странное в поведении его родственников.

Смутная недосказанность витала в воздухе. Вернее, это была не недо-, а пере-сказанность: если прислушаться, то становилось ясно, то *слишком* много шумели, обвиняли и оправдывались. Как будто каждый хотел за ворохом словесного мусора что-то замаскировать.

Сысоевы были говорливы всегда. Любую проблему они встречали в крик. В этом отношении Олег был белой вороной в собственном семействе. «Не знаешь, что делать, — притормози и подумай», — полагал он. «Не знаешь, что делать, — поднимай шум!» — были уверены его родственники. Поэтому если Олегу казалось, что они говорят чересчур много, значит, никто из окружающих его людей вообще не замолкал.

Именно это он, запинаясь, и изложил приятелю Саши Стриженовой.

Сам приятель ему пришелся по душе. На ужине смотрел вокруг весело и восхищенно, с почти детским любопытством. Несмотря на опасения сестры, предсказывавшей, что невеста привезет с собой двух московских жлобов, вел себя дружелюбно и без капли чванства. А уж о его молчаливой красивой подруге даже Олег, не слишком хорошо разбиравшийся в людях, сразу понял: не высокомерна, а стеснительна. Улыбка такая, одними глазами... Как будто она хочет улыбнуться широко, но все никак не решается.

Олег не знал никого из прежней Галкиной жизни. И надо сказать, обрадовался, что у нее такие друзья.

Когда Галку забрали, в памяти выстрелило, кто этот Илюшин по профессии.

Сейчас, правда, перед ним сидел не совсем тот человек, которого Олег запомнил по злосчастному ужину. Во-первых, он казался старше. «Выпил, должно быть. — подумал Олег. — Похмелье у человека».

Во-вторых, озорство и детское любопытство с физиономии будто тряпкой стерли. И смотрел парень на Олега так, что Сысоеву внезапно вспомнилось, как пару лет назад его заставили в больнице глотать кишку, чтобы рассмотреть Олеговы внутренности.

Когда Олег изложил свое дело — что там излагать-то, две фразы! — все замолчали.

Саша молчала сочувственно.

Парень молчал критически (похоже, собирался отказать).

Мужик в углу молчал угрожающе.

Его Сысоев до сегодняшнего утра не встречал, только слышал, что друзья Галки привезли с собой третьего за компанию. Галка даже дом для него сняла, расстаралась.

Ну так теперь Олег рассмотрел, для кого она хлопотала. И мысленно сказал: «Ого!»

Во-первых, здоровый как лось. Да что там лось — медведь натуральный! Когда встал навстречу Олегу, оказалось, что на полголовы выше — а ведь Сысоев и сам не из карликов!

Во-вторых, ладонь стиснул во время рукопожатия так, что Олег поморщился. Мужик тут же извинился: прости, говорит, это я от всей души! Олег только сумел выдавить в ответ, что видать, широкая душа у тебя, дружище.

В-третьих, рожа нерасполагающая. Мрачная такая рожа, небритая, и с этой рожи зыркают на мир глубоко посаженные глаза.

Но самое главное случилось, когда Олегу налили кофе. После его обычного растворимого этот показался до жути крепким и горьким, как редька, к тому же здоровяк мелочиться не стал, сварил ему чуть ли не пол-литра. Сысоев сидел себе, потихоньку отхлебывал эту гадость. Волновался он сильно: не из-за того, что чувствовал себя не в своей тарелке, а из-за Галки. Должно быть, потому-то кофе у него и опрокинулся.

Чашка брякнулась набок так неудачно, что все пол-литра обжигающе горячей жидкости хлынули на колени Саше Стриженовой.

Та, бедная, даже вскрикнуть не успела: Макар Илюшин молниеносно ударил ногой по ножке ее стула, и Саша свалилась. Грохнулась бы она качественно! Капитально бы грохнулась, запоздало осознал Олег, если б небритый мужик не подхватил ее, как пушинку, возле самого пола. Подхватил — и отдернул в сторону.

На то место, где сидела Саша, полилась струя густого черного кофе. На все ушло не больше двух секунд.

— Что это было? — растерянно похлопала ресницами Саша, которую Бабкин поставил на ноги. Он уже успел сдернуть с крючка полотенце и набросил на растекающуюся лужу.

— Ты не ушиблась? — спросил Макар.

— Н-нет... А зачем ты меня толкнул?

— Кофе, — кратко пояснил Илюшин.

— Много! — пробасил небритый.

Олег был не дурак и о взаимоотношениях этих двоих понял сразу очень многое. Не о красавице с частным сыщиком, а о частном сыщике с приятелем. Сильнее всего Олега поразило, что Илюшин, выбивая стул, сделал это без малейших сомнений, рефлекторно. Он не просто не сомневался, что здоровяк подхватит его подругу — он вообще как будто не догадывался о существовании других вариантов.

Олег прикинул ситуацию на себя и понял, что у него таких друзей нет. Он и не представлял, что они могут существовать. Сысоев привык рассчитывать только на себя, и открытие, что можно другому доверять не просто как себе, а больше, чем себе, его ошеломило.

С мокрого полотенца закапало на пол.

— Извините! — проснулся Сысоев. — Можно я?..

Он споро прибрал последствия несостоявшейся катастрофы, морщась от неловкости. Его заверили, что ничего, бывает, беды не случилось, и слава богу. Олег поддакивал, а сам мысленно проматывал пленку снова и снова: кофе падает — стул летит — небритый хватает Сашу. «Кофе-стул-хватает». Дольше говорить, чем сделать!

Он многое бы отдал за то, чтобы посмотреть запись этого события.

Со дна взбаламученной души поднялось нехорошее чувство. Искусай его собаки, этот небритый был крут. Очень крут.

Олег отогнал от себя подленькую мысль, что именно поэтому Галка так и хлопотала насчет дома. И не просто отогнал, а погнал ударами хлыста и закидал вслед противотанковыми гранатами. Но мерзкое ощущение, что перед ним стоит человек, который во всем его, Олега, превосходит, не покидало.

А вот насчет Макара Илюшина у Сысоева подобных прозрений не случилось. Парень и парень: приветливый, обаятельный, ироничный. Ну, частный сыщик. Подумаешь!

— Ты не можешь нас нанять для расследования убийства, — сказал парень. В глубине глаз замелькали смешливые искры: определенно, он веселился. Саша все порывалась что-то сказать, но под взглядом Илюшина прикусывала язык.

— Почему?

— Потому что делом занимается следствие. У них рутинная работа: отпечатки, следы, вещественные доказательства, экспертиза...

— А у вас?

— У нас возможностей для этого нет.

— Никто нам улики не предоставит, — подал голос Бабкин. — Это незаконно.

Олег поразмыслил как следует.

— А со свидетелями общаться — законно?

Илюшин с приятелем переглянулись, и Олегу снова показалось, будто что-то у них на уме все-таки есть.

— Законно, — скрывая усмешку, подтвердил Макар.

— То есть вы за это возьметесь? — Олег даже привстал. — Деньги найду.

Илюшин коротко глянул на Сашу. «Надо соглашаться. Еще и гонорар срубим!»

Саша едва заметно шевельнула ноздрями. «Ты уже согласился! Без всякого гонорара!»

«Само в руки идет!» — намекнул бровями Макар.

Саша дернула нижней губой: «Прекрати издеваться над парнем! Видишь — он не в себе!»

Макар недовольно вздохнул. «Веревки из меня вьешь. Плетешь шнурки».

Он было понадеялся, что Сергей вмешается, но Бабкин хозяйственно замачивал полотенце в тазике, оставив разговор на усмотрение Илюшина.

— Ты понимаешь, что мне придется опрашивать всех твоих родственников? — сдался Макар.

Олег молча кивнул.

— А если я решу, что это кто-то из них убил твою бабушку?

— Она мне ни разу не бабушка.

— Это, конечно, меняет дело, — пробормотал Макар. — В общем, так: мы в любом случае собирались побеседовать с твоей семьей. Поэтому никаких денег ты нам не платишь, но и нанимателем не считаешься. Может, покойница — твоих рук дело.

— Может и моих, — на удивление покладисто согласился Олег. — Ты мне вот что скажи: выходит, я тебя десять минут уговариваю на уже решенное дело?

Илюшин бросил взгляд на настенные часы.

— Двенадцать.

— Чего?

— Двенадцать минут уговариваешь.

Олег насупился.

— И вот такой сволочи ты отдаешь на растерзание своих родственников, — с чувством поведал из коридора Бабкин и выжал насухо полотенце.

....

Вскоре вещи Саши и Макара были возвращены в дом Сысоевых. Олег скупо поведал родне, что из съемного жилища ребят выгнали, гостиницу оплачивать нечем, банковская карта заблокирована... Не бросать же людей! Но он мог ничего и не выдумывать: никого из Сысоевых возвращение приятелей невесты не заинтересовало.

«Буду ходить и приставать ко всему твоему семейству, — предупредил Илюшин. — Легенду надо составить».

«Не надо легенду».

«А что надо?»

«Правду».

«Они тебя проклянут».

«Сам их прокляну», — без улыбки сказал Олег Сысоев, и глядя на него, Макар понял: парень, безусловно, держится бодрячком, но внутри ниточки рвутся по одной, а толщина каната — величина неизвестная.

«Чем плохи флегматики — никогда не угадаешь момент и направление отъезда крыши. Легко с холериками: пообщался пару месяцев и знаешь весь диапазон эмоциональных реакций. А этот через десять лет дружбы даст тебе лопатой в лоб, и будешь гадать, чем заслужил».

Глядя, как Илюшин распаковывает вещи, Олег побродил туда-сюда в задумчивости. Внутри себя он произносил горячий монолог, полный просьб помочь его невесте. Илюшин очень удивился бы, узнав, как много ему успели сообщить, пока Олег выразительно молчал в углу.

В отличие от него, Галка знала, что большинство фраз ее жених произносит лишь в уме. Она умела вести с ним осмысленную беседу, в то время как любимый мужчина ронял одни междометия. Илюшин не достиг таких вершин, поэтому все призывы Олега пропали втуне.

— Того... надо? — спросил Олег прежде, чем уйти.

Макар вопросительно взглянул на него.

«Чем я могу быть полезен тебе в твоем расследовании? — имел в виду Олег. — Готов сделать все что надо».

— Помочь, — выдавил Олег, внутри произнеся еще один пылкий монолог.

Тут до Макара начало кое-что доходить.

— Ты спрашиваешь, не можешь ли ты мне помочь?

Олег с облегчением кивнул. Ужас, как сложно общаться с некоторыми!

— Во-первых, узнай все что можешь о завещании. — Предупреждая возражение, Макар вскинул руки: — Знаю, слишком мало времени прошло! Но все-таки уже могло что-то всплыть. Во-вторых...

Он задумался ненадолго и закончил:

— Во-вторых, попробуй узнать, где последние два дня находился Кожемякин.

— Иван? — недоверчиво уточнил Олег.

— Он самый. Ваш сосед.

3

Еще классиками было замечено, что не бывает вражды сильнее, чем вражда между старыми соседями по самому пустяковому поводу. Бабкин сравнил Сысоевых и Кожемякина с героями Шекспира, но Монтекки и Капулетти выглядели бы малышами подготовительной группы детского сада рядом с действительно серьезными игроками на поле мести и кровной вражды: Ниной Сысоевой и Иваном Кожемякиным.

Противостояние это началось очень давно. Но не тогда, когда молодая Нина отвергла ухаживания юного Ивана и предпочла лопоухого лейтенанта. А тогда, когда Кожемякин вырастил вдоль забора пять сливовых деревьев, затенявших соседскую клумбу с петуниями.

Эта небольшая вылазка на территорию противника переросла в полноценную войну. Уступать никто не желал. Сдаться? Да лучше сдохнуть на мусорной куче и быть похороненным под топинамбуром!

В этой войне было всякое. Сорняки одной стороны шли в нападение на участок другой. Им отвечали отряды колорадских хищников, мигрирующих по карто-фельным рядам. Кожемякин всерьез подозревал, что Сысоева по ночам перетаскивает на его роскошные ку-сты своих мерзких жуков. Он даже предположил, что в глубинах сысоевских подвалов выращиваются ар-мии генно-модифицированных колорадских тварей! Полосатых демонов, устойчивых к опрыскиванию ке-росином!

Нина в ответ предложила пригнать Кожемякину психиатрическую бригаду по знакомству недорого.

«Ведьма!» — ругался Иван.

«Шизик со справкой!» — невозмутимо парировала Нина.

«Врешь! Нет у меня никакой справки!»

«А, так ты нелеченный!»

И Нина делала вид, что звонит в «Скорую».

— Алло! У нас тут случай буйного помешательства! Человек бегает в пижаме и обкусывает сырую кар-тошку! Что? Да, прямо из земли! Скорее! Пришлите санитаров! И пусть захватят инсектицид.

Кожемякин на стену лез и сползал по ней, щелкая зубами.

Они устанавливали в стратегически важных ме-стах трещащие вертушки, мешавшие соседу спать. Подманивали в палисадники врага оголодавших коз. Забрасывали снегом пять минут назад отрытую тро-пинку. То есть вредили друг другу упорно и не сдавая позиций.

Так продолжалось лет десять. Но понемногу проти-востояние приобрело характер холодной войны. Сто-роны устали и выдохлись.

— Здорово, сволочь! — приветствовала Нина сосе-да по утрам.

— Как дела, кикимора? — любезно осведомлялся Кожемякин.

Тишайший Петруша в грызне участия не принимал и обеими сторонами считался кем-то вроде безобидного представителя Красного Креста.

Так продолжалось до тех пор, пока Кожемякин за неделю до торжественного ужина не выгрузил на своем участке машину куриного помета.

Был ли это коварный замысел или случайность, истории не известно. Не известен также в точности объем привезенного удобрения. Но Нине, поутру вышедшей на крыльцо, показалось, что где-то рядом обкакалось примерно полторы тысячи кур. Дыханье у нее сперло, а перед глазами мелькнула прожитая жизнь.

Уцепившись за забор и впервые за сорок лет сожалея об отсутствии жабр, Нина, пошатываясь, добрела до соседа.

Иван, напевая песенку о ландышах, светлого мая привет, бултыхал в пластиковом бочонке палкой. Рядом выстроились в ряд еще десять бочонков.

— Ты что ж, сволочь, творишь! — прохрипела Сысоева, узрев эту картину.

— А чего? — удивился Кожемякин.

— Это! Вот оно! Убери его!

Нина заткнула нос, но обонятельные рецепторы неизвестным науке образом мигрировали на слизистые языка и нёба. Ничем другим бедная Нина не могла объяснить, почему она, вдыхая через рот, по-прежнему чувствует ЗАПАХ.

— Куда ж я уберу? — удивился Кожемякин. Помет достался ему по дешевке, и он пребывал в благодушном настроении.

— А-ы-а! — просипела Сысоева, что означало «куда угодно, но только подальше отсюда, и тогда я не прокляну тебя до седьмого колена!»

Иван вдохнул полной грудью и улыбнулся рассвету.

Нина, не веря своим глазам, уставилась на него. Ей неоткуда было знать, что последние пару лет у Кожемякина с цветением березы начинало закладывать нос. К концу июня проходило само, без всяких лекарств, так что Иван не придавал этому значения.

— Смрад! Кошмар! — каркнула Нина.

— Фосфор! Цинк! — обрадовал ее Кожемякин. — Водичкой разведем, пять днем настоим — и готово!

— Пять дней?!

Нина Борисовна ухватилась за калитку. Через неделю приезжает невеста! На ужин!

Мысль о любой трапезе, пусть даже отдаленной на неделю, вызывала острую тошноту. Но еще сильнее Нину замутило при мысли о том, что московскую высокомерную девицу привезут в эту адскую вонь. Как она будет морщить носик! Как будет посмеиваться, рассказывая потом приятелям-москвичам об ароматах Шавлова!

А как будут хохотать завистники! В ушах Нины зазвенел издевательский смех.

Сысоева придавала очень большое значение репутации. «Делай что хочешь, но выглядеть это должно пристойно!» Случись ей совершить сепукку, на последнем издыхании она припудрила бы края раны.

Можно отравить наглую дрянь, соблазнившую ее неопытного мальчика. Можно заточить ее в подвале. Можно, наконец, прибегнуть к помощи старой доброй веревки и придушить ее по-тихому, едва жених и гости отвернутся.

Но при этом вокруг не должно вонять куриным пометом!

А завистливая Алевтина! А язвительнейшая Елизавета Архиповна! Представив, какими замечаниями они станут сопровождать семейное торжество, Нина застонала.

— Ты что, болеешь? — подозрительно спросил Кожемякин. — Топай отсюда. Еще заразишь меня!

У Нины мелькнула мысль расчленить Кожемякина, а фрагменты трупа разбросать по бочонкам. Все равно хуже пахнуть уже не будет, трезво рассудила она. И улики растворятся в аммиаке. Где Иван Кожемякин? Нет Ивана Кожемякина. Распался на молекулы.

Но препятствовала проклятая слабость. Приступать к осуществлению этого плана можно было только в противогазе.

Нина зашла с другой стороны:

— Слушай, как человека тебя прошу: увези ты эту гадость.

— Какую гадость? — Кожемякин непонимающе огляделся. — Это ж ценное удобрение! У меня весь огород в рост пойдет!

Сысоева растоптала собственную гордость и принялась уламывать соседа. В ход шли посулы, угрозы, обещания и взывания к мужской снисходительности. Кожемякин, подлец, в ответ только посмеивался. А когда Нина выложила свадьбу как последнюю карту и взмолилась о пощаде, так и вовсе загоготал на весь огород.

— Пусть невеста привыкает! Здесь ей не Москва! Тут природой пахнет!

По мнению Нины, запах природы был хорош лишь до тех пор, пока не валил с ног. Но переубедить Ивана ей так и не удалось.

Униженная, измученная Нина вернулась домой. И стала в тоске и ужасных предчувствиях ждать часа икс.

Тем временем Кожемякин, потирая руки, развел помет водой, настоял четыре дня, удобрил половину участка и приготовился покончить со второй.

Как вдруг случилось непредвиденное.

Кожемякину продуло ухо, и, принимая прописанные врачом антибиотики, Иван внезапно избавился не только от отита, но заодно и от насморка.

В один прекрасный день он уехал по делам. С крыльца спустился больной человек, а вернулся совершенно здоровый.

На подходе к собственному дому Иван пошатнулся. Сделал еще три шага — и врос в землю.

Пропасть разверзлась у него под ногами, и текла по дну этой пропасти далеко не лава.

Нина могла бы торжествовать, но она в этот момент закупала освежители воздуха в промышленных масштабах. Остальные же соседи спешно закупоривали окна и окуривали квартиры благовониями. В индийской лавке, прозябающей в уголке супермаркета, в один день скупили весь ассортимент и требовали чего-нибудь позабористее.

Иван одной рукой взялся за нос, а другой ухватился за сердце.

Его можно было понять. Запах стоял такой, что писатель, живущий по соседству, вместо «смеркалось» написал «смерделось». После чего утратил душевное равновесие, напился, буянил и первой же электричкой покинул малую родину, увозя с собой многостраничный труд под названием «Навсегда в моем сердце».

Но мало этого!

Некая робкая жена, запуганная мужем, неожиданно впала в исступление и поколотила супруга иконой «Чаша терпения». А мирная старушка, собравшаяся помирать и по такому поводу уже причастившаяся, внезапно поднялась со смертного одра, разогнала скорбящую родню и заявила, что прежде выйдет замуж за детскую свою любовь Володьку Тихомирова, благо он как раз в прошлом годе овдовел.

Куриный помет круто менял людские судьбы.

Пока Иван тщился перестать дышать, синяя туча опустилась на Шавлов и скрыла на минуту кожемякинский дом. Когда же она поднялась, Кожемякина на месте уже не оказалось. Растворился, не оставив ни записки, ни следа.

....

«Говорят, два груженых «Камаза» привез», — сообщил Бабкин, пересказывая Илюшину подслушанный у реки разговор двух женщин.

Илюшин выразился в том смысле, что двумя «Камазами» куриного помета можно удобрить весь Шавлов и еще на окрестности останется. И был совершенно прав. Людская молва преувеличила размеры трагедии.

Но не ее накал.

Шавлов затаился, ожидая развязки. В то, что Нина оставит куриный помет на свадьбу сына без внимания, никто не верил. Ближние к Кожемякину жители готовились рукоплескать ей над трупом противника. Дальние просто наблюдали, заключая ставки и разбивая пари.

— Мстить будет страшно и изобретательно, — озвучил Бабкин всеобщую убежденность.

Макар взъерошил волосы.

— Месть — это хорошо. Только старушка-то тут при чем?

И тут Бабкин сказал, при чем.

Елизавета Архиповна приходилась Ивану Кожемякину троюродной теткой.

— Городок-то маленький, — сказал Сергей, — половина друг у друга в родственниках. Может, в этой яме собака и порылась? Где товарищ Кожемякин?

Тут-то и выяснилось, что Ивана уже два дня как никто не видел.

4

—**И**так, время!

Макар Илюшин стащил плед с кресла на пол, разлегся на нем и стал до смешного похож на отпускника, выбравшегося на пляж.

— Время — это то, что работает на нас.

Саша представила подругу, томящуюся в застенках, и выразила сомнение.

— Не будущее время, — покачал головой Илюшин. — Прошедшее. Отпечатков у нас нет, улик не имеется. Что остается? Алиби. Кто, когда, где был и что делал. Похоже на школьную анкету, правда?

— Никто из нас, по-моему, не смотрел на часы... — растерялась Саша.

— А это не важно. Главное, чтобы вы смотрели друг на друга.

В дверь постучали. Олег деликатно просунул голову и осведомился, не нужно ли им чего-нибудь.

Комната, которую Сысоевы гостеприимно предоставили Илюшину и Саше, ухитрялась выглядеть одновременно избыточно и спартански. Избыточно — поскольку была завалена разнообразнейшим хламом. Спартански — поскольку среди этого хлама не хватало самых необходимых предметов.

Например, в ней отсутствовала кровать.

Зато имелась спинка от кровати, прислоненная к стене.

— Э-э-э... Нет, спасибо, у нас все есть, — поблагодарил Илюшин.

Олег просветлел.

— Тетка с дядей тут, — шепнул он. — Гришка принял.

«С него лучше и начинать, — имел в виду Олег. — Дядя, когда выпьет, становится разговорчивый».

Накануне они с Илюшиным решили все-таки не сообщать родне, зачем он вернулся в дом Сысоевых. «Скажу, что болею душой за Галку, хочу выяснить все детали», — решил Макар.

«Врать будут!» — предупредил Олег.

«Вот и прекрасно!»

Макар был убежден, что о человеке, говорящем правду, можно не узнать ничего. Но лжец выдает о себе всю подноготную! Ничто не обладает таким разоблачающим действием, как хорошо продуманная ложь.

Дело за малым: узнать, в чем именно врет собеседник. Выяснишь — половина дела сделана.

Когда дверь за Олегом закрылась, Макар вытащил телефон и быстро пролистал на экране последние звонки.

— Так-так-так... Вот оно.

В вечер убийства ему позвонили в тринадцать минут десятого. Тот самый человек, который предупредил насчет старого мошенника Михаила Гройса.

Да здравствуют мобильные телефоны! И как только раньше люди запоминали время события?

— Вы разошлись сразу после меня?

— Плюс-минус две минуты, — подумав, согласилась Саша.

— А во сколько ты наткнулась на Галку?

Саша прикинула: вот она смотрит вслед Кристине, вот медленно плетется через сад...

— Минут через десять-пятнадцать. Нет, скорее десять.

— Давай возьмем среднее арифметическое в двенадцать с половиной.

— Я останавливалась в саду, — вспомнила Саша.

— Из чего следует, что старушку убили в этом промежутке, между четвертью и половиной десятого. Кто был с тобой?

— Никого, — с сожалением признала Стриж. — Вот потом я слышала голоса в доме, когда бегала и искала тебя. Но тогда за столом я осталась одна.

Илюшин разочарованно сморщил нос. Хоть кого-нибудь исключить бы из списка! Но, похоже, не выйдет.

— Разве что Пахома, — пробормотал он.

— Что?

— Нет, ничего. В какую сторону пошла Галка, ты не заметила?

Саша как раз заметила. И говорить об этом замеченном ей очень не хотелось, но выбора не было.

— К лесу она ушла, — нехотя признала Стриж.

— Бабушке вослед?

— Да не бабушка она им!

— Ну хоть кому-нибудь бабушка?

— Кому-нибудь — наверное. Да хоть тем же мальчишкам!

— Вот и чудно. Покойница будет проходить у нас под условной кличкой «бабусенька».

Макар еще раз взглянул на телефон, потом поискал глазами в комнате циферблат. Часы с кукушкой обнаружились над креслом. Из них, наполовину вывалившись из гнезда, свисала птичка с полуоткрытым клювом.

— Ее сейчас стошнит, — пробормотал Макар. — Саш, есть хронометр?

Он положил перед собой ее маленькие часики и в задумчивости погладил ремешок.

— Итак...

— Итак? — выжидательно откликнулась Саша.

— Вычеркнуть нам пока некого. Кроме Пахома Федоровича. Мы только знаем, что первой ушла бабусенька, а последней...

Он вопросительно взглянул на Сашу.

— Кристина. Нет, совсем последней — я, а Кристина минуты за две до меня.

— Отлично. Может, и остальных вспомнишь?

Саша зажмурилась и напрягла память. Перед глазами замельтешили дядя Гриша в лиловом платье, Алевтина в инвалидном кресле, патриарх на каблуках... Сысоевы не желали выстраиваться в хронологическом и прочих порядках! Они зловредно перетасовывались, точно колода карт, и не понять даже, где туз, а где шестерка.

Мимо патриарха протопала Рита с таким выражением на лице, будто она неандерталец, которого вот-вот вытолкает из гнезда эволюции коварный хомо сапиенс.

«Стой!» — мысленно воскликнула Саша и ухватила Риту за отворот рубашки. Нет, не рубашки, а блузки! Шифоновой блузки в мелкий цветочек, идущей Рите не больше, чем Буратино бюстгальтер.

Она заставила Сысоевых замереть.

Вот чернявый валет с пухлыми щеками: дядя Гриша.

Вот бубновая десятка: боксер Валера.

Хмурая трефовая дама цыганского облика — Рита. «Позолоти ручку, тогда не укушу».

Малютка пиковый король со своей властной пиковой дамой — пара Сысоевых.

Алевтина до последнего уворачивалась и прикидывалась безликой тройкой червей, но в конце концов Саша и ее поймала. Ревнивая дама бубен с острыми плечиками и выпученными глазами.

А седой патриарх — конечно же, похожий на Нептуна трефовый король.

«Вот так бы сразу, — одобрила Саша. — А то путать меня будут!»

Она мысленно разложила карты на столе и сразу вспомнила, кто в каком порядке покидал скандальный ужин.

— Макар, они ушли практически друг за другом. Рита, кажется, сбежала покурить за дом. Боксер увез старикана. Дядя Гриша и Петруша ушли вместе, Нина исчезла первой, про Алевтину не помню.

— Уже неплохо, — пробормотал Макар. — Умница!

Он вырвал из тетради лист, слева расчертил на графы, справа набросал кривоногих большеголовых человечков. Одного, отдельно стоящего, изобразил в платье-треугольнике, с торчащими палочками волос и огромными глазами.

Саша заинтересованно всматривалась в это творчество и вдруг осознала, что глазастый человечек — это она сама. По сравнению с остальными он был выписан... любовно. Да, именно так. Илюшин даже оборочку на платье снизу пририсовал, и эта оборочка так растрогала Сашу, что ей ужасно захотелось поцеловать Макара, но было неловко отвлекать его от дела своим сентиментальным порывом.

— Мы смотрели, — машинально согласилась она, борясь с желанием взъерошить ему волосы. Ей на каждом шагу приходилось решать важные вопросы. Например, понравится ли ему, если она начнет трепать его лохматую шевелюру.

Большинство таких вопросов люди проясняют в первые два месяца тесного общения. Если попробовать так? А вот так? А вот эдак? И получив ответ, что прежде все было прекрасно, а вот эдак уже не надо, понимающе кивают: ясно, не будем.

Но Саша начала встречаться с Макаром всего три недели назад и по-прежнему боялась, что он исчезнет так же неожиданно, как и появился. Потому что она сделает что-нибудь не так. Растреплет ему волосы. Выругается слишком грубо. Ляпнет какую-нибудь глупость. У сероглазого обаятельного парня станет такое лицо, какое было у ее матери, когда Саша совершала очередной промах, и он заметит своим мягким голосом, под завязку набитым иронией: «Я не сомневался».

И всему придет конец.

Мать произносила свое фирменное «я не сомневалась» именно так.

Сашка провалила экзамен? Никто не сомневался. Сашка порвала новые джинсы, сев на торчащий из скамейки гвоздь? Никто не сомневался. Сашку бросил ее первый мальчик, двухлетняя ее мучительная любовь? Опять-таки неудивительно! Где тощая угловатая Стриж, а где подруга его старшей сестры, гладкая и белая, как сметанный крем, в дерзкой футболке, сквозь которую выпирают соски.

Сашины успехи вызывали недоверие.

Сашины провалы считались закономерными.

Она от природы была из тех детей, кто не слишком уверен в себе и должен сверять свои действия с ближайшим авторитетом. Это они взглядывают большими глазами на пап и мам: «Правильно ли я делаю? Одобряешь ли ты меня?» Подбегают на прогулке к бабушкам просто убедиться, что их не бросили. Выходят по ночам из комнаты проверить, не ушли ли родители из дома, оставив их одних.

Эти дети как будто сомневаются не столько в себе, сколько в окружающем мире. Вдруг он вычеркнул их случайно — и не заметил! А то и вовсе исчез.

Сашиному отцу было, в общем-то, совершенно безразлично, что там вытворяет дочь. Он увлеченно толкал вперед науку. Он был неплохим человеком, разве что начисто лишенным интереса к собственной семье.

Этого отсутствия интереса его жена так и не смогла ему простить. Когда-то она заставила молодого аспиранта жениться на себе (это оказалось не так уж сложно, поскольку он был старомоден и порядочен), но не смогла разрушить кокон, в котором он все чаще скрывался от нее. Ее упреки и требования отлетали как от упругой стенки. Да что там — она сама отскакивала от него, точно мяч!

Ни до кого так не хочется добраться ближе, как до отрешенных людей. Сломать стену вокруг этих замкнутых мерзавцев, заглянуть внутрь: что же там, что? Доказать самому себе, что ты ценнее прочих — тех, что не добрались.

Жене профессора Стриженова это так и не удалось.

У ее дочери взгляд иногда обращался в глубь себя, словно лампочка горела внутрь, не отдавая ни капли света наружу. В такие минуты она становилась полной копией отца. И каждая минута напоминала Оксане Стриженовой о ее фиаско.

К двадцати годам Саша выросла в невротика, убежденного, что все неудачи — результат лишь ее собственных действий. Мужчин она боялась, поскольку ничего о них не знала. Ее собственный отец был терра инкогнита, а опыта хороших подростковых отношений в школе она не получила.

В сочетании с ее природной красотой это оказалась убийственная смесь.

Убийственная, разумеется, для самой Саши.

....

«Когда я одна, меня как будто нет. Я ощущаю себя целой, только если рядом человек, который меня любит. Тогда я начинаю четко осознавать, что я думаю и чувствую. Я словно призрак, возникающий лишь тогда, когда напротив него ставят зеркало — и он с облегчением в нем отражается. Убери зеркало, и от меня ничего не останется.

Оставшись одна, я мучительно пытаюсь понять: кто я? Что я? Чего хочу?

Я все время напряженно вслушиваюсь в себя. Но я панически боюсь того дня, когда взгляну в зеркало и в нем уже никто не отразится».

В таком состоянии Саша Стриженова порвала самые серьезные и долгие отношения в своей жизни и даже не прыгнула, а влетела с разбега в объятия Макара Илюшина.

....

И тут выяснилось, что Илюшин обладает удивительной способностью. Он делал Сашу видимой. У него словно были в руках краски, и он проявлял ее в окружающем мире. Прорисовывал четко контуры. Обводил черты.

Саша стала замечать свое отражение везде: в лужах, капотах машин, глянцевых сумках! Даже в маленькой медной бляхе на собачьем ошейнике! Даже в глазах хозяина собаки!

Она стала понимать, чего ей хочется. Для этого больше не требовалось испуганно вслушиваться в себя, опасаясь услышать пустоту. Ей хотелось пиццы, пива, мороженого, фисташек, слезливую мелодраму, самокат и Колина Ферта в мокрой рубашке! Господи, да ей никогда еще так много не хотелось! Притянуть к себе жадными руками, все загрести, все! Сколько можно плыть бледным призраком — хочется стать, наконец, толстой веселой пиявкой, присосавшейся к этому миру и причмокивающей от удовольствия!

У Саши Стриженовой менялась походка.

Макар поддерживал все, за что она ни бралась. Любой выход за пределы зоны комфорта он сопровождал одобрительными возгласами. Хочешь ездить на лошади? Молодец! Играть ежами в гольф? Отличная мысль! Ходить по канату? Великолепно! Завтра же и поедем учиться, я уже забронировал нам два часа.

У Саши Стриженовой менялся голос.

Он танцевал с ней, пил текилу в клубах, балансировал на перилах мостов, целовал ее под фонарями, дарил волосатые кактусы, дурачился и вел себя по-мальчишески.

Но именно мальчишки и не хватало в ее жизни последние десять лет.

У Саши Стриженовой менялась судьба.

．．

Макар Илюшин поднял голову и наткнулся на странный пристальный взгляд своей подруги. Елки, глазищи какие...

— Ты чего? — улыбнулся он.

Саша Стриженова с силой взлохматила ему волосы и накрыла их обоих пледом.

Глава 8

1

—Так здесь я была! Прямо вот тут в кухне и носилась как подорванная.

Нина посолила борщ, важно булькавший на плите. Вместо свадьбы им придется готовиться к поминкам. Значит, надо запастись рисом для кутьи. Лимон, лимон... Где же лимон? А, вот. Человек пятьдесят соберется. Из Еремихи племянницы приедут. И родителей Лешки с Ваней не забыть бы посчитать!

Эти двое больше всех огорчились смерти Елизаветы Архиповны. Слезами заливались, сморкались в трубку, а закончили разговор просьбой взять себе на время их отпрысков, поскольку пристроить братьев летом ну совершенно некуда. «Вы же добрая женщина!»

Ну да. А борщи у добрых женщин сами появляются, по мановению волшебной палочки. Хоть бы денег на продукты подбросили, халявщики.

Нина мельком взглянула на крутившегося возле нее парня с глупым именем Макар и невпопад заметила вслух, что, поди, у феи-крестной-то образование было приличное, швейный техникум, не меньше. Факультет конструирования и моделирования.

Судя по вытянувшемуся лицу паренька, он такого заявления не ожидал. И с языка его рвалось: «Это вы, Нина, к чему?»

К чему, к чему... К тому, что за любым удачным выступлением всегда стоит кропотливая подготовка. Даже если со стороны это выглядит как «помахала палочкой над тыквами». Про фей — это сказки для дурочек, то есть золушек. А мы-то понимаем, сколько на том платье вытачек в стратегически важных местах и как умело втачан кружевной рукав.

У паренька в глазах мелькнуло эхо прозрения.

— Хотите сказать, убийца не спонтанно совершил нападение? Подготовился?

А ведь молодец, подумала Нина. Мозги-то не пропащие.

Обычно ее собеседники тщетно пытались ухватить ниточки сысоевских мыслей и подвязать друг к другу. Мыслительный процесс у Нины выглядел как одеяло в стиле пэчворк. Тут лоскуток, там лоскуток, здесь третий. И ничего между ними общего на первый взгляд. А отойдешь на шаг — и складываются твои лоскутки в один красивый продуманный узор. Мозаика!

— Тогда Галя Исаева убить вашу тетю никак не могла. У нее мотива не было.

— Верно, — признала Нина не без огорчения.

— Значит, это кто-то из ваших? — Паренек не утверждал, а спрашивал.

— Из наших никто не мог. Со стороны пришли.

— И поджидали Елизавету Архиповну на полянке? — кивнул Макар.

Иронизирует, поняла Сысоева.

И пошла в атаку:

— Елизавета Архиповна была себе на уме. Могла и о встрече договориться. Не зря она из-за стола сбежала, ой не зря!

Илюшин представил, как, взглянув на часы, старушка на ходу устраивает импровизированное разоблачение родственников и, воспользовавшись поднявшейся суматохой, сбегает с бала к фее-крестной, она же по совместительству швея.

«А та ее — тюк гномиком! Скажите спасибо, что не тыквой».

— И кто же это мог быть, Нина? Тот человек, с которым она, как вы предполагаете, встречалась?

— Любовник, — не моргнув глазом сказала Сысоева.

И вернулась к борщу.

Илюшин некоторое время изучал ее спину с покатыми плечами. К любовнику. Ага.

— А сколько лет-то было Елизавете Архиповне, я запамятовал?

— Восемьдесят семь исполнилось в мае, — благожелательно отозвалась Нина, снимая пробу с борща.

— Значит, и любовника надо искать такого же... э-э-э... возрастного диапазона.

— Отчего бы? — обиделась Сысоева. — У нас в семье женщины привлекательные, часто и за молодых выходят. Вон, сестра моя двоюродная, подобрала однажды в Киеве хлопчика. Хорошенький такой хлопчик, вылитый Дима Билан! И поет как кенарь! А рубашки в тазу стирает — закачаешься, ей-богу!

Макар был как раз близок к тому, чтобы закачаться.

— Взяла она его себе вместе с тазиком и везет, — невозмутимо продолжала Нина. — А в поезде девки на него заглядываются! Ну она его и заперла в купе! А он поет! Чернигов проехали — поет! К Москве подъезжают — поет! От Москвы отъезжают — поет!

— Тут-то ей тазик и пригодился, — пробормотал Макар.

— Чего?

— Я говорю, увлекательнейшая история! А Билан?

— А что Билан?

— Поет?

— Куда он денется? — удивленно отозвалась Нина. — У него судьбинушка такая.

Она пригорюнилась о чем-то над борщом.

Макар разглядывал Сысоеву со все возрастающим интересом, пытаясь решить задачу: прикидывается ли она или несет всю эту замечательную ахинею всерьез. Поиску ответа мешал возникающий то тут, то там на задворках воображения Дима Билан, стирающий в тазике рубашки и поющий красивым голосом о тяжкой своей судьбе.

— Супчика горячего не хочешь ли? — обернулась Нина.

Макар не хотел супчика. Он хотел для начала разобраться, кто не был под присмотром в те двадцать минут, когда совершалось убийство.

— То есть вы не выходили из кухни?

— Отчего же, выходила. В комнату свою, переодеться.

— Переодеться, — повторил Макар и подумал, что в последнее время сплошь работает эхом.

То ли атмосфера Шавлова действовала на него отупляюще, то ли аромат борща, но он соображал медленнее обычного. «Я должен был сразу вспомнить, что Сысоева вышла к ужину в одном платье, а потом явилась в другом».

Зрительная память была у Илюшина без пяти минут фотографической. Но лишь после слов Сысоевой он вспомнил, что встретила-то она их в желтом, с цветочками по подолу, а после красовалась в фиолетовом. Без всяких цветочков.

Зачем станет переодеваться женщина посреди торжества, если только она не залила подол вином?

Ответ напрашивался сам собой.

«Я что, нашел убийцу?» — недоверчиво спросил себя Макар.

Хоть сейчас бери Нину под белы рученьки и проси: а предъявите-ка мне, любезная сударыня, ваши первые нарядные одежды! А это что на них? Следы крови? Ножом палец порезали? А почему кровь не вашей группы? Ах, чужой палец! А может, голову, а не палец, и не порезали, а пробили, и не ножом, а гномом?

Тут преступница рыдает и раскаивается в содеянном (то есть в том, что не сожгла платье сразу, как пришила старую каргу).

Идеалистическая эта картина развеялась, едва Сысоева с некоторым смущением пояснила:

— Петруше не глянулось, как я одета.

«И ты пошла у него на поводу», — с сомнением хмыкнул про себя Макар. Он предполагал, что попробуй Петруша высказать недовольство внешностью жены, для садового гнома нашлась бы еще работа.

Но на щеках Нины зарделись два пятна. Оставалось только гадать, близость горячего борща тому причиной или непрошеное воспоминание о том, как был разочарован любимый супруг.

Она пояснила, что Петруша заглянул на кухню, когда она ставила новую порцию курицы в духовку, и высказался критически по поводу ее внешнего вида. Чем поразил ее до глубины души. До сегодняшнего вечера Нина полагала, что супруг не замечает, во что она одета, и действительно поразить его она может лишь явившись на торжество нагишом.

— Это во сколько было? — перебил Илюшин.

Да около половины десятого, припомнила Нина.

А может быть, позже?

Может и позже.

Или раньше?

Или раньше, покладисто согласилась Нина.

«Как ее родные и близкие до сих пор не придушили...» — подумал Макар.

Но, пожалуй, Сысоева ему нравилась. Причем независимо от того, валяла ли она дурака или была искренна с ним.

— Значит, вы ушли переодеваться, потом вернулись... И больше не уходили?

— Ну как же не уходила?! Валерку за шиворот взяла и потопала. Кошелек за комод уронила, а он помогал мне.

— Кошелек? — переспросил Илюшин.

— За комод, — подтвердила Нина.

И взялась солить борщ.

«А ну-ка стоп!» — громко сказало чутье Макара. В отличие от Бабкина, он не разбирался в варке борщей, но в одном был уверен совершенно точно: дважды их не солят.

— Пересолите! — громко предупредил он под руку. Сысоева вздрогнула и опрокинула ложку мимо кастрюли.

— Ах! Правда! Ведь посолила уже!

— Кошелек-то достали? — спросил Илюшин, наблюдая, как она ловко собирает просыпавшуюся соль.

— А как же! Валерка, если понадобится, и дом сдвинет, не то что комод. Хороший он человек!

Макару Илюшину тут же вспомнился школьный учитель физкультуры, который оценивал людей по способности подтянуться на турнике. Илюшин подтягивался четыре раза, и физрук его презирал.

— А это когда произошло, вы тоже не запомнили?

— Откуда!

И то верно, подумал Макар. Когда достаешь упавший кошелек из-за комода, тебе не до времени.

Если бы Нина Борисовна не пыталась посолить борщ вторично, он бы не обратил внимания на эту деталь. Мало ли, решил человек переложить деньги... Но сейчас Илюшин насторожился. Вечер, семейный ужин, в магазин никто не идет. Зачем хвататься за кошелек?

«Или у них вор в семье завелся? И Сысоева решила не искушать его?»

— А потом вы вернулись на кухню?

— Вернулась, а как же. Ритка смылась, пришлось одной пыхтеть. Ну ничего, потом Алевтина подошла.

Интуиция Макара сделала стойку второй раз.

— Куда Ритка смылась?

— Курить, наверное, — сокрушенно махнула рукой Сысоева. — Уж я ее не ругаю, а она все равно по кустам прячется.

— А Валера?

— Валера не курит!

— Нет, где он был в это время? С вами?

— Вот еще! Мужики все сбежали. И Валерка, должно быть, с ними.

Макар попытался выяснить, куда сбежали мужики, но Нина Борисовна либо не знала, либо не считала нужным сообщать. Он добился лишь, что ни мужа, ни брата она не видела в промежутке с девяти сорока до десяти пятнадцати, то есть фактически до начала продолжения банкета.

Однако где ж они бродили без малого пятьдесят минут?

Припертая к стенке, Нина признала, что где-то поблизости Петя с Григорием, безусловно, околачивались и, конечно, употребляли, судя по тому состоянию, в котором Гриша явился на вечеринку. Она слышала их голоса... (Тут во взгляде Нины Борисовны появилась легкая задумчивость...) Во всяком случае, когда они двигали с Валерой комод!

— А потом?

А потом, кажется, уже не слышала.

— То есть они ушли из дома?

Тут Нина заявила, что ничего не может сказать по этому поводу, что спрашивать лучше не у нее, а у брата, и что если Макар отказывается от ее борща, то она его, конечно, не может за это осуждать, но и терпеть больше здесь не намерена. Результатом этой краткой, но пылкой речи было изгнание Илюшина из кухни, причем он так и не понял толком, как это произошло. Ему казалось, будто все слова, что щедро изливаются из полных губ Нины, лишь тающая верхушка айсберга, а непосредственно льдина остается невидимой, однако при этом напирает на него всем своим многотонным весом.

Илюшин клял себя на разные лады за то, что ушел разговаривать по телефону на те сорок пять минут, когда все и случилось. Надо же было так промахнуться! Или, вернее, так точно попасть. Ни до, не после — а ровнехонько тогда, когда Рита где-то курит в одиночестве, Григорий с Петрушей шляются неизвестно где, Сысоева зачем-то переодевается в чистое, а про остальных и вовсе неизвестно, что происходит.

Нет, кое-что известно. Кто-то убивает старушку, а потом хватает покойницу и затаскивает на крышу навеса.

Как это было сделано, Макар установил легко. Предположение у него имелось лишь одно, и оно подтвердилось, едва он отыскал на земле углубления от садовой лестницы и длинные прерывистые полосы. Кто-то волочил лестницу, затем забрался по ней, спрятал тело на крыше и убежал. И стремянку не забыл убрать!

За ответ на вопрос, был ли это тот же человек, который убил Пудовкину, или другой, Макар отдал бы обеденную пиццу.

2

— А чего ты меня допрашиваешь? Ты кого-нибудь другого допрашивай! Это тебя Нинка подослала? Олег? Ритка, волчья душа? Не желаю я с тобой разговаривать. Ухожу!

Закончив эту тираду, Алевтина прочнее уселась на стуле.

Макар с любопытством разглядывал ее. Мучнистое лицо. Костлява до болезненности. Волосы цвета бешеной морковки. Брови, нарисованные посреди лба.

Неприятная женщина, вздорная.

И явно что-то скрывающая. Она не только не ушла, но и впилась в Илюшина неприятным острым взглядом. «Надеется у меня что-нибудь выведать?»

Макар был убежден, что лучше лести может быть только грубая лесть. И он приступил к делу.

Сначала отдал должное Алевтининой наблюдательности. Затем воспел ее ум. В ярких красках изобразил знание людей и глубокий опыт. И закончил тем, что лишь к такой проницательной женщине мог прийти за помощью, ибо все остальные...

Тут Макар многозначительно замолчал.

— Что — остальные? — пронзительно осведомилась Алевтина. — Уж не на меня ли грешат?

ЕЛЕНА МИХАЛКОВА

Илюшин скорчил гримасу, долженствующую обозначать «я-то не верю этим наветам...».

— И Гришка? — нахмурилась Алевтина.

— С Григорием Борисовичем не успел побеседовать. Решил сначала с вами.

— Это правильно. Гришка пустобрех. Ему верить нельзя ни в чем.

Илюшин мысленно поставил пометку напротив Григория Лобанова: «заслуживающий внимания источник».

Вкрадчиво, исподволь он принялся выспрашивать, где была многоуважаемая Алевтина Андреевна и чему предавалась в промежутке с девяти двадцати до десяти вечера. Грусти? Пьянству? Воспоминаниям?

Выяснилось, что Алевтина на чердаке читала книгу «Естественное лечение кариеса».

В этом месте гладкое течение разговора прервалось. Макар дернулся так, словно лодка, в которой он плыл, проскребла днищем по камням, и переспросил.

— Стоматологи — рвачи! — отрезала Алевтина. — Человек должен следовать своей природе! Зубы способны залечивать себя сами, если дать им такую возможность.

— А аппендикс? — не удержался Илюшин.

— Что аппендикс?

— Сам способен отвалиться?

И был подвергнут пытке десятиминутной лекцией о происхождении аппендицита.

Макар догадывался, что подобные теории могли получить распространение только среди людей с прекрасной генетикой, ни разу не страдавших от зубной боли или мигрени. Слушая Алевтину, он почувствовал, что зубы вот-вот начнут болеть у него. Жена дяди

186

Гриши наводила оскомину. От нее сводило челюсти. Она была занудна, скучна и глупа — сочетание, которое может искупаться лишь выдающимися достоинствами вроде сказочной щедрости или ангельской доброты.

Однако представить Алевтину, раздающую милостыню беднякам, оказалось не проще, чем царя Ирода, вручающего детишкам приглашения на новогоднюю елку.

— Я за естественность! — бушевала разошедшаяся Алевтина. — Женщина должна быть натуральна во всем.

Макар покосился на ее морковные кудри.

— Хна! — объяснила Алевтина. — Природный краситель.

«А брови у вас тоже самостоятельно мигрировали?» — спросил бы Илюшин, если б мог дать волю языку. Две тоненьких карандашных дуги находились на явно не предназначенных для них природой местах.

— Где, вы сказали, читали книжку? — внезапно спросил он.

Алевтина осеклась и перестала вещать о целебных свойствах хны. Взгляд из пронзительного и сосредоточенного стал странно расфокусированным.

— Наверх поднялась...

— Наверх — это на чердак?

Алевтина, не говоря ни слова, кивнула.

«А ведь она мне что-то сказать пытается», — понял Илюшин.

Потому что Алевтина не могла просто бросить фразу о чердаке и замолчать. Она непременно добавила бы, что там пыльно и грязно, или что туда тайком прокрадывается Ритка со своим приятелем, или обругала бы летучих мышей... Словом, как-нибудь выразила бы свое отношение к этому помещению. Алевтина ко всему на свете высказывала отношение. Мир обязан был знать, что она думает, раз уж этим не интересовался никто из ее близких.

В данный момент мир олицетворял Макар Илюшин.

— А на чердаке сколько окон? — попытался припомнить Макар.

— Два, — тотчас отозвалась Алевтина.

И снова красноречивое молчание.

«Два окна… Одно, значит, в сад, а второе на улицу».

— Туда свет проведен?

— Нет. Не успели, только начали комнаты ремонтировать.

— Как же вы читали?

— Я в темноте хорошо вижу. У меня зрение острое.

И словно в подтверждение своих слов Алевтина полоснула Илюшина взглядом.

Макар представил женщину, сидящую на пыльном чердаке с книжкой в руках. Темнеет, она пересаживается ближе к окну… К тому окну, что выходит в сад, допустим. Она терпеть не может свою родню, считает себя лучше них в тысячу раз и в то же время болезненно зависима от их мнения. Женщина то и дело прижимает нос к стеклу: не собираются ли без нее, мерзавцы? Нет ли повода закатить скандал?

И вдруг видит…

— Кого вы увидели? — ровным голосом спросил Илюшин.

И вот тогда тонкие бесцветные губы Алевтины разошлись в довольной улыбке. «Долго же ты соображал, мальчишка! — говорила ее гримаса. — Мог бы и раньше догадаться! Крутись теперь передо мной волчком, пытайся выведать у меня секреты».

— Никого я не видела, — с нескрываемым злорадством уронила Алевтина. — Темно было!

3

—**Я** все время находился дома. — Петруша с достоинством одернул кургузый пиджачок. — Никуда не выходил. Не понимаю, к чему ваши вопросы.

Из угла что-то утвердительно промычали. Там томился похмельный дядя Гриша. Макар собирался побеседовать с ним отдельно, но Григорий внезапно уперся лбом и отказался уходить из комнаты.

Петруша с благодарностью взглянул на родственника. У Илюшина сложилось впечатление, что муж Сысоевой побаивался разговора.

— Вы, наверное, забыли, — мягко возразил Илюшин. — Вы сначала заглянули на кухню, а потом ушли из дома.

— Поклеп! — воспрял Григорий. — Мы с ним вместе сидели... в покер!

— В покер?

— Играли в покер, — уточнил Гриша. — Слушай, паря, а ты сам-то как насчет картишек? Раскинем, может, то-се?

Он поскреб по волосатой груди, видневшейся в вырезе широкой рубахи. Илюшин обратил внимание, что хотя рожа у Григория опухшая и красная, рубаха на нем свежая. Любопытно было бы узнать, подумал он, сестра ему отгладила одежду или жена. От ответа на этот вопрос многое зависело.

— Покер! — неуверенно обрадовался Петруша. — Играли! Да-да! В дальней комнате, за чуланом.

— Где матрасы, — зачем-то добавил Гриша. — Выкинуть надо бы их, Петь.

— Выкинем! — пообещал приободрившийся Сысоев. — Вот Елизавету похороним и выкинем.

— До кучи, — согласился Макар.

Муж Нины уставился на него круглыми, как у голубя, невыразительными глазами. Наступило молчание: мужчины решали, как отреагировать на реплику Макара и не скрывается ли за ней что-нибудь оскорбительное.

— Зачем же на кучу, — не согласился Петруша. — На куче у нас отбросы всякие. А матрасы на городскую помойку оттащим.

Макар проявил редкостную дотошность и попросил уточнить, правильно ли он понял, что с девяти двадцати до момента, когда все снова вернулись в сад, Григорий Борисович и Петруша не покидали дома.

— Тебе ж русским языком говорят, чудак-человек! — отечески рассмеялся Гриша.

Петруша просто стеснительно кивнул. Макар потрепал шевелюру и щелкнул пальцами, будто вспомнив:

— А супруга ваша утверждает, что слышала ваши голоса во дворе!

— Кто? — испугался Петруша.

— Нина.

— Выдумала! — соврал Гриша.

— Забыла! — соврал Петруша.

Илюшин перестал улыбаться и подался вперед:

— А то, что вы на кухню заходили и критиковали ее платье, она тоже выдумала?

Взгляд Петруши заметался из стороны в сторону. «Ну никакого удовольствия, — огорченно подумал Илюшин. — Все ж на лице у человека написано».

Однако лицо лицом, а качественной актерской игры еще никто не отменял. Помнил Макар одного старичка, хрупкого и беспомощного, как хромой паучок. И взглядывал он так же кротко, и пугался как лань, и производил впечатление бестолковости, помноженной на усердие. А потом у него из подвала как начали доставать трупы один за другим! И скажите спасибо, что только жену с ее сестрами положил, а до соседей не успел добраться... паучок!

Что там твердила Елизавета Архиповна про Петрушу? Интендантишка! Масло, говорит, воровал!

Нет, из-за масла не убивают, засомневался Макар, но тут же сам себе возразил: это смотря сколько украсть. Кто его знает: может, перед ним сидит ментальный брат-близнец подпольного миллионера Корейко.

А деньги в матрасах зашиты.

— З-заходил, — пробормотал Петруша. — К-критиковал...

— Ну сразу уж критиковал! — пылко вмешался Гриша. — Так, пару замечаний сделал! А чего она вся в желтом!

От безобидной этой фразы Петруша слегка спал с лица. Как будто его запоздало настиг ужас от содеянного и предчувствие близкой расплаты.

— Значит, вы были на кухне, — не отставал Илюшин. — А потом ушли. Куда?

Петруша робко взглянул на брата жены.

— К матрасам? — предположил он.

— К ним, родимым! — подхватил Григорий.

— А рубашки вам кто гладит? — быстро обернулся к нему Макар.

— Н-нина... Нет, погодь! А тебе какое дело?

«А такое, Григорий Борисович, что одна из двух женщин о вас заботится, а вторая, похоже, топит. И мне надо понять, кто из них кто».

Илюшин ухмыльнулся про себя плотоядно и мысленно потер руки. Никакой уверенности в предположении, которое он собирался выдать за правду, у него не было. Но шантаж, блеф и обман он по-прежнему считал лучшими методами расследования.

— Жена ваша, Алевтина, видела, как вы выходили из дома, — небрежно бросил он. — Взрослые люди, а врете как дети. Стыдно-с!

Сорвавшийся с его губ словоёрс произвел неожиданно сильное впечатление на собеседников. Григорий вздрогнул, выпрямился и нервно дернул ус, словно гусар, отчитанный полковым командиром. Петруша, напротив, ссутулился и сделал попытку завернуться в полы пиджака.

Гриша храбро принял удар на себя.

— Выходили, — признал он, мрачнея на глазах. — Запамятовали. Бывает.

— А зачем выходили-то? — ласково спросил Илюшин.

Глаза Петра забегали еще сильнее. «Он и кокнул, — подумал Макар. — Нет, кокнул Григорий, а этот гнома подносил».

— Того-этого... По саду ходили! Свежим воздухом дышали! — приободрился брат Нины.

— Не выдумывайте. В саду люди были, они вас не видели.

— Сад большой! — не сдавался Гриша.

— Ну так и вы не маленький.

Этот довольно нелогичный аргумент сразил Григория наповал. Он открыл рот, булькнул и впервые, кажется, не нашелся что сказать.

Зато Петруша внезапно выпрямился.

— Ладно, я скажу! В саду у Кожемякина мы были.

— Это зачем же? — удивился Макар.

Повисло молчание, тяжелое, как чугунный утюг.

— Могилу ему рыли, — брякнул наконец дядя Гриша.

4

Беседы с остальными членами семьи успеха не принесли. Рита отказалась разговаривать, в грубой форме отправив Макара по довольно далекому адресу, где он никогда не был и в ближайшее время не собирался. С боксером и вовсе встретиться не удалось, ибо его выставили за дверь, едва вечеринка трагически оборвалась. Прогнала его сама Рита.

Кристина Курятина тоже не была обнаружена ни у Сысоевых, ни у себя дома. Крепко сбитая веселая баба крикнула Илюшину из приоткрытого окна, что Криська опять шлендрается где-то, а когда возвратится, ей неведомо.

— Шлендрается... — передразнил Макар.

«Тоже, что ли, пошлендрать куда-нибудь? Босиком и в панаме, скажем, по горячему песочку. Отчего я не Кристина Курятина!»

Но Илюшин лукавил: никуда ему идти не хотелось, ни по горячему песку, ни по холодному, а хотелось вытягивать клещами правду из Сысоевых и сопоставлять факты. Задача осложнялась тем, что любой из семейства имел полное право послать Илюшина к чертовой бабушке. Рита этим правом уже воспользовалась.

Если она надеялась, что от нее отвяжутся, то просчиталась. Не было способа вернее разжечь костер илюшинского азарта, чем не дать ему то, что он хотел. Воплотись Илюшин в этой своей ипостаси в мире вещей, он стал бы вакуумной присоской, которую можно оторвать, лишь разбив стекло.

По большому счету, Макар был образцовым, идеальным занудой. Но занудой, редко включавшим это качество на полную мощность (все-таки с инстинктом самосохранения у него тоже все было в порядке).

Скучные туповатые Сысоевы, как их описывала Галка, оказались очень уж занимательными людьми. Похоже, они с наслаждением дурачили Илюшина. Все вместе, группой или кто-то один — пока он не мог разобраться даже в этом.

Карлсон с меньшим вдохновением смотрел бы на фрекен Бок, которую предстояло курощать и низводить, чем Макар на тех, кто пытался с ним играть.

Пока счет был в пользу семьи. У Илюшина родилось не меньше восьми догадок, кто и зачем убил Пудовкину. А это означало, что в действительности у него нет ни одной. Выбор начинается тогда, когда количество альтернатив сокращается до трех.

Тайна Петруши и Григория оказалась до смешного проста и никакого отношения к убийству старушки не имела. Как объяснил Гриша, они с Петей задумали отомстить, воспользовавшись тем, что подлого соседа который день не видно во дворе. Самое смешное заключалось в том, что мстить фактически было уже не за что: сутки назад ветер переменился, и все запахи теперь относило в противоположную сторону. Ни один из сидящих за торжественным столом не заметил и намека на куриц, не считая полторы дюжины запеченных в духовке бедрышек.

Но прощать соседа Петя с Григорием не собирались. Не он сам, а только случайность спасла их семью от позора!

Когда Макар пересказал эту историю Саше, та заподозрила, что Нина все-таки что-то предприняла для избавления от соседа. Может, постригла недельного ягненка и утопила шерсть в лужице от лапы черной собаки, или сожгла клок соседских волос в полночь, стоя лицом к новорожденному месяцу, или съела корешок полыни, отваренный в жабьей слизи... В общем, без вмешательства главной ведьмы не обошлось. Но делиться своими догадками с Макаром она не стала.

Как выяснилось, Илюшин рано обрадовался. Могилу Григорий упомянул в переносном смысле. В действительности им хотелось лишь разведать, как бы поизобретательнее напакостить соседу. Но оба были уже изрядно пьяны, вокруг темнело с каждой минутой, и, бестолково потыкавшись между унавоженными грядками и морща носы, мстители вернулись обратно.

— И это вы от меня скрывали? — не поверил Илюшин. — Зашли к соседу, бесплатно нанюхались помета и вернулись?

— Высмеют же, — объяснил Григорий, морщась, как от зубной боли. — Ты подруге своей растреплешь, она еще кому, и будем мы посмешищем на весь, так сказать, городишко.

Илюшин наконец-то поплл. Он был городским до мозга костей и не знал, как прочно оседает в памяти маленького городка любой промах. Как раздувается болтливыми соседями до поистине эпических масштабов. Как всплывает потом при каждом удобном случае из глубин коллективного подсознания подобно торпеде и выстреливает в цель под одобрительный хохот окружающих. Причем торпеда эта многоразового использования.

Сергею Бабкину, в детстве каждое лето проводившему в деревне, было бы что порассказать о коллективной памяти. Но Бабкин в эту минуту занимался совсем другими делами.

— Нам не хотелось бы стать предметами насмешки, — подтвердил Петруша, ежась от неловкости.

Макар внимательно посмотрел сначала на одного, потом на другого. Перед ним сидели гороховый шут с образцовым подкаблучником и рьяно пеклись о своей репутации.

«Братцы, да над вами и так весь Шавлов хохочет! — почти сорвалось с языка Илюшина. — Что там ночные бродилки по пустому соседскому саду! Хватит мне голову морочить!»

Бабкин разъяснил бы ему и это кажущееся противоречие, но, на счастье мужа и брата Нины, в комнату заглянул Олег.

— Ритка не у вас?

— Пойдем вместе поищем! — поднялся Илюшин.

К этому моменту он уже устал слышать от мужчин семейства Сысоевых, что они ничего и никого не видели. К тому же он начал жалеть, что час назад отказался от борща, и обычная наблюдательность стала ему изменять. Саша Стриженова обязательно подумала бы, что Нина, пышногрудая миловидная Нина с взглядом покормленной белочки и челюстями акулы защищает *своих*. Одному черту ведомо, что за невидимые сети раскидывает она над домом, но именно поэтому все Сысоевы в трудное время остались под сенью родной крыши. Именно поэтому у Илюшина сбоят все тонкие настройки, прежде никогда не подводившие, именно поэтому он проходит мимо очевидных ответов и не задает напрашивающиеся вопросы.

Но Саша пыталась в это время добиться встречи со следователем. Так что Макар последовал за Олегом, не заметив, с каким облегчением за его спиной переглянулись Григорий с Петрушей.

— А скажи-ка мне, милый друг, — спросил Макар, когда они вышли, — ты сам кого-нибудь подозреваешь?

Олег покосился на него.

— Давай-давай, — подбодрил Илюшин. — Считай, что ты у исповедника. Колись.

— Никого, — буркнул Олег.

— Тайны есть у всех.

«Да какие это тайны! — с легким раздражением отозвался про себя Олег. — Так, секретики мелкие».

— Мелкие, — выдавил он.

— Например? Почему, скажем, твой дядя такой нервный последнее время?

Олег пожал плечами.

— Светлана.

— Что — Светлана? — терпеливо осведомился Илюшин.

— Бросила. Грустит. Любил.

«Григория бросила очередная любовь всей его жизни, — расшифровал Илюшин. — Вот он и ходит смурной».

— А остальные? — строго спросил он.

Олег сдержанно помотал головой.

«Не знаю ничего, богом клянусь!» — перевел Макар.

— Брось!

Сысоев остановился и укоризненно взглянул на Илюшина сверху вниз.

— Зря! — выговорил он. — Я бы это!

«Напрасно ты, Макар, мне не доверяешь! Будь у меня хоть какие-то сведения, я бы непременно их тебе сообщил».

Красноречием Олег никогда не отличался. Он хотел бы объяснить этому парню, что есть вещи, о которых думать нельзя, потому что когда не думаешь, их как будто нет. И это не побег от реальности и не попытка спрятать голову в бетон. Он знал, что его невеста не убивала старуху. Из этого, несомненно, следовало, что ее убил кто-то из своих, и Олег привел Макара Илюшина к себе в дом, чтобы тот нашел преступника. Но в самой глубине души Олег был уверен, что Макар, как фокусник из кармана, вынет расклад, при котором не будет виноватых.

Не то чтобы Олег остро восхищался Илюшиным. Сысоев вообще не понимал, с кем имеет дело. Просто в нем сильна была детская вера в заклинание его матери: *само рассосется*. И чем тяжелее была ситуация, тем глубже верил Олег, что плохое рассосется, если очень напряженно и внимательно смотреть в сторону *хорошего*.

При всей абсурдности этого подхода он на удивление часто себя оправдывал.

Но объяснить всего этого Илюшину Олег был просто не в состоянии. Он и себе не смог бы.

Макар шел все медленнее, и в конце концов Сысоев тоже был вынужден остановиться.

— А где ты сам был после девяти двадцати?

— Тут, — махнул рукой Олег. «Дома».

— Тебя видел кто-нибудь в следующие сорок минут? И зачем ты вообще смылся?

— Друг позвонил, ему помощь нужна была, — спокойно сказал Олег, внезапно проявляя склонность к предложениям, состоящим больше чем из одного слова. — Обсуждали дело одно.

— Ясно. Пошли.

Олег снова двинулся вперед. Дом был разделен пополам длинным узким коридором, и так получилось, что, задержавшись, Илюшин оказался за спиной Сысоева. Олег направлялся к лестнице на чердак, подозревая, что сестра может скрываться там.

Макар подался перед, словно желая опередить его, и громко крикнул:

— Рита!

Рука его нырнула в задний карман Олеговых джинсов и молниеносно извлекла сотовый телефон. Весь фокус не занял и одной секунды.

— Во рявкнул, — упрекнул Олег.

— Ты еще Бабкина не слышал, — без тени смущения сказал Илюшин, быстро проглядывая на ходу записную книжку на телефоне. — Тот однажды в зоопарке чихнул, и в пятом вольере медведица разродилась.

— Бывает! — флегматично отозвался Сысоев. — Что такого.

— Ну, она не была беременна. А за исключением этого все в порядке.

Олегу потребовалось обернуться, чтобы посмотреть на лицо Илюшина.

— Это там не Рита? — быстро спросил Макар.

И стоило Сысоеву сделать движение в указанном направлении, как телефон вернулся в его карман.

— Нет, не Рита, — удивленно сказал Олег, покосившись на Макара. — Это портрет. Дед мой.

— Показалось, значит. Похожи очень.

Олег сделал еще несколько шагов и на секунду задержался перед бездарно намалеванной картиной. На полотне белобрысый тракторист с лихим чубом похлопывал рукой трактор по крупу и и победно ухмылялся. С Ритой Сысоевой он имел не больше сходства, чем еж с пингвином.

— Отдохнул бы, — посоветовал Олег. «Мать, кажется, как раз борщ сварила, — скрывалось за этим предложением. — Может, пообедаешь? А то вон худой какой. И чушь всякую несешь».

Он с жалостью взглянул на худощавого взъерошенного Илюшина.

— Завтра, все завтра, — невпопад согласился Макар, утвердив Олега в мысли, что парень перетрудился.

Парень как раз обдумывал, зачем Олег ему соврал. Ни входящих, ни исходящих с девяти двадцати до десяти пятнадцати в списках вызовов не значилось.

5

—Докладываю, шеф! — Бабкин был бодр, свеж и даже как будто успел загореть за прошедший день. — Старуха Пудовкина оставила в наследство домик с палисадником и четырьмя сотками земли. Но расположен он, как и сысоевский, за чертой города. Оценивается... Ну, тысяч в триста, может.

— Что это за цены такие? — озадачился Илюшин.

— Нормальные цены, а ты чего хотел. Тут средняя зарплата восемь штук. Дом без газа, участок малюсенький. Аккуратный, правда. Цветы, петрушка, брокколи...

— Брокколи?

— Капуста такая.

— Я знаю, что такое брокколи! Старушка выращивала у себя брокколи?

— А ты полагал, она питается кровью младенцев и мясом девственниц?

— Могла, — хмыкнул Илюшин. — Но брокколи все равно не дает мне покоя. Разве что Елизавета Архиповна свихнулась на здоровом образе жизни. А по ней и не скажешь! Нет, шустрая старушка, но меньше всего похожа на травоядное.

Бабкин рассмеялся и похлопал напарника по спине.

От этого хлопка Макар чуть не свалился со спинки скамьи.

Скамья была в парке, а парк был на берегу реки, сразу за обшарпанной городской больницей. Правда, личности, которые бродили по затененным дорожкам, менее всего походили на больных. Проводив парочку крепких скуластых рож хмурым взглядом, Бабкин даже подумал, что не мешало бы им иметь поменьше здоровья.

— Ты чего таращишься, будто руки-ноги людям переломать хочешь?

Предположение Илюшина было удивительно близко к истине.

— Шатаются тут всякие... — пробормотал Бабкин. — Над скамейками непотребство учиняют.

Что правда, то правда. Илюшин не просто так притулился на спинке, аки голубь. От сиденья ни этой, ни прочих скамеек в парке не осталось ничего, кроме хищно торчащих зубастых обломков. Словно скамейка только поджидала доверчивую жертву, чтобы отхрапать ей пятую точку.

Сам Бабкин прислонился к стволу кряжистой липы и лениво потягивал пиво из банки.

— С брокколи ты неожиданно попал в цель.

— В каком смысле?

— Сейчас объясню. — Бабкин смял банку в кулаке и присел на корточки. — Она эту чертову капусту выращивала не для себя.

— А для кого? Для гусениц?

— Для пуделя, — ухмыльнулся Сергей.

Макар уставился на него так, что он ухмыльнулся еще шире.

— Ты сказал «пуделя»? — недоверчиво переспросил Илюшин.

— Нет, я сказал «коалы». Конечно, я сказал «пуделя»! У меня все в порядке с дикцией.

— Ты уже вторую банку приканчиваешь. На твоем месте я бы не был так уверен, — пробормотал Макар. — Погоди, дай мне подумать самому!

Он притих. Бабкин с тихим злорадством наблюдал за ним.

— Она похоронила пуделя под капустой? — предположил Илюшин.

— Мимо. Что за странная идея!

— Нормальная идея. От этой бешеной барабульки всего можно было ожидать. Ладно, нет так нет. У нее был пудель, который гадил только в брокколи?

— Деградируешь, — упрекнул Бабкин. — Шавлов съедает твои блестящие мозги.

— Это Сысоевы их съедают. Высасывают через трубочку для коктейля. — Макар снова задумался. — Ну не кормила же она пуделя капустой брокколи!

Сергей хлопнул в ладоши:

— Наконец-то! Третья попытка, и то еле-еле.

— Правда, она кормила пуделя капустой брокколи? — ужаснулся Илюшин. — И Гринпис промолчал? И зоозащитники не стояли у нее под окнами с плакатами? Черт побери, ни одно живое существо не заслуживает того, чтобы его кормили брокколи! А пудель меньше всего! У моей бабушки был пудель, я знаю, что говорю.

— Не было у тебя бабушки, не выдумывай. Ты вылупился из яйца.

Человек, который вылупился из яйца, спрыгнул со скамейки, расшвырял ногой окурки и расположился на траве.

— Зато теперь я понял, за что убили Пудовкину! За жестокость, переходящую в садизм. Нашелся добрый человек, всадил гнома ей в череп. Осталось выяснить, кто был в курсе насильственного кормления пуделей капустой.

— Да весь город был в курсе! — расслабленно сказал Бабкин. — И с гномом ты погорячился.

6

Елизавета Архиповна терпеть не могла животных. Забравшихся в палисадник кошек метко окатывала ледяной водой. «Спасибо, что не кипятком!» — благодарили понятливые кошки, удирая во весь дух. Собак гоняла швабрами с несвойственной ее возрасту прытью. По воробьям палила из духового ружья. Голубей, ангельских птиц, и вовсе ненавидела.

Про ангельских птиц заявила ее знакомая, такая же с виду благостная старушенция, разве что слегка выжившая из ума и делавшая все, чтобы привести к этому же знаменателю и окружающих. (При этом Алла Игнатьевна излучала лишь добро, свет и радость. Отчего они вызывали у близких гнев, боль и состояние, близкое к аффекту, объяснить не мог никто.)

«Ангельская птица!» — ворковала Алла Игнатьевна, рассыпая крошки вокруг себя.

Ангельская птица клевала крошки и щедро опорожнялась на зеленую траву. Надо добавить, что зеленая трава росла перед домом Пудовкиной. Алла Игнатьевна не очень любила, когда птички какают в ее собственном дворе. К тому же в этом случае никто не смог бы оценить, как умильно она выглядит в окружении чудных тварей божьих.

— Ступай ко мне, Лизонька! — воззвала румяная Алла Игнатьевна, обращаясь к открытому окну Пудовкиной. — Это такое счастье, такое наслаждение!

Тут-то на крыльце и появилась Елизавета Архиповна с ружьем в руках.

— Первый предупредительный! — пронзительно заорала она.

И действительно нажала на курок.

Уже позже, когда полиция выясняла, откуда у старухи Пудовкиной взялся карабин, оказалось, что домик Елизаветы Архиповны просто нафарширован оружием. Как если бы кум Тыква собирался вести небольшую партизанскую войну против классово чуждого синьора Помидора.

— Тебе, бабка, зачем столько огнестрела? — поинтересовался новый участковый.

— А от воров, — прищурилась Елизавета.

— Да что у тебя, гробница египетская? Кто к тебе полезет?!

— Гробница не гробница, — огрызнулась Елизавета Архиповна, — а твои мозги смогу через нос крючком вынуть! Ежели найдется что вынимать.

И так зыркнула, что участковый смылся от греха подальше.

Тем более что придраться было не к чему. Старуха исправно продлевала разрешения, проходила все положенные комиссии, а зоркость демонстрировала такую, что впору позавидовать.

Но это было несколько часов спустя. А сразу после выстрела огромная голубиная стая в панике взметнулась с лужайки, оглушительно хлопая крыльями.

На этом Елизавета не угомонилась.

— За умышленное распространение опасной инфекции в местах большого скопления людей, — раздельно проорала она, — подсудимая Алла Повышева приговаривается к высшей мере наказания!

— Ты что, ты что... — забормотала Алла Игнатьевна, пятясь по лужайке. — Лизонька! Окстись!

— Вижу цель! — каркнула Лизонька. — Готовлюсь к исполнению...

К чему готовится обезумевшая ведьма, Алла так и не узнала. Как кролик перед призраком кастрюльки с рагу, рванула она прочь, петляя по дороге, и вслед ей летел хриплый злобный хохот старой карги.

При таком отношении к животным и людям неудивительно, что большинство тварей божьих, кроме клопов, обходили дом Елизаветы стороной.

Откуда взялся пудель, никто так и не узнал. Был он стар, болен, труслив и измучен скитаниями. В грязно-ржавых колтунах с трудом угадывался первоначальный черный цвет шерсти. Глаза слезились. Пудель жался к заборам и шарахался, когда на него гавкали дворовые собаки.

В конце концов он прибился к магазинчику на краю города. Сердобольные продавщицы выносили ему еду, однако даже за корм пудель отказывался подходить: нервно хватал беззубой пастью содержимое миски и отбегал в сторону. Он боялся всех: людей, кошек, воробьев, машин, боялся велосипедов и пакетов, стариковских клюк и детских вертушек, и было непонятно, как такая жалкая тварь, передвигающаяся исключительно на полусогнутых ногах, до сих пор не скончалась от разрыва сердца.

Увидев его первый раз, Елизавета предложила пристрелить, чтобы не мучился. В хвосте пуделя возмущенно забегали блохи и грозно замахали в сторону Елизаветы Архиповны кулаками. Сам пудель сидел неподвижно, смотрел перед собой бессмысленно-стариковским взглядом.

На второй раз Елизавета донесла до продавщиц, что ей неприятно видеть этот ходячий полутруп, когда она спешит с утра за свежим батоном.

Пудовкину неожиданно поддержала Алла Игнатьевна, покупавшая тут же сметану на развес. «Напишу заявление! — пообещала она. — В эту, как ее... Службу по отлову. Нечего ему тут делать. Раз такие жалостливые, забирайте себе!»

Забрать пса было никак не возможно. Обе продавщицы это понимали.

— Жалуйтесь, — равнодушно сказала одна.

— Не идет он к нам, — с ненавистью процедила вторая. — А то забрали бы.

— Что значит «не идет»? — вмешалась Пудовкина. — Да кто его, сукина сына, спрашивает?

Она вышла из магазина, покрутила головой и, завидев пса, крикнула:

— Эй! Ты! А ну давай сюда живо! Ты, ты, я к тебе обращаюсь!

После чего направилась домой как ни в чем не бывало.

И тут случилось чудо. Пудель тяжело встал со своего пригорка и поплелся за Елизаветой Архиповной. В некотором отдалении, но поплелся.

— На смерть пошел, — ахнула остолбеневшая продавщица.

— Не выдержал мучений... — прошептала вторая.

Известно было, что пудель зашел в калитку за Пудовкиной, и следующие две недели его никто не видел.

Общественность строила самые разные предположения насчет его кончины. Сварила ли Елизавета пса или съела живьем? Большинство сходилось на том, что прикончить бедолагу и впрямь было милосердным делом. А что уж там старуха будет творить с бренными останками, ее проблема.

Через две недели калитка распахнулась, и на лужайку выбежала очень маленькая собачка.

За ней вышла Елизавета.

— Лаврентий, тут не ссать, — недовольно потребовала она. — Под кустик иди.

Маленькая собачка, оглядываясь на старуху, задрала лапу на кустик.

— Соображаешь, когда хочешь, — одобрила Елизавета.

Случившаяся поблизости Алла Игнатьевна нацепила очки и воззрилась на животное.

Оно было меньше пуделя раза в три.

Оно было другого цвета: чисто черного, без всякой ржавчины.

В конце концов, оно было без шерсти!

На следующий день весь город знал, что ведьма Пудовкина завела пуделя и обрила несчастное животное налысо.

Пудель был стар и болен. Он пускал газы, мочился под себя, хромал и горбил спину. Его рвало на Елизаветины ковры. Его мучил понос.

Старуха притащила к себе ветеринара и четыре часа не выпускала из дома. Уже наблюдатели решили, что ведьма сожрала его, раз с пуделем не сложилось, но тут ветеринар выполз, качаясь, как былинка на ветру.

— Что там, что? — бросились к нему.

— Брокколи... — слабеющим языком выговорил ветеринар и упал лицом в траву.

7

—**П**рикинь, она целый огород для него вырастила. Диету, значит, подбирала.

— Собакам же нельзя брокколи, — перебил Илюшин.

— Если немножко, то можно. Оказалось, что этот ее Лаврентий за брокколи душу свою блохастую продаст. Ну и она и угощала его по чуть-чуть. Травки какие-то для него выращивала... Уколы делала. Заботилась, короче.

Илюшин помрачнел.

— Жалко пса. Только свезло бедному на старости лет.

— Ты не торопись его жалеть, — ухмыльнулся Сергей. — Я же тебе про наследство еще не досказал.

Макар вскинул бровь. Бабкин выдержал паузу и широким жестом открыл карты:

— Пудовкина оставила дом Григорию Лобанову с условием, что он будет заботиться о пуделе Лаврентии до конца его дней.

— Чьих дней?

— Кобеля. Но вопрос хороший, грамотный. Показывает, что ты понимаешь логику Пудовкиной. Потому что смерть Григория эта ведьма тоже обговорила.

— И кому тогда перейдет пудель? — с некоторой опаской поинтересовался Илюшин.

— Варианты?

— Жене его!

— Ничего подобного. Маргарите Сысоевой, дочери Нины.

— А дом?

— Вот про дом ничего не знаю, — покаялся Бабкин.

— Ты же понимаешь, что с точки зрения закона вся эта завещательная конструкция не просто шаткая, а разваливается на части? Вступит Григорий в права наследования, подсыпет утром псине крысиного яда — и все.

Бабкин кивнул.

— Может, да. Но ты учти, что это Шавлов. Все уже в курсе завещания. На Григория смотрят внимательнее, чем на Анджелину Джоли на красной дорожке. И если он обидит этого пуделя-страдальца, ему это потом припомнят. Не потому, что здесь пуделей любят. А просто провинциальный городок ошибок не прощает.

— Брось! Что ему, алкашу!

— За алкоголизм его никто не осудит. А за пуделя подвергнут этой, как ее...

Бабкин защелкал пальцами. Теперь настала очередь Илюшина взирать на него со злорадством.

— Инфекции? — с лицемерным сочувствием предложил Макар, глядя, как мучается приятель.

— Нет!

— Резекции?

— Да ну тебя!

— Овации?

— Иди к черту!

— Обструкции, — сжалился Макар.

— Точно! Обструкции!

Бабкин облегченно выдохнул.

Илюшин поднялся и отряхнул джинсы. Над его головой с негромким треском зажегся фонарь, и сразу стало видно, что вокруг стемнело. Какая-то мысль издалека царапнула Макара: словно кошка высунула лапу из-под дивана и сразу спряталась. «Стало видно, что стемнело, лишь когда включили фонарь...»

Но все мысли перебивал образ бритого налысо пуделя.

— Значит, дом наследует Григорий... — вслух подумал Илюшин. — Если он помрет после вступления в права наследования, то кому останется имущество? Очевидно, его жене.

— Если внебрачные детишки не понабегут со всех сторон!

— Могут, — признал Макар. — Григорий у нас мужчина пылкий и любвеобильный. А скажи, мой осведомленный друг, про Ивана Кожемякина ничего не известно в контексте завещательных распоряжений? Может, старушка сидела на акциях «Газпрома» и оставила внучатому племяннику десяток-другой?

Бабкин развел руками.

— Понятия не имею. Ни одного упоминания о Кожемякине сегодня не слыхал.

— Значит, пока убийство напрямую выгодно Григорию. А косвенно — его жене.

Сергей тоже отлепился от дерева и с наслаждением потянулся. Трех маргинальных личностей, топтавшихся в отдалении с надеждой выпросить у этой парочки десятку-другую, как веником смахнули.

— Пока убийство напрямую выгодно только пуделю, — проворчал он. — Шутка ли — один в трех комнатах!

Глава 9

1

—**А**либи нет ни у кого, — сообщил Макар. — Включая тебя, Саш.

Он за час свел воедино на одном листе то, что ему удалось собрать по крупице от всех Сысоевых и примкнувших к ним родственников. Теперь разлинованный лист лежал перед ним и убедительно доказывал, что в своем расследовании Илюшин продвинулся очень недалеко.

Вся троица на вечер перебазировалась к Бабкину. Ближе к ночи сирень в палисаднике принялась благоухать так, что этим запахом можно было кормить, как мороженым, с ложечки. «Вот бы производили сиреневое мороженое! — размечталась Саша. — И пионовое. И ландышевое! А для гурманов — нарциссовое, с легкой горчинкой».

Тут Стриж спохватилась, что пока она витает в мечтах, Галка гниет в застенках шавловских подземелий (они представлялись ей сырыми и с крысами по углам), и призрак ландышевого мороженого растаял бесследно.

Бабкин сидел на подоконнике, заняв место Илюшина, и разглядывал прогуливавшиеся по улице парочки. Мавр сделал свое дело: собрал нужную информацию и принес в клювике большому боссу.

Он покосился на большого босса. Илюшин притащил из другой комнаты кресло и сидел в нем по-турецки. Выражение лица у него было страдальческое, но Бабкин подозревал, что связано это не с расследованием, а с неудавшейся попыткой Илюшина разогреть в духовке мороженую пиццу из местного супермаркета. Готовая пицца на вид напоминала окровавленную подметку и на вкус, вероятно, ее же (тут Бабкин не испытывал стопроцентной уверенности, поскольку никогда не пробовал окровавленных подметок и не собирался экспериментировать).

Илюшин страдал острой пиццезависимостью. В Москве он привык съедать по одной штуке в день и заедать мисо-супом или роллами. Однако Шавлов был не тем местом, куда стоит приезжать со своими привычками. Этот городок гостей с привычками особенно ненавидел и старался при каждом удобном случае убедить, что гость трагически ошибся, заведя себе такое странное пристрастие. Разве картошка с малосольным огурцом не лучше какой-то итальянской лепешки?!

— У нас остается надежда на китайскую кухню, — пожалел Бабкин напарника. — Где-то в центре есть кафе «Красный восток».

— Если там такие же роллы, как в супермаркете пицца, я лучше перейду на брюкву.

Макар закончил схему и теперь разглядывал ее. Более-менее было ясно, где после девяти двадцати находилась Сысоева, потому что ее видели на кухне сначала Рита, а потом муж с братом. Кроме того, если боксер Валера подтвердит ее слова, около девяти сорока они вместе двигали комод, а не убивали старушку.

Со всеми остальными картинка не вырисовывалась или получалась совсем уж мутной. Алевтина, по ее словам, сначала читала на чердаке, а через полчаса спустилась вниз и стала помогать Нине. Но к этому времени старушка была уже убита. «А можно из окна чердака выбраться на крышу навеса? Надо проверить».

Григорий с Петрушей уверяли, что все время были вместе. Сперва заглянули на кухню, где Николай ухитрился сделать замечание супруге насчет ее внешнего вида, а затем перелезли через забор на участок Кожемякина и бродили там впотьмах, строя планы мести.

Кстати, где сосед? По-прежнему белое пятно.

Рита говорить отказывается.

Кристина так и не объявилась.

Боксер был на тренировке, и выловить его Макар не успел.

Но больше всего ему не нравилось, что Олег Сысоев соврал. Не было никакого друга, а если и был, Сысоев не разговаривал с ним в своей комнате, а занимался неведомо чем.

Кто еще? А, Пахом Федорович! Старикана боксер привез в залу и оставил перед включенным телевизором.

Галка бродила по саду.

Где ошивались мальчишки, сказать было решительно невозможно, потому что все в один голос утверждали, будто неугомонные пацаны находились буквально везде. Понаблюдав за ними пару часов, Макар охотно в это верил. Есть у детей и котов такая особенность: быть повсюду, когда это не требуется, и пропадать, как только они становятся необходимы. Проходит годам к пятнадцати (лишь у детей, разумеется).

Стриж подняла руку с видом послушной ученицы и заметила, что Пахом Федорович все-таки вне подозрений.

— Когда мне было лет семь, я полюбил ездить в коляске соседей, — вдруг сказал Бабкин. — У них как раз дочь родилась.

Саша с Макаром уставились на него.

— Коляска в тамбуре стояла, — продолжал ностальгически Сергей. — Большая, синяя. А тамбур дли-и-и-инный! Я садился в нее, отталкивался от одной стены и катился до другой на полной скорости! Ух!

Саша с Макаром переглянулись.

— Это он к чему, как ты думаешь? — шепотом спросила Стриж.

— Съехал крышей человек на почве расследования, — предположил Макар.

Бабкин укоризненно покачал головой.

— Мне кажется, он пытается до нас что-то донести, — предположила Саша.

— Чтобы его покатали в коляске! — осенило Макара. — Серега, ты хочешь мотоцикл? Признайся! Я ради тебя на все готов.

— Вот же ты дурень, — миролюбиво сказал Бабкин. — Я пытаюсь до тебя донести, что вовсе не обязательно быть калекой, чтобы ездить в коляске. Я же не был младенцем. Однако ездил.

Саша хотела было возразить, но сообразила, что они ничего не знают о Пахоме Федоровиче.

— У тебя не возникло ощущения, что он притворялся на вечере? — спросил Макар.

— Мне показалось, они все притворялись. Но это неудивительно.

— Ну да, ну да, — пробормотал Илюшин. — Как минимум трое прикидывались, что им нравится происходящее. Попробуй отличи одно притворство от другого.

Сплошные наслоения лжи, подумала Саша. Когда-то она дружила с женщиной, которая вся состояла из таких наслоений. Снимаешь одну тонкую слюдяную пленку, а под ней другая. Копнешь глубже — там и вторая, и третья! Тяжело не оттого, что раз за разом в твои руки только ложь ломается с легким треском, а потому, что ты в конце концов теряешь уверенность, будто под ней вообще что-то есть. А вдруг только пустота? Снимешь последний слой, а под ним — ничего. Весь человек состоял из вранья, куда ни ткни.

Саше до сих пор становилось страшно, когда она вспоминала ту свою подругу. Сама же подруга ничего ужасного не видела и Сашиного отношения не понимала. «Да, я выдумщица, — признала она, когда ее приперли в угол. — Фантазерка. Что в этом плохого?» Ты не фантазерка, хотела ответить Саша, а мумия, которую разматываешь-разматываешь и не знаешь, то ли внутри труп, то ли вовсе червяки подчистую все съели.

— ...Короче, деда я тоже не стал бы списывать со счетов!

Бабкин встал и прикрыл окно: в щель вползала ночная прохлада и растекалась по комнате, задерживаясь в углах. Отчего-то сразу как будто сильнее пахнуло сиренью. Из окна виднелась река, длинная, как серпантин, а над ней болтался белый сияющий шарик луны. Ночь не подкрадывалась к Шавлову постепенно, а наваливалась сверху, как кошка на мышь, и до утра уже не выпускала.

— Вас потом к Сысоевым-то пустят? — Он обернулся к Саше с Макаром.

— Пустят! Они до полуночи бодрствуют. А сейчас еще и обсуждают детали похорон, это может до утра растянуться.

— Они считают, что Галка убила?

Макар озадаченно потер нос.

— У меня такое чувство, что они ничего не считают. Живут, не приходя в сознание.

— Подожди. Не могут же они не задумываться, что если это не Галка, то кто-то из них!

— Черта с два с ними разберешь! — Макар в сердцах нарисовал над схемой какую-то не очень приличную загогулину. — Вряд ли они скооперировались и кокнули старушку.

— «Она слишком много знала!» — таинственным голосом процитировал Бабкин.

Макар оторвался от своей схемы и задумчиво глянул на него.

— Помнишь... А, нет, ты не можешь помнить, тебя же там не было...

— Не было, — покаялся Бабкин. — Хоть кто-то вне подозрений. Кстати, я предполагаю, это ты ее угробил. Соврал, что разговариваешь по телефону, а сам заманил бабусю в кусты — и бац!

— Зачем?

— Развлекался, — пожал плечами Сергей.

— А часовню тоже я разрушил? В смысле, на крышу навеса тело тоже я затащил?

— Нет, кто-то другой. Вот его-то и надо отыскать.

Из часов на стене высунулась кукушка и застенчиво сообщила, что уже десять.

— Много знала, много знала, — пробормотал Макар, глядя на закрывающееся окошечко. Ему вспомнилась полудохлая птичка в комнате у Сысоевых. — Тайны какие-то, шепотки, страсти... Саша, ты помнишь, о чем говорила Елизавета?

— Ругалась ругательски! — откликнулась Саша.

Лежа на животе, она читала Уголовно-процессуальный кодекс и пыталась понять, можно ли к чему-нибудь прицепиться, чтобы вытащить Галку. Пока выходило, что нельзя.

— Это само собой. Но ведь она не абстрактно ругалась, а адресно.

— Ха! еще как!

— И всякие странные вещи сообщала.

Тут Саша подняла глаза от кодекса и признала, что очень странные, заставляющие даже подозревать помешательство или старческую болезнь ума, если бы не реакция окружающих. Окружающие, похоже, воспринимали все сказанное всерьез.

— Старушка что-то упоминала про галактику на поясе Ориона! Я еще удивилась, откуда она знает.

— Галактика на поясе Ориона — это из «Людей в черном», — рассмеялся Макар. — А у нее было созвездие Большого Пса.

— Точно! Сириус!

— Ну-ка, поподробнее? — заинтересовался Бабкин.

— Это про Григория. Он принялся спьяну нести ахинею, я предложил Сириусу больше не наливать — помнишь бородатый анекдот? — а старушка в ответ возьми да брякни, что Сириуса надо бы отправить к Большому Псу.

— И Гриша так встрепенулся, будто она и в самом деле могла посадить его в ракету и сбагрить отсюда на сто световых лет! — подтвердила Саша. — Кстати, Сириус действительно находится в созвездии Большого Пса.

Бабкин удивленно присвистнул:

— Ай да бабулечка! Это откуда у нее астрономические познания? И что она имела в виду?

— Бог ее знает. Надо у Григория поинтересоваться.

— Так он и сказал, — фыркнула Саша. — Болтун и враль. Но что-то ему в бабулечкиной идее очень не понравилось...

Все трое промолчали, и Бабкин озвучил то, что вертелось у Саши на языке:

— А кому-нибудь вообще нравилось то, что она говорила?

Макар щелкнул пальцами и отодвинул бесполезную схему:

— Серега, ты прав! Она каждого одарила какой-нибудь гадостью...

— Причем гадостью непонятной! — подхватила Саша.

— А тогда откуда известно, что гадость? — вмешался Бабкин, слезая с подоконника и придвигая стул.

— По их реакции. Всем становилось не по себе. Это прямо-таки бросалось в глаза!

— Кроме Нины.

— Нет же! Вспомни неизвестного Ивана!

— Стоп-стоп-стоп! — Сергей взмахнул рукой. — Хватит говорить загадками! Что за неизвестный Иван?

Макар вытащил из стопки чистый лист бумаги, и они с Сашей принялись вспоминать.

Легче всего оказалось с боксером. Пудовкина изрекла, словно в лоб кулаком влепила, что тот угробил живого человека. Но как раз это не вызвало особого интереса у широкой публики. Из чего Макар с Бабкиным сделали вывод, что ничего сенсационного Елизавета никому не открыла.

Алевтине злая старуха напрямик заявила, что та крепко держит супруга за уязвимые места. В этом не было бы ничего особенного, если бы Елизавета Архиповна не прибавила про яблочную тетку.

— Это про живую женщину? — спросил в этом месте озадаченный Бабкин.

Не менее озадаченные Макар с Сашей пожали плечами. А бог его знает. «Что ж ты, Алевтина, почтения к старшим не проявляешь, — воспроизвел Макар почти дословно фразу ядовитой старушонки. — А про яблочную тетку никому ни полсловечка».

Бабкин покрутил в голове эти реплики так и сяк, ни к какому выводу не пришел и попросил продолжать.

— Галку назвала пиявкой московской, — обиженно вспомнила Саша.

— А боксера — лободырым! — дополнил Макар.

— Это что, с дыркой в башке, получается?

— Угу. И еще окрестила тамбовским болваном, чтоб уж ни у кого сомнений не оставалось. Саш, еще что-нибудь помнишь?

— Петруша! Она ему в лицо бросила, что он масло воровал.

— А, точно! «Интендантишка!»

— Погодите-погодите! — Бабкин не успевал за их быстрым пинг-понгом. — Почему масло? Какое масло?

— Сливочное, очевидно. — Илюшин нарисовал над фигуркой в кепке бутерброд. — Сысоев в армии работал снабженцем. Что там за история, я понятия не имею, но похоже, Архиповна начала вспоминать старые грехи.

— А может, и не слишком старые! — У Саши загорелись глаза. — Иван! Неизвестный! Которым она Нину попрекнула!

— Уж не о соседе ли речь? — сообразил Бабкин. — Он же Иван Кожемякин!

— И весь город убежден, что у них кровная вражда, — закончил Макар.

ЕЛЕНА МИХАЛКОВА

Все трое замолчали. За окном пьяный мужской голос гнусаво завел «А я иду такая вся в Дольче и Габбана», но оборвал песню на полуслове. Судя по глуховатым хрипам, его душил какой-то доведенный до ручки местный меломан. Бабкин лениво поднялся, подошел к окну, но сколько ни вглядывался, ничего не мог разобрать в темноте. Ближайший фонарь бледнел и дрожал метрах в двухстах и, кажется, пытался сдвинуться в кусты подальше от происходящего.

— Что там, убивают кого-то? — поинтересовался Макар, не отрывая задумчивого взгляда от своей схемы.

— Похоже на то.

— Хочешь присоединиться?

Саша встрепенулась. Они что, серьезно? Она вопросительно посмотрела на Илюшина, но тот явно глубоко погрузился в какую-то идею и не придавал значения потенциальному преступлению в двух шагах от их дома.

— Они и без меня справятся, — прогудел Бабкин от окна.

— В самом деле, Сережа, что там происходит?

Бабкин не успел ответить: тот же самый голос дико завыл «Я иду такая вся, а на сердце рана!» и запел, расходясь с каждым словом, что слезы душат, он в плену обмана.

— Выжил, — с сожалением констатировал Сергей. — Теперь всю ночь не угомонится. Будет бродить по окрестностям и Сердючку орать.

— Твое счастье, что не Черемошню, — утешил бессердечный Макар. — «Снова стою, пилю раму!»

— Что это? — вздрогнула Саша.

— Тюремная лирика. Сысоевы слушают всей семьей. Рита особенно любит. Кстати, чем Пудовкина ее огорошила, ты не помнишь?

Саша напрягла память. Что-то было такое... смутное, почти бессмысленное... Почему-то связанное с войсками...

Скорлупка воспоминания хрустнула, и ядрышко выкатилось на поверхность.

— Плацдарм!

Илюшин одобрительно хлопнул в ладоши.

— В жизни бы без тебя не вспомнил! Умница!

Бабкин увидел, как Саша зарделась, и страдальчески закатил глаза. Конечно, не вспомнил бы! Кого Макар дурачит? У него память как у слона, он диалоги двухлетней давности воспроизводит с точностью грампластинки, не напрягаясь.

Но его короткой выразительной пантомимы никто не заметил.

— В общем, всем сестрам досталось по серьгам, — резюмировал Макар. — Одного назвали ворюгой, другого бабником, третью кровопийцей, четвертого клиническим идиотом.

Сергей ухмыльнулся:

— Мощная старушенция! Прямо-таки жаль, что не был знаком с ней при жизни.

— Она бы тебя по косточкам разобрала и собрала заново в другом порядке, — заверил Макар. — Когда я уходил, она только раскочегаривалась. Мотор заводила, пробовала скорости. Вернулась бы — и тогда уж понеслась бы душа в рай со свистом!

— Вот вам и мотив.

Под самым окном внезапно недружно заорали коты и так же неожиданно смолкли.

— Мы не знаем, что скрывается за каждым ее нападением. — Саша встала, чтобы задернуть шторы. С включенным внутри светом она начала чувствовать себя неуютно. Кто там ходит за кустами сирени? Кто распевает под окнами? Шавлов — странное место, а они здесь чужаки, и кажется, в них внимательно всматриваются снаружи. Три яркие рыбки, плавающие в этом аквариуме среди местных карасей и ротанов, они могут вызвать куда больше агрессии, чем им кажется.

Пока этот сонный городок преподносил им один неприятный сюрприз за другим.

Как ни странно, в доме Сысоевых Саша чувствовала себя увереннее, чем здесь. Да, рядом Бабкин, который, в отличие от провокатора Илюшина, снижал уровень агрессии в любой компании одним своим присутствием. Не потому, что он излучал флегматичное дружелюбное спокойствие, как Олег Сысоев. А потому, что лишь очень недалекие и бесстрашные люди решились бы обострять конфликт рядом с ним. Фактически от Бабкина постоянно исходило ощущение угрозы, и это действовало на буйные головы отрезвляюще.

Но в этом тесном доме на обрыве Саша не испытывала того чувства безопасности, которое обволакивало ее в суматошном жилище Сысоевых. Там было крикливо, шумно, надрывно пела из магнитофона Черемошня, яростно бились тарелки, там Алевтина обвиняла своего мужа во всех грехах, а Рита зыркала из угла, как вампир, но над всей этой дурной суматошностью царило спокойствие другого рода, не сиюминутного, а глубокого. Без сомнения, так проявлялось влияние Нины. «Старушки могут сыпаться с неба, — словно бы говорила она, — дети вылетать из гнезда в компании каких-то неподходящих личностей, повсюду может твориться полное безобразие, но в целом жизнь все равно идет так, как должна идти, и так будет всегда».

Мужчины этого не ощущали. Это была женская магия.

— Братцы-кролики, а братцы-кролики! — позвал Бабкин, и ненужный кодекс со стуком свалился на пол. — Ваша покойная старушенция очень много наговорила на прощальном ужине. И похоже, это был шифр. Пока не поймем, что она несла, с места не сдвинемся. Макар?

Илюшин перевернулся на спину, заложил руки за голову и уставился в потолок. Бабкин посмотрел-посмотрел на него, прилег рядом и тоже стал смотреть. Саша задрала голову и увидела в верхнем углу паутинную сеть.

— А я вот не стану вносить свою лепту в ваше индуцированное безумие. — Она подняла пыльный кодекс. — Что вы там увидели?

— Созвездие Большого Пса! — откликнулся Макар и закрыл глаза.

2

Первые сутки после задержания Галка находилась в таком состоянии, что даже не запомнила лица назначенного ей защитника, равно как и имени. В памяти ее смутно осело, что с ней разговаривал какой-то мужчина, который сильно шепелявил и постоянно потирал пальцы. Но что он хотел? Зачем приходил? — этого она сообразить не могла и даже не особенно пыталась.

Причина заключалась не в том, что ее ошеломило задержание в качестве подозреваемой. Жизнь рушилась потому, что летящий на всех парах поезд свернул на запасные пути. Стало совершенно ясно: Олег на ней не женится. Не будет ее любить, не захочет от нее детей и никогда не скажет, что только эту женщину желает он в спутницы себе, чтобы они жили долго и счастливо и умерли в один день.

Вывернутая наизнанку и завязанная морским узлом логика Галки позволяла ей допустить, что Олег еще мог бы жениться на убийце своей троюродной тетки. В конце концов, родственница была немолода и не слишком любима. Хотя и такую родню убивать, конечно, без веских причин не следует. Но ужин! Торжественный ужин, до завершения которого было так близко!

Галка стонала в своем изоляторе, как Эдмон Дантес до встречи с аббатом Фариа. Она грызла бы стены и рыла подкоп, если бы это помогло ей вернуть любовь всей ее жизни. Но Сысоевы придавали ужину сакральное значение. Ничем уже ей не исправить того, что она провалила! И Галка страдала сильнее, чем если бы ее присудили к сроку за убийство, которого она не совершала.

Мысль о том, кто же на самом деле убил Елизавету Архиповну, посещала ее ненадолго и удалялась в обиде на то, что ей не уделяют должного внимания. В самом деле, какая разница, думала Галка. Хоть дядя Гриша, хоть его сушеная жена, хоть сама Нина! Что толку выяснять? Истина никогда не работает, как маховик времени. Нельзя, узнав правду, перевести стрелки событий назад и отменить уже свершившееся. Даже если Олег поверит, что не его невеста убила Пудовкину, это не поможет начать ужин заново.

«Тем более сейчас будут похороны», — сказал внутренний трезвый голос.

Похороны! Потом сорок дней, потом шесть месяцев траура — в общем, Олегу будет не до Галки.

Полгода — это без пяти минут вечность. За те три дня, что Галка сидит, заточенная в изоляторе, девица Курятина развернет бурную деятельность. В этом у

Галки не было ни малейших сомнений. Сама бы она точно развернула. Ради Олега? Ха-ха! Да она бы в эти три дня его соблазнила, забеременела и родила. Тройню. И собаку. В смысле, собаку бы завела, чтобы уж никаких сомнений не оставалось: мы семья, у нас и домашний питомец имеется!

Так что насчет Кристины Галка не обольщалась.

«Может, она-то все это и устроила?» — подумала Исаева. Но здравый смысл скептически покачал головой. Курятина могла устроить в лучшем случае скандал, в худшем — стриптиз. Как источник коварных замыслов ее кандидатура была не более вероятна, чем боксера Валеры. Тот еще интриган.

Галка дернулась и посмотрела на стенку широко раскрытыми глазами. Стенка была выкрашена омерзительным грязно-зеленым цветом, который первые четыре часа ее заключения причинял Исаевой дополнительные моральные страдания. Но сейчас она видела не ее.

Боксер Валера и наглая девица Курятина самостоятельно не смогли бы придумать даже способ избавления от колорадских жуков. Если бы жуки и передохли, то исключительно от смеха, наблюдая за их попытками.

Но если бы за ними кто-то стоял...

Не за колорадскими жуками. За девицей и боксером.

Мрачная физиономия Риты сгустилась перед глазами Галки так явственно, будто младшая Сысоева сидела в соседнем углу. А еще вернее, красила валиком эти стены, от цвета которых у Гали начинаются резь в глазах и тошнота в горле.

Галка наконец-то отвлеклась от оплакивания своего несложившегося женского счастья и перешла к более продуктивному этапу — поиску виноватых.

Если бы ей сказали, что Елизавету убила Алевтина, чтобы сберечь какой-нибудь семейный скелет от цепких старушечьих лапок, Галка покорно склонила бы голову перед жестокостью провидения.

Но если бы Алевтина сделала то же самое, чтобы расстроить свадьбу, это в корне меняло бы дело.

Рита ждала свадьбы с не большим восторгом, чем динозавры — наступления ледникового периода. А старушка за ужином явно начинала болтать лишнее. Могла Рита убить двух зайцев в лице одной Елизаветы Архиповны?

Галка издала невнятный звук. Могла ли? Да она передушила бы всю заячью популяцию и деда Мазая, лишь бы любимый братец остался при ней!

Если Пудовкина случайно или умышленно вытащила наружу гнилой семейный секрет, Рита и раздумывать бы не стала. Старые секреты имеют обыкновение вонять почище ношеных носков. Но если носки можно стащить с владельца, то секреты неотъемлемы от обладателей. Хочешь уничтожить дурно пахнущий секрет? Избавься от того, кто его знает.

В этот момент Исаева, сама того не подозревая, пришла к той же точке рассуждений, что и Макар Илюшин. Только Макар после этого преспокойно отправился в постель, а Галка встала и сосредоточенно потерла руки. Со стороны это выглядело так, словно она моет их невидимым мылом. Но на самом деле Галка мысленно растерла между ладонями тальк, как это делают скалолазы.

Исаева окинула взглядом возвышавшуюся перед ней воображаемую вершину. Там, высоко-высоко, стояла Рита и злорадно скалила зубы. Волосы ее раздувал ветер, под ногами лежало небо, в стороне валялся стреноженный Олег.

А внизу сидела Галка, окруженная двумя размазанными ведрами краски оттенка «стухшие водоросли». И, прищурившись, смотрела наверх.

Ей предстояло забраться очень высоко.

3

Задача перед Макаром стояла на первый взгляд простая, на второй — невыполнимая. Он собирался из пепла и обгоревших чурочек восстановить ту сковородку, на которой Елизавета Архиповна медленно поджаривала своих родственников.

Положение осложнялось тем, что существование сковородки научно доказано не было. Они лишь предполагали, что старушка не просто болтала что на ум взбредет. «Ты бы видел, как они реагировали!» — убеждала Саша. «Мало ли отчего может человек растеряться, — возражал Бабкин. — Если бы при мне ляпнули про созвездие Ориона, я бы тоже язык проглотил!»

«Большого Пса, — поправил дотошный Илюшин. — Серега, надо было видеть Сысоевых. Они смотрели на Пудовкину, как на ковбоя-мстителя. Один выстрел — один труп. Без промашек».

Бабкин считал, что Саша с Макаром преувеличивают. Случившиеся трагические события искажают их восприятие. Бабулька, наверное, и впрямь была не ангельского нрава, но и не Мориарти шавловского разлива.

— В любом случае нужно разобраться, на что она намекала родне, — справедливо заметил Илюшин.

Бабкин почесал в затылке. Разобраться! Легче сказать, чем сделать. Кому задавать вопросы насчет Сириуса и Большого Пса? Самому Григорию — очевидно, проку не будет. А остальных и спугнуть можно, если неудачно сунуться.

Но Макар заверил, что ни к кому они соваться не будут. Мягко подкрадываться — еще куда ни шло. А пугать народ Серегиной бандитской физиономией не стоит.

Илюшин пока молчал о том, что Олег Сысоев солгал насчет алиби. Он хотел сперва выяснить все сам, а потом уж вмешивать в это дело Сашу.

. . . .

С утра Бабкин бодрым шагом отправился в местный спортзал и уткнулся в закрытые двери. Он недоверчиво взглянул на часы. Десять утра. Четверг. Почему закрыто?

Сергей потоптался вокруг. Пытался разглядеть что-то через довольно грязные окна, но не преуспел. Постучал пару раз, пнул дверь, понял, что эдак выбьет ее, и перестал.

— Феноменально, — сказал он вслух. Недавно Маша подсунула ему читать «Малыша» Стругацких, и на ближайшее время у Сергея появилось новое любимое слово. — Феноменально! — повторил он.

Их расследование тормозилось на каждом шагу из-за какой-то, простите, фигни!

У Бабкина был простой план (сложные он недолюбливал): явиться в зал, позаниматься, быстренько свести знакомство с местными и расспросить их о Валере. В единственной тренажерке на весь город просто не могут не знать мастера спорта. Всех делов — на пару часов и десять жимов от груди по сто восемьдесят. То есть даже напрягаться особенно не придется. К тому же тренировка ему и так требовалась по графику.

И что же? Дверь закрыта. Ни телефонов, ни объявлений. Проклятый Шавлов!

Из-за угла показалась тетка с метлой, и Бабкин, услышав еще издалека звон ключей в ее кармане, слегка воспрял духом. Как он и ожидал, женщина направилась к двери.

— Утро доброе. А где все? — поинтересовался Сергей.

Его смерили таким взглядом, словно Бабкин висел на доске «их разыскивает милиция» еще с тех времен, когда полиция называлась иначе.

— Во сколько открываемся-то? — грубо осведомилась женщина.

— Во сколько?

— В одиннадцать! Глаза разуй!

Бабкин готов был оставить глаза без обуви, только б ему показали, где висит график работы тренажерного зала. О чем и сообщил уборщице.

— А чего его вешать! — отозвалась она. — И так все знают!

И, хлопнув дверью перед носом Сергея, загремела внутри ведрами и швабрами.

— В одиннадцать, значит, — задумчиво повторил Бабкин.

Он отвык от таких графиков работы. В Москве его зал работал круглосуточно.

«Феноменально».

Час предстояло где-то убить. Возвращаться домой не хотелось, и Сергей направился в уже знакомый парк за больницей. «И пивка-то перед тренировкой не глотнешь…»

Найдя единственную более-менее уцелевшую скамейку, он уселся в теньке. День снова обещал быть теплым. Достав телефон, Бабкин сфотографировал близрастущие кусты, здание больницы за кустами, разбитую дорогу перед больницей и одинокий чахлый одуванчик, легший грудью на бордюр, как на бруствер. Каждый их этих информативных снимков он отправил жене с дурацкими смешными приписками. Это развеселило его на целых десять минут.

Но Маша работала и не отвечала, и Сергей опять затосковал. Ну до чего же скучный город!

«Скучный не скучный, а старушонку-то грохнули».

Это как минимум. Если подтвердятся ее слова насчет боксера, у них есть еще одна жертва.

Бабкин взглянул на часы. Сорок три минуты до одиннадцати!

Вдалеке на дорожке показалась фигура, которая заставила его отвлечься от тоскливого созерцания циферблата.

К скамейке приближался человек, одетый в лохмотья невообразимой степени истрепанности. Сергей решил поначалу, что это актер местного театра, выбравшийся на перекур с репетиции. Но чем внимательнее разглядывал он фигуру, тем тверже убеждался, что ошибся. Никакой это был не актер. Это был пират, века восемнадцатого, судя по степени, до которой истлели его одеяния. Причем пират-зомби. Только самовыкапыванием из могилы можно было объяснить, отчего сия живописная личность вся перепачкана в земле.

На голове удивительного индивидуума прочно сидела шляпа с искусственным букетиком фиалок на полях.

Подволакивая ногу, зомби доковылял до Бабкина и замедлил шаг. Сергей рассматривал его с нескрываемым интересом.

«Будет клянчить на опохмел».

Пират остановился напротив, сдернул шляпу и отвесил поклон с неожиданной грацией.

— Я вижу, вы джентльмен! — сообщил он.

Бабкин одобрительно гыгыкнул. Широкие джинсы, футболка с надписью поперек широкой груди «Уплочено», кроссовки и бритая голова — все исчерпывающие признаки джентльмена в наличии. Футболкой Сергей особенно гордился.

— Не хотелось бы отвлекать джентльмена от его размышлений, — вежливо продолжал босяк. — Но не соблаговолите ли вы пожертвовать небольшую сумму в фонд поддержки вымирающих животных?

— Спиртоглотов? — предположил Бабкин.

— Хомо эбриусов, — строго возразил проситель.

Развеселившийся Сергей без лишних слов вручил босяку стольник. Тот повертел купюру в руках, словно не понимая, что с ней делать, и протянул обратно.

— Это очень щедро с вашей стороны, — пояснил он. — Но мне вполне хватило бы меньшей суммы.

— Что, еще есть жертвователи? — озадачился Бабкин.

— Наш фонд в состоянии изыскать внутренние резервы, — с достоинством заметил босяк.

Сергей засмеялся. Определенно, этот тип ему нравился. Он встал и сунул купюру в карман.

— Пошли, мужик, покажешь, где у вас можно нормальное пиво купить. А то вчера какую-то гадость баночную пришлось хлебать.

— С радостью буду вашим проводником, — согласился попрошайка. — Если вы не сочтете ниже своего достоинства...

— У тебя какое образование? — перебил Бабкин, принюхиваясь, не воняет ли от его нового знакомца. — Философский, поди?

— Исторический! — приосанился попрошайка.

— Так я и думал. Потопали, экскурсовод.

ЕЛЕНА МИХАЛКОВА

. . . .

Полчаса спустя на скамейке в парке при городской больнице сидела престранная пара: хмурый плечистый мужик со спортивной сумкой, а рядом с ним — тщедушный оборванец в шляпе, украшенной букетиком фиалок. В оборванце любой шавловчанин издалека узнал бы местную достопримечательность, бывшего учителя истории школы номер двадцать пять.

Учитель когда-то был брошен на амбразуру девятого «Б», чтобы заткнуть ее своим телом. Девятый «Б» почти целиком состоял из подростков, в отношении которых был бы бессилен даже педагогический гений Макаренко. Собственно, вся школа, в которую попал несчастный выпускник нижегородского истфака, была крайне далека от идеалистических представлений о детях. Каждый ее учитель хотя бы раз в день испытывал острое сожаление, что в России запрещена свободная продажа огнестрельного оружия. А некоторые пребывали в этом состоянии почти все рабочее время.

Девятый «Б» жестоко изводил чудаковатого историка. Тот скрипел зубами, но терпел. Даже пытался устанавливать свои правила. Пару раз его били, но упрямый выпускник истфака, замазав фингалы, все равно шел доносить до детей суть противоречия «верхи не могут, низы не хотят».

Конфликт находился в затяжной фазе, когда случился День народного единства. Опоздав в школу, изрядно замордованный историк остановился перед выстроенными на торжественную линейку школьниками. И узрел за их спинами вытащенный в честь праздника транспарант «Дети — это наше будущее».

Учитель осмотрел родные морды и начал посмеиваться. Надо сказать, в его классе, как назло, подобрались подростки, подтверждавшие своим видом теорию Ломброзо. При взгляде на них создавалось ощущение, будто знаменитый итальянец разработал свою доктрину как раз после учебы в девятом «Б».

Транспарант покачивался под потолком.

Историк засмеялся громче.

Директор вынужден был оборвать торжественную речь и обернуться к нарушителю спокойствия.

— Так вот ты какое! — с трудом выговорил тот сквозь рвущийся с губ смех. — Будущее!

— Алексей Алексеевич! — призвал директор к порядку.

Но на учителя нашел неостановимый стих.

— Вот эти хари! — провозгласил он, изнемогая от хохота. — Рыла эти! Вот эти, значит, образины! Наше будущее! А-а-а!

Девятый «Б» насупился и стал еще страшнее.

— Вы посмотрите на них! — утирал слезы историк. — Это же предвестники апокалипсиса!

— Алексей Алексеевич! Возьмите себя в руки!

Вместо того чтобы последовать совету, историк артистично почесался под мышками и вытянул губы трубочкой. Самое неприятное заключалось в том, что в его оскорбительной пантомиме и впрямь прослеживалось удивительное сходство с некоторыми учащимися.

— Алексей Алексеевич, прекратите немедленно!

— Деградировали-деградировали, да и выдеградироваили! — не сбившись ни в единой букве, отрапортовал учитель.

— Вон! — рявкнул директор.

— Если это будущее, долбаните его атомной бомбой! Вершина эволюции — человечикус идиотикус! Вот она, перед вами!

Он вытянул руку, в точности как памятник Владимиру Ильичу Ленину на одноименной площади, и застыл, указывая на скалящийся класс.

— Дегенератикусы! Кретиникусы!

Вся школа остолбенело наблюдала, как историк прощается со своей крышей.

— Валите в это будущее без меня! — проорал Алексей Алексеевич. — А я отправлюсь альтернативным путем! Бог мне в помощь!

И действительно отправился. Он прошел насквозь расступившийся без единого звука девятый «Б», забрался на стул, сдернул плакат и принялся его жевать. Когда спохватились, набежали и отобрали, он уже дошел до буквы «И» в слове «дети» и намеревался приняться за тире.

Так в школе стало на одного учителя меньше, а у города на одну достопримечательность больше. Ибо после увольнения Алексей Алексеевич спился со скоростью звука.

Пьянчужка из него получился деликатный и обходительный. На фоне пьющих шавловских мужиков он выглядел бабочкой «павлиний глаз» рядом с пауками. К нему относились покровительственно, а жалостливые бабы даже иногда подкармливали. «Спекся человек на наших дураках», — вздыхали бабы. Они бы, может, и сами уехали в спасительное сумасшествие, но нельзя было бросить семью.

Он опустился бы и быстро помер, если бы не улыбка фортуны. В Нижнем Новгороде скончалась его дальняя родственница и оставила старательному мальчику Алешеньке, каким она его помнила, в наследство свою квартиру.

Историк вынырнул из радужных волн алкоголя, огляделся и принял единственно верное решение. Он не продал квартиру, а пустил в нее квартирантов. На деньги от аренды в Шавлове можно было жить.

Так он и доложил приезжему мужику, с которым они выпивали на лавочке:

— Жить можно, Сергей, не знаю, как вас по отчеству!

И тронул фиалки на шляпе.

— Память сентиментального сердца, — объяснил Алексей и проникновенно шмыгнул. — Если б не Марья Степановна... Раки б давно объели мой хладный труп.

Бабкин понял, что в память о щедрой родственнице босяк и таскает эту шляпку.

Мысли вернулись к Елизавете Архиповне, и Бабкин помрачнел. Надо бросать заниматься ерундой и идти искать боксера.

— Боксера? — удивленно переспросил босяк.

Оказалось, Сергей, задумавшись, пробормотал последние слова вслух.

— Да разыскивал я тут одного типа, — неопределенно ответил Бабкин.

Глаза бывшего учителя загорелись.

— Убивать его будете? — доверительно шепнул он. — Если что, можете полностью рассчитывать на мое содействие!

Бабкин обернулся к нему так быстро, что босяк испуганно отшатнулся.

— Я чего, я ничего, — забормотал он. — Я лишь предложил свои услуги, но если они не востребованы...

— Ты о ком, Алексей? О каком еще боксере?

Тень пробежала по лицу бывшего учителя истории.

— О Валере Грабаре.

«Тренировка на сегодня отменяется», — понял Бабкин и облегченно откупорил пиво.

4

—**С** Грабарем пустышка.

Сергей порубил помидоры, швырнул на лепешку горсть свеженарезанного лука, сыпанул сверху горсть маслин и распахнул духовку.

— Это что, пицца? — изумился Макар. — С луком? Ты издеваешься надо мной?

— Не все ж тебе одному праздник.

Невзирая на протестующие вопли Илюшина, Бабкин сунул лепешку в жаркую духовку и закрыл дверцу. Тесто вспучилось пузырями. Илюшин закрыл глаза.

— Я возмущен до глубины души, — хладнокровно сообщил Бабкин. — Тебя жратва интересует больше расследования.

— Ты сыром не посыпал! — обвинил Макар.

— Будешь лезть в высокую кулинарию — и не посыплю.

Макар беспомощно посмотрел на Сашу, но Стриж только развела руками. Мол, ничего не поделаешь, здесь ты полностью во власти единственного человека, который согласился кормить тебя пиццей.

— Ладно, — смирился Макар. — Хотя это все равно какой-то эрзац. Рассказывай про Грабаря.

— Решать, эрзац или нет, будешь, когда попробуешь. Саша, хочешь кофе?

— Хочу, конечно. У тебя не кофе, а мечта.

— Вот! — многозначительно поднял палец Бабкин. — Учись, неблагодарное животное.

Неблагодарное животное ухмыльнулось, сцепило пальцы за головой и откинулось в кресле.

— Ты так и не попал в зал?

— Не-а. Не дождался, когда его откроют. Пошел в парк, а там мне встретился брильянт чистой воды.

— И что делал в парке брильянт?

— Попрошайничал помаленьку.

— Все брильянты обычно этим и занимаются, — согласился Макар. — Ты, конечно, пожадничал и ничего не дал.

— Я, как всегда, проявил свойственные мне широту души и милосердие.

— Что?! — расхохотался Илюшин.

— Вот видишь, тебе даже смысл этих слов неизвестен, — заметил Бабкин. — Саша, ты связалась с моральным инвалидом.

— У тебя сейчас что-то убежит, — предупредил Макар.

Бабкин обернулся к плите и обнаружил, что за обычной своей перепалкой с Илюшиным совершенно забыл про кофе. Из турки лезла густая пенная шапка.

— Саш, давай чашку!

Разливая кофе, Сергей рассказал, что ему повезло наткнуться на человека, не только учившего в школе Валеру Грабаря, но и ненавидевшего его от всей души.

— Поколачивали они бедолагу втемную, — сказал он, отпивая кофе и поглядывая в окошко духовки. — Обзывали всякими словами нехорошими. Гадости на доске писали. А он нежный, как фиалка на залитом солнцем поле.

— Прямо как я, — страдальчески прошептал Илюшин, косясь на то, что Бабкин окрестил пиццей.

— Ты не фиалка, а людоед. Короче, Грабаря наш учитель с тех пор сильно невзлюбил. Память у него цепкая, к тому же он со всеми местными алкашами водит дружбу.

— ...так что представляет собой бесценный источник информации, — закончил Макар.

— Именно.

— И этот бесценный источник ничего ценного нам не сказал.

— Подожди, не торопись. Сначала — с Грабарем. Тут старушка сильно погорячилась, конечно. Был бой, Грабарь нокаутировал противника, но все честно и без нарушений.

— Тот помер?

— Да. То есть нет.

— Определенности хочется, — попросил Илюшин.

Бабкин отставил пустую чашку и встал, чтобы потереть сыр.

— Соперником Грабаря был некто Павел Асютов. Он свалился во втором раунде и потерял сознание. У него диагностировали в больнице сотрясение, но через три дня он оттуда ушел своими ногами.

— Тогда откуда обвинение в убийстве? — удивилась Саша.

— В том-то и дело. Пять дней спустя Асютов садится за руль своей машины и на двадцать третьем километре вылетает на встречку и въезжает в дерево. Причем тут уже никакого сотрясения, «Скорой» только тело погрузить остается.

— Пьяный?

— Нет. По утверждениям врачей, у него в голове разорвался какой-то сосуд, а причиной стал бой недельной давности.

— Ну тут-то Грабарь совсем уж ни при чем! — возмутилась Саша.

— Вот именно. Однако есть одна интересная деталь.

Бабкин вытащил лепешку, щедро посыпал сыром и отправил обратно.

— Кто-то пустил слух, что Асютов ухаживал за его подругой, Ритой Сысоевой. И вроде бы даже имел шансы на успех. Поэтому — внимание, тут я пересказываю городские сплетни — Грабарь договорился с лечащим врачом Асютова и тот выписал его, хотя обязан был провести дополнительные исследования.

Несколько секунд Макар и Саша обдумывали это предположение.

— Это звучит очень странно, — осторожно сказала Стриж.

— Чушь собачья, — выразился определеннее Илюшин. — Бред сивой кобылы. Ахинея редкостная. Пурга!

— Саш, не давай ему больше словарь синонимов на ночь читать.

— Не дам. Но предположение и в самом деле выглядит несколько... спорно.

— Так я и не возражаю. Мой новый знакомец вообще уверен, что это придумала родня Асютова. Но Грабарь страшно злился.

— Однако с формальной точки зрения старушка была не так уж далека от истины, — заметила Саша.

Бабкин покачал головой:

— С таким же успехом можно обвинить врачей. Или самого Асютова, выбравшего бокс с Грабарем вместо пляжа с пивом.

— Саш, он тут сопьется, — встревожился Илюшин. — Я от него только и слышу: пиво, пиво!

— А я от тебя только и слышу: пицца! пицца! — передразнил Бабкин. — Кстати! Пицца же!

Он распахнул духовку, и та ахнула жаром, как дракон. По кухне разнесся волшебный запах расплавившегося сыра. Макар хотел что-то сказать, но прикусил язык.

Бабкин вытащил свою лепешку, переложил на блюдо и бережно поставил на середину стола.

— На пиццу не похоже, — признал, наконец, Макар, осмотрев ее со всех сторон. — Но пахнет божественно.

— У меня все пахнет божественно, даже носки, — проворчал Бабкин. — Руки пока не тяни, пусть остынет чуть-чуть.

— Лук ты зря положил.

— Сначала попробуешь, потом будешь судить, зря или не зря. Так вот, возвращаясь к Грабарю. Больше никаких смертей с его участием, прямым или косвенным, в Шавлове замечено не было.

— Поэтому либо старушка оперировала этой довольно невинной информацией, либо знала что-то очень серьезное, чего ей знать было не положено, — резюмировал Макар. — Против второй версии есть одно веское возражение.

— Какое?

— Елизавета Архиповна не показалась мне ни дурой, ни слабоумной. Ей нравилось дергать тигра за усы, но и только.

— Она просто злила Грабаря, — согласилась Саша. — И вполне успешно.

— Мог он ее за это убить?

— Теоретически — да. Практически... Вряд ли. Ты прав, Серега, Грабаря пока вычеркиваем. А жаль, многообещающе звучал этот намек на убийство.

Макар приуныл. Бабкин, посмотрев на него, разрезал пиццу и протянул ему кусок на блюдце. Илюшин откусил, зажмурившись, как древний человек, которого вождь племени только что убедительно попросил попробовать вон ту красную ягодку. Саша с Бабкиным затаили дыхание.

Лицо Илюшина осветилось чистой детской радостью:

— Сашка, он сварганил пиццу!

— «Сварганил», — фыркнул Бабкин, в глубине души страшно довольный.

— Серьезно, вкусно! Хоть и с луком.

— Это не лук, а топинамбур. Да шучу я, шучу, — заторопился Бабкин, увидев выражение илюшинского лица. — Ешь, я тебе продолжение расскажу.

— Продолжение чего?

— Страшных сказок. Я же сказал, мой новый приятель отлично осведомлен обо всем, что происходит в городе.

Макар с Сашей стремительно расправились с пиццей.

— Спишу это не на ваше любопытство, а на свои кулинарные таланты, — проворчал Бабкин, отбирая у Саши тарелку, которую та намеревалась помыть. — Александра! Отдай.

— Ты талант! — согласился Макар. Он наконец-то получил то, что хотел, и готов был признать за другом любые достоинства. — Ты нашел нам лучшего осведомителя в городе.

Бабкин хозяйственно расставил чистую посуду по местам и удовлетворенно растянулся на диване.

— Ты даже не представляешь, до какой степени прав.

Макар склонил голову набок.

— Сашка, он ведь серьезно что-то выяснил.

— Ну, нам тоже есть что рассказать...

— Серега, не молчи!

— Подожди. Хочу выдержать драматическую паузу.

— Ты хоть намекни сначала, а потом выдерживай. Иначе недостаточно драматично получается.

— Ладно, намекну. — Бабкин потянулся до хруста в костях. — Мой новообретенный друг знает, где располагается Большой Пес.

Макар не удержался и присвистнул. Саша восхищенно хлопнула в ладоши.

— И где же? что это такое?

Сергей покрутил шеей и прикрыл глаза:

— А вот теперь — драматическая пауза.

5

Алевтина Лобанова, в девичестве Белякова, не могла простить своему мужу две вещи. Во-первых, что он не хотел на ней жениться. Во-вторых, что она все-таки вынудила его это сделать.

И ведь мог отказаться, мог! И тогда навеки остался бы в ее памяти бравым гусаром, подарившим жаркий поцелуй уездной барышне. Любвеобильным Казановой, избравшим ее, пусть и на пять минут, дамой своего ветреного сердца. Прекрасные воспоминания пронесла бы Алевтина сквозь всю жизнь и на смертном одре вспоминала бы тараканий разлет усов и сияющие глаза.

А Григорий взял и все опошлил.

В загсе Алевтина каждую минуту ждала, что избранник ее сердца вот-вот вздрогнет, ударит копытом и умчит, освобожденно фыркая, в голубую даль. А у алтаря останется брошенная невеста, оплакивающая свое разбившееся счастье.

Она бы пострадала, конечно, и порыдала бы на чьей-нибудь первой попавшейся груди, и потом шла бы домой — плачущая, опозоренная, жалкая... Может быть, в нее даже кто-нибудь кинул бы камень — просто так, из жестокого озорства. О, это было бы прекрасно!

Алевтина дрожала в предвкушении и посматривала искоса на жениха: ну что, уже забил копытом или только еще готовится?

Из всех жизненных жанров она умела вписывать себя лишь в один: в мелодраму. В ее идеальной истории все умерли, а до этого много страдали. Фильмов со счастливыми концовками Алевтина не любила и не понимала. Свадьба главных героев? Какое мещанство!

Она несколько приободрилась, когда Григорий начал изменять ей на втором году брака. Но пары скандалов ему хватило, чтобы притихнуть. «Никакого самоуважения у мужчины!» — злилась Алевтина и закатывала истерики. Если бы супруг хоть раз треснул ее по шее, она преисполнилась бы благоговения и год сидела б молча. Но Грише такая мысль даже в голову не приходила.

Однако природа брала свое. Григорий Лобанов любил женщин живых, теплых и весело хохочущих без повода, а живые хохотушки любили Гришу. Время от времени два этих плюса вопреки всем законам физики притягивались друг к другу. Тогда Григорий ходил, мурлыкая романсы, подкручивал усы и ласкал взглядом всех особ женского пола от пяти до девяноста. Он был пьян от жизни и любви.

В остальное время он был пьян от алкоголя. Выносить Алевтину на трезвую голову мог только очень стойкий человек.

Например, Нина, которую Алевтина на дух не переносила.

Сама Алевтина была правильная женщина с правильными взглядами. Все она делала верно и фразы роняла такие, с которыми не поспоришь, и призывала к делам душеспасительным и благим.

Однако все вокруг нее были несчастны. И у самой Алевтины счастья не было.

А сестра ее мужа Нина была легкая женщина, даже легковесная, и болтливая не по делу, и несущая бог знает какую ерунду. Но вокруг нее был свет.

Эта несправедливость возмущала Алевтину до глубины души. Она прекрасно видела, как тянутся к Нине и муж, и брат, и дети. Даже идиот Валера отдает ей должное и готов прийти на помощь по первому слову. А к ней никто так не относится. Это нечестно!

Но больше всего ее злило, что сестра всегда стояла за Гришу горой. Она принимала брата любым. И время от времени осаживала Алевтину, прямо-таки макала носом в грязь, будто девчонку какую-то!

В отместку Алевтина третировала мужа. В глубине души она ждала, когда же Григорий, наконец, взорвется и даст ей отпор. Но Гриша был человек-воск и, как только вокруг становилось горячо, просто утекал из пальцев. Жену с ее скрытой свирепостью он откровенно побаивался. Особенно потому, что не понимал причин ее ярости. Изменяет — злится. Не изменяет — снова губы белые кусает. Да что ж такое!

Мысль о разводе неоднократно приходила в голову Григорию, и пару раз, доведенный до отчаяния, он даже осмелился высказать ее вслух. Но глаза жены в ответ вспыхивали таким странным огнем, что он в страхе бежал. Черт ее знает, что она выдумает: то ли его отравит, то ли себя, то ли пойдет мыть окна и чистить серебро. Что-то такое проявлялось в Алевтине... демоническое и непредсказуемое.

А у Алевтины чем дальше, тем меньше оставалось шансов обрести спокойствие. Она ждала, когда из ее толстого ленивого мужа вылупится тот веселый забияка, в которого она влюбилась много лет назад. И сама же делала все, чтобы похоронить этого забияку под толстым слоем шутовства и притворства.

Она полностью содержала Гришу — и пилила его за это каждый день.

Она заставляла его искать работу — и шла на все, чтобы он эту работу не получил.

Она требовала, чтобы он завязывал с выпивкой, и всегда держала в доме запас спиртного.

Она убеждала, что он разбил ее сердце своими изменами, но как только Григорий засиживался дома больше чем на пару месяцев, принималась изводить его, пока он не сбегал в поисках тепла и ласки за очередной юбкой.

Однажды под Новый год Григорий хлебнул вместо водки подаренной текилы и под воздействием нового напитка дал себе клятву. Хватит, заявил он себе. Довольно этих метаний и лжи! Только семья, только жена! Никаких баб — и точка.

Очевидно, текила была качественной и крепко била по мозгам. Потому что Гриша взялся исполнять клятву с невиданным доселе энтузиазмом.

Алевтина смотрела на мужа с подозрением. Григорий не исчезал средь бела дня. Не возвращался с ухмылочкой сытого кота, исподтишка сожравшего в подвале крынку сметаны. Не облизывался, не смотрел виновато. А ходил, подлец, с гордо поднятой головой.

Разве можно было такое терпеть?

Алевтина начала с осторожных упреков. Гриша даже не снизошел до того, чтобы оправдываться, лишь рукой махнул: брось, мол, выдумывать.

Алевтина раздула ноздри и закатила скандал.

Григорий вырвал два уса, но остался верен клятве. Выдержал! Не сошел с выбранной дороги даже под несправедливыми обвинениями!

Алевтина вся извелась. Муж лишал ее единственного козыря. Она уже предчувствовала, что следующим шагом он найдет работу, и вожжи, которые она крепко держала в руках, вырвутся из ее ладоней.

Прежде Алевтина сидела на чемодане упреков. Какое-никакое, но имущество. Им можно распорядиться с толком и даже извлечь дивиденды (она всю жизнь так и поступала). А теперь?

Нет, надо было прекращать Гришино помутнение. Так и до развода недалеко.

Алевтина отправилась в аптеку и купила пачку презервативов. Из ее сумки покупка незаметно перекочевала в карман Гришиной куртки.

— Постирать ведь собиралась, — встрепенулась вечером Алевтина.

Григорий смотрел телевизор, не подозревая дурного. Алевтина хозяйственно обшарила карманы его одежды и извлекла из одного ужасную находку.

— Кобелина ты подлая! — страдальчески вскричала тетя Алевтина. — Что ж тебе все мало!

У Григория отвисла челюсть.

— Собака лживая! Кровосос! Нет сил с тобой никаких, подлюга!

Григорий что-то залепетал о друзьях и жестоком розыгрыше. Наивный! Разве могла Алевтина поверить в мифических друзей, когда чек за покупку лежал в ее кошельке!

Она запустила в мужа курткой и с криком погнала его из дома. Гриша ушел огородами и пропал.

Вернулся он только под утро. Рубашка его была надета наизнанку, на воротнике отпечаталась губная помада. Взгляд блуждал. Рассудив, что быть без вины виноватым совсем уж глупо, Гриша ударился в распутство.

— У, мерзавец, — удовлетворенно сказала Алевтина. — Всю жизнь мою молодую загубил.

....

На этом клятва Григория и закончилась.

Менее гибкий человек на его месте стал бы записным невротиком. Гриша же развил в себе философский взгляд на вещи и рассуждал так: эта женщина ему для чего-то послана свыше. Для чего? Очевидно, чтобы он вырастил в себе смирение и обуздывал страстные желания. Например, не брался за молоток, чтобы тюкнуть ее промеж ушей. Не готовил веревку. Не правил бритву. Словом, держал себя в руках.

Таким образом, Алевтина, сама того не зная, играла роль вериг. С ее помощью Григорий укрощал особо дерзкие помыслы.

Но взгляд его иногда задерживался на молотке на пару секунд дольше, чем обычно смотрят на него люди, не имеющие никаких далеко идущих планов, кроме забитого гвоздя.

Глава 10

1

—**О**вчаров! — объявил Бабкин и сделал жест, которым фокусник вытаскивает за уши кролика из шляпы. — Венеролог в местной больничке. Толст, злобен, с пациентами груб. Любит облаять на ровном месте. Возьмите вашего Большого Пса, получите и распишитесь.

В окно стрельнул луч солнца. Илюшин зажмурился.

— Я не понимаю, — растерянно сказала Саша. — При чем здесь венеролог? Макар, ты понимаешь?

— Ты сказал, Григорий живет на средства жены? — уточнил Илюшин.

— Ага.

— Тогда понимаю. Только откуда об этом могла узнать Пудовкина, вот в чем загвоздка.

— О чем узнать, о чем?

Саша заволновалась. Ей показалось, что они подошли очень близко к разгадке, от которой рукой подать до освобождения Галки. Как и Олег, Саша Стриж незаметно для самой себя оказалась во власти иллюзии, что Макар Илюшин сейчас щелкнет пальцами — и все наладится.

Макар действительно щелкнул пальцами:

— Черт возьми, наследство! Домик Пудовкиной тут приходится очень кстати.

— Еще и домик! — рассердилась Саша. — Сначала венеролог, потом наследство. Кто-нибудь объяснит мне, что происходит?

— Давай я объясню, — сказал Бабкин. — Григорий Лобанов много лет живет на средства жены и полностью от нее зависит. Дом принадлежит ей. Квартира в верхней части города — тоже. Старая «Лада», на которой раскатывает Гришка, оформлена на Алевтину. Кушает он Алевтинину еду и носит вещи, которые она ему покупает. Их отношения сто лет трещат по всем швам, но до сих пор не развалились. Поговаривают, Алевтина уже хотела выгнать мужа. Каждый раз он выклянчивал второй шанс. Но если выяснится, что Григорий лечится у венеролога, Алевтина спустит его с лестницы и дверью прихлопнет пальцы, которые он будет совать в щель. Теперь понимаешь, на что намекала старуха? Псом здесь обзывают Овчарова за фамилию и скверный нрав.

Саше стало жалко Григория с прищемленными пальцами. Она ничего не могла с собой поделать. Страдала Алевтина, а сочувствие вызывал Гриша.

— Может, его подберет какая-нибудь из его... зазноб?

Макар рассмеялся.

— Сашка, добрая ты душа! Большинство его подружек замужем. А незамужних такое приобретение совершенно не вдохновляет. Он безработный пьяница, не пропускающий ни одной юбки, и единственным его достоинством является обаяние. Больше в Григории нет ничего.

— Вообще-то говоря, это уже чертовски много, — пробормотал Бабкин, косясь на Илюшина.

— Недостаточно, чтобы за это подобрали, обогрели и кормили на регулярной основе три раза в день.

Саша с сомнением покачала головой. Подбирают и обогревают любых. Григорий далеко не худший образец. И неправда, что кроме обаяния в нем нет ничего хорошего.

— Он добрый, — сказала она наконец, отчего-то чувствуя в себе позыв заступиться за Гришу.

— И в чем это выражается?

— Например, про него можно точно сказать, что он никогда не поднимет руку на свою женщину.

Бабкин с Илюшиным уставились на нее с недоверчивым удивлением.

— Это что, его заслуга? — недоуменно спросил Сергей. До сих пор он полагал, что нет необходимости упоминать как достоинство, что некий человек не расчленяет людей, не топит в ванной котят и не бьет жену. Это подразумевается само собой.

— Вообще-то да, — кивнула Саша и непроизвольно дотронулась до щеки.

Макар на миг сузил глаза. Бабкин достаточно хорошо знал своего друга, чтобы не понять: только что кто-то из предыдущих бойфрендов Саши Стриж приобрел себе смертельного врага.

— Гриша не такой уж пропащий, — продолжала Саша, преодолев смущение оттого, что оба очень пристально смотрели на нее и она не могла понять, что означают их взгляды. — Алевтина с ним много лет живет и не жалуется.

— Еще как жалуется! — заверил Бабкин. — Сто раз объявляла, что выгонит Григория, и сдохнет он как собака под забором. Только поэтому и не выгоняет: жалеет.

— Пусть не врет, жалельщица! — возмутилась Саша. — Если не подруги, то уж сестра-то точно Григория к себе возьмет.

— Он к ней сам не пойдет, — подал голос Илюшин.

И Саша тут же поняла, что это правда. Случись что, Гриша не повесит на Нину свою неудавшуюся жизнь, как старое пальто. Уйдет куда-нибудь и будет мучиться, но помощи не примет.

— В общем, грозить разводом Алевтина могла до позавчерашнего дня, — сказал Бабкин. — Потому что через полгода, как выяснилось, Григорий вступит в права наследования. Домишко невелик, но все же свой угол, как-никак. Так что положение Алевтины пошатнулось.

— А завещание стало для всех неожиданностью? — спросила Саша.

— Полной! Меньше всего ждали, что старуха выберет именно Григория на роль наследника. По другой линии, как я понял, есть родственники ближе. Те самые, которые отправили к Елизавете мальчишек.

— А, Ванька с Лешкой!

— Их папаша с мамашей, по слухам, очень рассчитывали, что шавловский уютный домик достанется им. Потому и внуков каждый год засылали к Елизавете: чтоб, значит, растопить старческое сердце.

Макар засмеялся, подумав, что родители братьев добились противоположного эффекта. Двое спиногрызов не из тех ангельских детишек, которые обладают умением растапливать сердца.

— О! У меня идея! — Он вскочил и сделал круг по комнате. Стены послушно раздвинулись, освобождая пространство. Кресло предупредительно подогнуло две выставленные ножки, стол втянул острый угол. Бабкин уже не в первый раз наблюдал этот номер, испытывая зависть пополам с восхищением. Никакой ловкостью Илюшина нельзя было объяснить, что он скачет по десяти квадратным метрам, усеянным столами, креслами, шкафами и прочей рухлядью с таким размахом, словно вокруг стадион.

— Давай твою идею. Мы с Сашей будем ее громить вдребезги.

— Идея такая: родители спиногрызов остро нуждаются в некоторой сумме. Тысяч, скажем, триста. И будучи уверены, что старушонка оставит домик им, подговаривают своих отпрысков устроить встречу Елизавете Архиповне и гному.

— Не всей Елизавете Архиповне, — поправил Бабкин. — Только ее голове.

— Это детали, — отмахнулся Макар. — Как мое предположение выглядит в целом?

— Как будто ты в отчаянии.

Илюшин ухмыльнулся, не прекращая движения.

— Сережа, он это серьезно? — тихо спросила Саша.

— Нет, конечно. Что ты, Илюшина не знаешь?

— Ну мало ли...

— Нет, он фантазирует. Разогревается.

— Я все слышу, — подал голос Макар. — Знаете что, друзья мои? Нам просто необходимо найти женщину по имени Светлана.

Бабкин с Сашей озадаченно переглянулись. Что они пропустили?

— А зачем тебе Светлана? — решилась спросить Стриж. — И кто она такая?

— Может, это какая-то абстрактная Светлана? — предположил Бабкин. — Воплощение света истины против тьмы незнания?

— Ты говоришь, как Макар!

— Это потому, что он меня покусал. Слышишь, Илюшин? Ты заразный!

— И какую такую Светлану тебе надо отыскать? — подхватила Саша. — Только что говорили о мальчишках!

Илюшин, наконец, остановился.

— Какие еще мальчишки, мои непонятливые друзья! Нам нужна последняя женщина, с которой Григорий крутил роман. А зовут ее Светлана, если верить нашему другу Олегу Сысоеву.

2

Рита Сысоева не находила себе места. Чуть ли не впервые в жизни на нее напала растерянность, опутала по рукам и ногам, как сорняк, как гигантская пиявка, и начисто высосала из Риты обычную энергичность. Что-то бурлило и кипело внутри Ритиной чернявой головы, но вектор движения оставался неясен.

Рита закурила, воткнула наушники в уши и врубила Черемошню на полную громкость. Так ей легче думалось.

Москвичка сидит в тюрьме, где ей самое место, воровке.

Олег переживает, как ему полагается.

Валера молча поплелся восвояси, когда Рита указала ему на дверь, и с тех пор не показывался.

Все игроки заняли отведенные им места, и ничто не предвещает, что расклад изменится. Справедливый, заметьте, расклад!

Что ж так тошно-то на душе?

Рита сперва грешила на несвежий сочник с творогом. Потом на вирус гриппа. Но когда градусник беспристрастно показал тридцать шесть и пять, стало ясно, что не в болезни дело.

Копаться в себе было для Риты Сысоевой занятием не более привычным, чем для жирафа танцевать джигу. Если бы кто-нибудь сказал Рите, что она рефлексирует, младшая Сысоева двинула бы шутнику по почкам. Но чувство, что внутри нее сидит какая-то чужеродная гадость и потихоньку откусывает от Риты по кусочку, не исчезало.

Рита поднялась на чердак, забилась в дальний темный угол и попыталась разобраться.

Все же идет как надо, правда? Олег обязательно будет счастлив, они с матерью найдут ему хорошую девушку. Грабаря она научит держать язык за зубами. Исаева... Про Галку и думать не стоит. Она не из их семьи, не из их жизни, и пусть смоет ее потоком правосудия, как соринку, попавшую в ручей.

Рита облегченно выдохнула и решила, что на этом разбор полетов окончен. Но чужеродная гадость внутри не исчезла. Она принялась медленно пережевывать Ритины кишки.

Впору было все-таки объяснить ее происхождение несвежим творогом, но Рита зажмурилась, и перед глазами встал грязный ручей, слизывающий с берегов палочки-веточки и прочие листочки. Где-то в нем бултыхалась одинокая несчастная соринка по имени Галка Исаева.

Муки совести Рита последний раз испытывала в третьем классе, когда толкнула Ваську Спесивцева с лестницы, он упал на Каморкину, и Каморкина сломала руку, а из школы попытались выставить Спесивцева. Васька был подлый парень, неотвязный как клещ, сквернослов и обидчик слабых. Было бы только справедливо, чтобы его вышибли. Но совесть заставила Риту во всем сознаться директору. Спесивцева оставили.

С тех пор прошло много лет. Неудивительно, что Рита не узнала поступь совести, когда та явилась снова.

Рита витиевато выразилась в адрес Галки Исаевой. Это она во всем виновата! И в том, что у Риты крутит кишки от тоски. И в том, что Олег ходит спокойный-спокойный, такой спокойный, что хочется всадить ему булавку в задницу, чтобы он издал хоть какой-нибудь звук. И в том, что Валерка не объявился после того вечера, только позвонил ее матери и предложил помощь с похоронами. А самой Рите ни словечка не сказал.

Рита со злости пнула стену. Со стены осыпалась пыль.

Она не могла, никак не могла оставить Исаеву выкручиваться одну, когда ей точно было известно, кто настоящий убийца. Рита попробовала было покрутить ситуацию, словно кубик Рубика, так и сяк, чтобы найти такое положение цветных квадратиков, при котором ее молчание не будет выглядеть как законченное свинство. Но одна простая мысль разбивала вдребезги все ее старания. «Что скажет Олег?»

«Я хотела как лучше!»

«Я не подумала!»

«Я не знала, что она не убийца!»

С каждой попыткой оправдания Рита чувствовала, что из нее выкачивают воздух гигантским насосом. В конце концов дыхания осталось на один глоток.

«Я виновата перед ней», — выдохнула Рита и почувствовала, как легкие наполняются кислородом. Ноющая боль в желудке исчезла.

Выпрямившись в полный рост, ругаясь по-прежнему на чем свет стоит, Рита приняла единственно возможное решение. Она отправилась к Валере Грабарю.

. . . .

В это самое время Галка Исаева, хладнокровно все обдумав, снова ощутила себя танком, а не бабочкой, намертво застрявшей в ко-

коне гусеницы. Да, личная жизнь у танка не задалась. Но способности стрелять это никоим образом не отменяло.

Оставалось только как следует прицелиться по вершине ближайшей горы.

Скрипя всеми сочленениями, Галка покатила вперед. И для начала попросила вызвать к ней защитника.

. . . .

Когда Валера Грабарь открыл Рите дверь, она ахнула. Вместо самоуверенного бритоголового парня с тем принятым у шавловских парней выражением лица, которое в просторечье обозначалось как «рожа кирпича просит», перед ней стоял человек, побитый жизнью. И не просто побитый, а измордованный до состояния скисшей капусты.

— Господи! — ахнула Рита. — Что случилось?

Вопрос этот, конечно, имел смысла не больше, чем подлёдная рыбалка на школьном катке. Случилось то, что Валера прикончил Елизавету Архиповну, пытался неудачно замести следы, не преуспел, воззвал к любимой, и в итоге любимая таскалась с трупом по крышам, пока Валера утешался салатом.

Но Рита, отлично понимая все это, ни секунды не верила, что именно смерть Елизаветы Архиповны произвела на ее Грабаря такое впечатление.

И не ошиблась.

— Ты меня бросила! — прохрипел несчастный, покачиваясь. — Мешок!

— Я — мешок? — оторопела Рита.

— Да не ты! — На этот отчаянный вопль, казалось, ушли последние силы несчастного боксера.

— А кто?!

На мгновение Рите представилось, что мешком Валера непочтительно обозвал покойницу, которую сам же и привёл в такое состояние. Но она тут же напомнила себе, что это недоступная для него степень образности.

Валера, пошатываясь, удалился в глубь комнаты, и Рите ничего не оставалось, как последовать за ним. Она ошарашенно покрутила головой. Судя по обстановке, Грабарь последние сутки занимался тем, что убивал стулья. Они атаковали, а он отчаянно сопротивлялся. Возле стены валялись вперемешку отломанные ножки числом восемь штук, треснувшая спинка была отброшена на диван, о вторую Рита едва не споткнулась.

— Ты что тут творил? — не выдержала она.

— Дыры в душе латал! — с суровым мужским пафосом возрыдал Валера.

Рита не выдержала.

— Лучше бы ты, сволочь, дырку в голове Елизаветы залатал!

— Почему я-то?

— Потому что ты её сам и пробил!

Валера прервал скупые рыдания и уставился на подругу. Смысл сказанного доходил до него медленно, но наконец, хромая, все-таки добрался. Несправедливостей на долю Грабаря за последние два дня выпало, по его убеждению, больше, чем снега зимой, и последний ухнувший сверху сугроб он выдержать не смог.

— Я? — взвыл Валера. — Я пробил?! Да я! Да она! Да ты!.. А они!

Дождавшись, пока Грабарь закончит повторение известных ему местоимений, Рита без лишних церемоний встряхнула любимого с такой силой, что у него мотнулась голова, и привела в чувство заботливым тычком под ребра.

— Что ты? Что ты?

— Я ее пальцем не тронул!

— Ты ее бросил в канаву!

Валера стал похож лицом на чайный гриб.

— Кого? Старуху вашу?!

— «Нашу!» Общую!

— Зачем бы я ее потащил в канаву, дура! — воззвал Валера к интеллекту любимой. — У меня там мешок лежал!

Теперь друг напротив друга стояли два чайных гриба, потому что Рита цветом лица сравнялась с возлюбленным.

— Какой еще мешок?!

— «Юниор»!

— Откуда он там взялся?

— Я его туда положил!

— Елизавету прикрыть?

— При чем здесь Елизавета?!

— При канаве!

Оба выдохлись и замолчали.

— Короче, давай еще раз, — приняла Рита мужественное решение. Слушать объяснения Грабаря мог только специально подготовленный человек, тренировавшийся на бобрах, но выбора у нее не было.

— Я принес тебе мешок, — мрачно поведал Грабарь.

— Мне?

— Ну а кому еще-то? Елизавете?

— Какой мешок?

— «Юниор».

В кромешном мраке вокруг Риты внезапно забрезжил луч истины.

— Погоди... ты притащил боксерский мешок?

— Фигасе ты догадливая, — сыронизировал Валера. — А я тебе о чем твержу?

Рита отмахнулась от его тонкого юмора.

— И этот мешок зачем-то сунул в канаву?

— Не зачем-то, — насупился Валера. — Мать твоя меня выгнала. Сказала — он воняет.

Тут Риту охватило абсурдное подозрение, что вместо мешка Валера таки принес мертвую старушку. Это объясняло бы реакцию матери. Но Грабарь развеял ее страшные сомнения:

— Я понюхал... Ну да, попахивает слегонца. Там эта... — Он напрягся. — Материя.

— Кожзам, — рассеянно поправила Рита. Она напряженно думала.

Получается, Валера принес боксерский мешок. И судя по всему, решил подержать его какое-то время в канаве.

— Ты его проветривал?

— Дурак я, что ли, — мрачно сказал Валера. — Принес тебе. Мать твоя не пускает в дом. Думаю, надо сюрприз. Хотел на дереве повесить... Слишком долго! И ходят вокруг всякие. Я тогда в канаву. Веточками сверху. И за тобой пошел. А ты!..

Эта связная речь была вершиной грабаревских возможностей по составлению описания события. Рита мимоходом восхитилась, но даже восторг не мог затмить открывшейся ей правды.

— То есть ты Елизавету не трогал?

— Сдурела? — ласково осведомился Валера. — Чего я буду ее трогать? Я ее вообще не видел.

Рита испытала такое облегчение, что пошатнулась. Господи, он ее не убивал!

— Ты чего, чего? — встревожился Грабарь. — Пьяная?

Он принюхался, но ничего не учуял. Валера сгреб подругу в охапку, подтащил к дивану и мягко сгрузил на продавленные пружины. Рита не сопротивлялась, по опыту зная: если любимый решил куда-то ее перенести, лучше не дергаться.

— А ты! — обвинил Валера, нависая над ней и сжимая кулаки, что относилось, конечно, не к Рите, а к жестокости судьбы. — Ты меня выгнала!

— Я тебя не выгнала. Ты сам ушел!

— Мешок не похвалила!

— Я его не видела!

— Спасибо не сказала! — продолжал Валера перечисление обрушившихся на него ударов судьбы. — Салата не дала! Грубила!

Рита села на диване. Валера подумал и сел рядом. Из этого положения ругаться было неудобно.

— Дурень ты мой, дурень, — вздохнула Рита. — Что ж ты сразу не сказал?

— Что не сказал?

Теперь настала очередь Риты объяснять, за что бедного Грабаря выгнали из дома. Когда она перешла к описанию подъема по лестнице, Валера встал, пересек комнату, зачем-то взял ножку стула и вернулся обратно.

— Ты чего ее схватил? — подозрительно спросила Рита, прервав рассказ.

— Успокаивает.

— А-а-а! Ну ладно.

Она вкратце, стараясь не использовать сложноподчиненных предложений, закончила повествование о событиях праздничного вечера как они виделись ей.

— Я думала, это ты ее убил, — покаянно закончила Рита. Что ни говори, получалось, что она оклеветала невинного человека. Валера мог ее за это и не простить.

Грабарь молчал, сжимая табуретную ножку.

— Валера, а Валера, — позвала Рита, чувствуя несвойственную ей робость.

Любимый не обернулся. На мужественном лице ходили желваки.

— Ну прости! — в отчаянии выдохнула Рита. — Все так сложилось, что я могла думать только на тебя... Я бы никогда...

Валера прервал ее полную покаяния речь, отшвырнув ножку и заключив подругу в объятия.

— Ты! — прогудел он, сжимая ее до хруста в костях. — Ради меня! По крышам! Как Карлсон!

Рита высвободилась и уставилась на него тяжелым взглядом:

— Намекаешь на то, что я толстая?

— Нет! — испугался Валера. Было несколько способов гарантированно вывести любимую из себя, и он знал по печальному опыту, что намек на Ритину полноту — едва ли не самый верный из них. Валера пожалел, что отбросил ножку стула. — Ты красотка!

— Но толстая красотка?

— Неправда!

— С животом и короткими ножками! Как Карлсон!

— Я этого не говорил!

— Но подумал?

Валера осознал, что сейчас его загонят в угол, откуда ему уже не выбраться. Только быстрое изменение стратегии, ошеломляющий внезапный удар мог позволить ему переломить бой в свою пользу. Против Риты, севшей на любимого конька, хирургические приемы были бессильны. Только лом, только грубая сила.

Другой в распоряжении Валеры, в общем-то, и не было.

— Короче, твой папахен ее убил, — мужественно сообщил он.

Рита поменялась в лице.

— Чего?! Грабарь, ты что несешь?

Валера живо выскочил из угла и зайцем помчался на открытое пространство, где его было труднее достать. Фух! кажется, помогло.

— Я его видел, — нанес он последний удар. — Когда старуху мочили.

3

— Ну и где она, наша красотка?

Бабкин обвел взглядом пеструю рыночную толпу. Его проводник по шавловскому царству привел их за неведомой Светланой именно сюда. Макар отчего-то не захотел обращаться за дополнительной информацией к Олегу Сысоеву, и пришлось Сергею снова отыскивать бывшего учителя истории.

Алексей Алексеевич обретался в парке за больницей, на этот раз в компании, среди которой он даже в лохмотьях выглядел так же чужеродно, как гладиолус в мясном ряду.

— Чувачка не обижать, — предупредил Бабкин, едва только историк, завидев нового друга, отделился от троицы своих приятелей и направился к ним.

— Детей, котят, старушек и юродивых не трогаю, — открестился Макар, с интересом наблюдая за живописной личностью в дамской шляпке.

— То есть все-таки не ты Елизавету грохнул?

— Допустим, она не старушка, а бультерьер в платочке. Но все равно не я. Потому что собак я тоже не обижаю.

Алексей Алексеевич, приблизившись, отвесил тот самый грациозный поклон, так восхитивший Бабкина в первый раз. К его глубокому возмущению, Илюшин ответил книксеном. Негодование Сергея лишь усугублялось тем фактом, что книксен вышел глубокий и красивый. Словно Макар годами оттачивал его во фрейлинском корпусе и наконец-то нашел, где продемонстрировать.

— Я кому сказал не издеваться? — прошипел Сергей на ухо напарнику.

— Это не издевка, а респект! — невозмутимо ответил тот.

— Я тебе сейчас по шее дам респект... — начал Бабкин, но историк уже подошел.

Первые несколько минут он настороженно косился на Илюшина. Но Макар, когда хотел, умел быть неотразимо обаятельным. Вскоре Алексей Алексеевич, махнув рукой собутыльникам, чтобы не ждали, охотно выкладывал все, что знал.

А знал он многое.

У Илюшина по мере его рассказа складывалось ощущение, что весь Шавлов представляет собой одну большую постель. Кто с кем спит, где чьи любовницы и любовники, кому в пылу страсти поставили фингал, а кто ограничился руганью — ничто не ускользало от внимательного взгляда шавловцев.

— А кинотеатр хороший у вас в городе есть? — вклинился Илюшин в очередную паузу.

Алексей не удивился его вопросу:

— Нету кинотеатра. Обещают построить в следующем году.

— Скорее бы построили, — пробормотал под нос Макар. — Никаких же развлечений у людей, кроме подглядываний в окна.

— Видите ли, уважаемый Макар Андреевич, столица в этом отношении ничем не отличается от нашего города, — внезапно возразил бывший учитель. — Но в Шавлове каждый житель у всех на виду, а в Москве подобная прозрачность отсутствует. По понятым причинам, не правда ли? Рыбешки-то везде одинаковые. Плотность водорослей в аквариуме разная.

Илюшин одобрительно прищурился и сказал, что категорически не согласен. Однако в спор вступать не стал. Хотя Бабкин встревожился, что сейчас эти двое разведут дискуссию на два часа, а там пошло-поехало: притащат выпить, закусить, засидятся до поздней ночи, разойдутся, вопя Черемошню, а там хлоп! — глядишь, через три года ты уже работаешь в местном автосервисе и растишь парочку детишек от местной красотки, которая зовет тебя Макарушкой и по утрам, ругаясь, отпаивает рассолом.

«Илюшину даже красотку не нужно искать, у него уже имеется!»

— Интеллигенты чертовы, вы закончили базарить? — хмуро осведомился он.

— Базар! — обрадовался бывший учитель. — Базар-то вам и нужен.

. . . .

Миновали молочные ряды, где маячила лишь пара свирепых торговок с крупитчатым желтым творогом, прошли вывеску «местные овощи», под которой бабушки с честными славянскими лицами торговали израильской картошкой и турецкими помидорами, и, наконец, добрались до фруктов.

Фруктами в июне Шавлов одаривал покупателей щедро. Персики, абрикосы, виноград, бананы, пять сортов яблок и маракуйя, которую Бабкин меньше всего ожидал ожидал здесь увидеть. Цены, впрочем, подбирались к московским.

За прилавком, где яблоки призывно алели румяными боками, стояла такая же румяная налитая продавщица и полировала ногти пилкой. Когда Бабкин с Макаром подошли ближе, продавщица отложила пилку и стрельнула глазами. В ярко-карих глазах сидело по бесенку, и бесята эти быстро посовещались, кто круче, Илюшин или Сергей.

Победил широкоплечий Бабкин. Кареглазая красавица наклонилась вперед, так, что роскошные формы оказались вывалены на яблоки прямо перед ним, и промурлыкала:

— Что угодно, мужчина?

Сергея бросило в жар. Виной тому, конечно, было солнце, которое к одиннадцати утра совсем озверело и принялось швырять тепловые и световые гранаты в мельтешащих внизу людишек. Поэтому он отошел на два шага в тень от козырька и оттуда осторожно сказал, что угодно ему поговорить.

Продавщица разочарованно выпрямилась и передернула плечами:

— Треп отдельно оплачивается.

— По какой ставке? — заинтересовался Макар. Его пышным бюстом было не смутить, он не покраснел бы, даже если б аппетитная продавщица яблок улеглась на свой товар сверху нагишом.

Теперь женщина перевела взгляд на него. «Мелковат, худощав, — читалось во взгляде, — но тоже ничего такой мальчишечка, сладкий».

— И о чем же ты хочешь со мной разговоры разговаривать? — осведомилась она.

— О Грише Лобанове, например, — невинно ответил Илюшин. — Света, да не пугайтесь вы так. Все нормально. Мы же не из полиции нравов.

. . . .

Как раз гипотетическая полиция нравов Свету Игнатову нисколько не страшила. Она бы сама показала той полиции, где видела ее нравы и что может предложить взамен. Но на лице ее отчетливо промелькнул испуг, когда она услышала имя Григория, и этот испуг Макар схватил на лету, как комара.

Сперва она отказалась с ними беседовать. Нет, и не просите, решение мое бесповоротно и пересмотру не подлежит — читалось в линии сомкнутых губ. Но когда Макар посулил денег, упрямство сменилось заинтересованностью.

Три вещи страстно любила Света Игнатова: деньги, мужчин и сплетни, именно в таком порядке. При этом денег у нее отродясь не водилось, мужчины подлетали на ее огонек как мотыльки и тут же упархивали обратно в темноту, а что касается сплетен, то даже ими со Светой не особенно любили делиться. Шавловские тетки ее на дух не переносили и называли всякими нехорошими словами. Впрочем, только за глаза. Игнатова была вспыльчивого нрава и одной заречной дамочке, явившейся выяснять, отчего муж ее повадился ходить к Светлане трижды в неделю, выдрала половину кудрей к восторгу всего рынка. «А чего она меня по морде взялась бить! — хмуро заявила Света в милиции. — Не для того эта морда отрощена».

В общем, перед Макаром с Бабкиным стояла женщина беспутная, легкомысленная и жадная. Неудивительно, что Илюшин обрадовался. Иметь дело с людьми, замотивированными на деньги, — одно удовольствие.

В лице Светы ему встретился противник слабый, но сумасбродный. Говорить правду Игнатова не желала, а денег при этом хотела. Еще сильнее ей хотелось выведать, откуда эта парочка взялась, что им понадобилось в Шавлове и почему они вообще заинтересовались бабником Гришкой Лобановым.

Ответ на последний вопрос лежал на поверхности. В доме его сестры на днях грохнули престарелую бабку. Бабка, по мнению Светы, сама давно напрашивалась.

Удивительно, как Сысоевы так долго терпели. По общему убеждению, прикончила ее сама Нина, когда старуха попыталась расстроить свадьбу. До Светы доходили слухи, что сынок Нины отхватил себе богатую москвичку, которая его баловала, купала в сметане с медом и обещала подарить в Москве квартиру, а в Киеве две. Откуда взялись квартиры в Киеве, не мог бы объяснить никто, даже пустивший этот слух. Но звучало убедительно.

Однако при чем тут Гришка? Разве что его Нинка подрядила угробить старуху.

Света Игнатова взглядывала на Илюшина непонимающе, хлопала ресницами и изображала невинность. Выходило так же правдоподобно, как исполнение роли зайчика на утреннике в детском саду самой пожилой и толстой воспитательницей. Но Свету это не смущало.

Надо сказать, Сергей Бабкин тоже не понимал, отчего Илюшин привязался к этой распутной бабенке. По делу она им ничем помочь не могла. А под вкусы Илюшина не подходила.

Но у Макара была какая-то мысль, поэтому он вцепился в яблочную красотку и не отпускал, действуя то лестью, то лаской, то угрозами. К концу десятиминутного разговора бедная продавщица была вся в поту и в мыле, юлила, изворачивалась, напрямую ничего не говорила и, кажется, твердо вознамерилась обвести их вокруг пальца.

«Ну-ну, — про себя усмехнулся Бабкин. — Безумству храбрых поем мы песню».

Света обмахивалась картонкой вместо веера, говорила Илюшину то «ты, дорогой», то «вы, мущщина», и через десять минут Сергей понял, что если б его и угораздило в каком-нибудь параллельном мире связаться с этой наливной королевой, он бы придушил ее на третий день совместного бытия. Если б терпения хватило дотянуть до третьего.

— Вы, мужчина, меня уже спрашивали! — Хитрый взгляд над картонкой. — Ну, захаживал ко мне Гришка, был такой грех! И что?

«Не может же он ее в лоб спросить, не подцепил ли Григорий от нее нехорошую болезнь», — думал Бабкин. Потом вспоминал, что перед ним Макар, и начинал опасаться, что все-таки может.

— Вы кому рассказывали, что Григорий у вас столуется? — интересовался Макар.

— А что сразу столуется! Ты слова-то выбирай, а то и по роже можно схлопотать!

— Спасибо, рожа мне дорога как память, — вежливо отказывался Илюшин. — Так с кем вы беседовали о Лобанове?

— Ни с кем! Ни одной живой душе!

Света приложила руку к сердцу с таким чистосердечным видом, что не смогла бы обмануть даже первоклассника.

— Все я тебе выложила как на духу. Мы с тобой в расчете?

Пухлая белая ладошка оказалась под носом у Илюшина. «Дай! — взывала ладошка. — Ты обещал!»

Илюшин зачем-то обернулся. Они с Бабкиным и Светланой стояли на задворках рынка, среди деревянных ящиков, яблочных огрызков и разнообразного мусора. Никто сюда не заглядывал, кроме толстых наглых голубей и вороватой дворняги.

Взгляд у Макара был сродни взгляду убийцы, желающему удостовериться, что у преступления не будет свидетелей. Во всяком случае, так воспринял это Сергей и в глубине души даже обрадовался.

— Ты чего это там высматриваешь? — насторожилась Светлана. Глуповатая или нет, но перемену в настроении Илюшина она уловила не хуже Бабкина.

Макар повернулся к ней, и вежливая улыбка исчезла с его губ.

Игнатова попятилась.

— Если сейчас уйдешь, точно никаких денег не получишь, — предупредил Илюшин.

По лицу Светланы было очевидно, что трусость борется с жадностью. Она только что осознала, насколько недооценила этого лохматого пацана. А мордастый и вовсе убийца какой-то: как сожмет ее за шею — и нету Светы Игнатовой.

— Кому ты растрепала про венеролога? — резко спросил Макар. — Ну?

— Да никому! — вспыхнула Света.

Но на этот раз взгляд Макара ей выдержать не удалось.

— Пудовкина про тебя знала, — ласково шепнул он. От этой ласки ее бросило в холодный пот, и Света второй раз пожалела, что польстилась на пятьсот рублей. — Откуда?

— Не знаю я! Болтают люди всякое! Чушь разную!

Злые слезы выступили на ее глазах.

— Чушь? — вцепился в неосторожно брошенное слово Макар. — Что значит «чушь»?

Под его недобрым взглядом Игнатова окончательно утратила присутствие духа. Мужчинами она всегда крутила как хотела, пусть и короткое время, и силу своих чар прекрасно осознавала. Но этот был слеплен совсем из другого теста. Рядом с ним Светлана впервые ощутила себя каким-то бесполым созданием. Ощущение это ее перепугало так же сильно, как если бы она проснулась и не обнаружила у себя груди.

— Нету у него никаких болезней! — брякнула она.

— Как это? А Пудовкина что болтала?

— Не знаю я!

— Знаешь! — отрезал Илюшин. — Хватит врать, у тебя уже щеки от вранья покраснели.

Светлана ощутила острое желание немедленно посмотреться в зеркало. Кожа на лице и впрямь горела.

— Что мне сказали, то я и передала! — страдальчески взвизгнула она, не выдержав.

— Кто сказал? — хором рявкнули Бабкин с Илюшиным.

Света захныкала. Ей действительно стало страшно и тошно, потому что пока она молчала, можно было притвориться, будто ничего и не произошло, а сделанное вслух признание безжалостным лучом высвечивало и ее, Игнатову, в полный рост, и подлый ее поступок.

— Алевтина, — выдохнула она. — Я не виновата! Она мне заплатила!

И обелив себя таким нехитрым признанием со всех сторон, заревела уже в полный голос.

Бабкин с Илюшиным переглянулись. Они выяснили еще не все, а на эти рыдания грозил сбежаться весь рынок.

— Скажи, что ты ей голову свернешь, если она не замолчит, — попросил Макар.

— Почему я? — удивился Бабкин.

— Ты страшный.

— А ты, конечно, цыпленок Цып! Это ты ее довел вообще-то.

— А что оставалось делать, когда она едва пятьсот рублей из меня не вытянула?

— Пожалел для девушки пяти сотен. Жлоб московский!

— Ты видел, почем у нее яблоки? Кто из нас после этого жлоб?

— Да, цена малость задрана, — согласился Сергей.

— Малость? На Дорогомиловском тот же сорт вдвое дешевле.

— У нее существование тяжелое, ей выживать надо!

— Поверь, ей будет легче выжить со свернутой башкой.

Оба повернулись к Игнатовой, будто прикидывая, насколько Макар прав.

Света перестала рыдать и ошеломленно прислушивалась к их диалогу.

— Ы-ы-ы, — неуверенно сказала она в повисшем молчании.

Из-за угла гавкнула дворняга.

— Не «ыыы», а во всех подробностях, пожалуйста, — попросил Илюшин, снова превращаясь в того любезного молодого человека, которого Света узрела двадцать минут назад. — Не злоупотребляйте этой лаконичной выразительностью.

Бабкин отогнал голубей, подтащил ящик и галантным жестом предложил Свете присесть. Сам устроился рядом на корточках, а Илюшина проигнорировал: кому нужен ящик, тот сам его притаскивает.

Света на всякий случай жалобно шмыгнула носом, но ясно было, что момент для нытья безнадежно упущен.

— Пришла ко мне она... — обреченно начала она.

— Жена Григория? — перебил Макар.

— Ну да. И говорит...

Тут Света задумалась. Алевтина так хитро построила разговор, что смысл каждой фразы был весьма расплывчат, но при этом содержание всей беседы не вызывало никаких сомнений.

— Ну, что говорит-то? — поторопил ее Бабкин.

— Ничего не говорит! — огрызнулась Света. — Бабла предлагает!

— Просто так? — усомнился Илюшин. — На, говорит, тебе, Светлана, денег, а то у меня лишние завалялись.

Игнатова насупилась. Что они ее, за дуру держат?

— Нет, не так. Она хотела, чтобы я кое-что для нее сделала.

....

Визита Алевтины Игнатова совсем не испугалась, скорее, ощутила внутри разрастающийся пионерский задор. «А я что? — готовила она речь наскоро, пока наблюдала приближающуюся к ее дому угловатую фигуру. — А я ничего!» И роились в ее голове фразы вроде «за своим мужем надо самой следить» и «мужик не баран, за рога не уведешь». Из этого роя Светлана приготовилась вытаскивать по одной пчеле и атаковать Алевтину. Пусть уйдет хорошенько искусанная! Что это за наглость такая — заявляться вот так за здорово живешь к любовнице своего мужа! Никакого такта нет у людей.

Так думала Светлана, понемногу распаляя в себе здоровое возмущение.

Но первая же реплика Алевтины заставила ее прикусить язык от удивления.

— Чайку не нальешь? — пропела Гришкина жена и огляделась. — Эх, хорошо у тебя! Сама бы к тебе в гости захаживала.

Игнатова насторожилась, но дальнейший разговор потек до того миролюбиво, что она начала гадать: осведомлена ли Алевтина о похождениях ее муженька? По всему выходило, что должна знать, никак не может не знать, ибо Григорий с Игнатовой своей пылкой страсти не скрывали, а жители Шавлова излишней щепетильностью не страдали и всё секреты тащили к тому, кто в них меньше всего был заинтересован.

В данном случае — к обманутой жене.

Но Алевтина ходила кругами, глазки свои водянистые прикрывала удовлетворенно, отпивала по глоточку крепкий до горечи чай и не морщилась. Что-то есть у нее на уме, убеждалась Игнатова с каждой минутой, но что именно, понять не могла, и это ее всерьез тревожило.

Как вытащит сейчас эта селедка нож, как начнет тыкать в богатое Светино тело! Света никогда не обольщалась насчет нравственности обманутых жен. От этих всего можно ожидать.

Алевтина нож не вытащила, а достала деньги и зачем-то пересчитала на глазах у Игнатовой. Безжалостный поступок, ибо Светка как раз сидела на бобах. Не у Гришки же деньги клянчить, он тоже гол, как общипанный петух.

— Бывает, мужчины такими болезнями заболевают, о которых говорить-то стыдно, — задумчиво сказала Алевтина.

Игнатова подтвердила, что да, случается.

— И ведь скрывают, подлецы, от всех! — огорчилась Алевтина.

Свете стало не по себе. К чему это она клонит?

— А ведь если б нашлась такая женщина, которая на весь мир их ославила, поганцев, жить бы стало легче! — с надеждой сказала Алевтина.

— А рыло бы той женщине не начистили бы? — осведомилась Игнатова.

— Если б она на площадь вышла и принялась орать, как раненая коза, то начистили бы, — согласилась Алевтина. — А если бы по-умному все сделала, по-тихому, то ходила бы крепенькая, целехонькая и богатенькая.

И Алевтина еще раз выразительно помахала деньгами.

Тут Игнатова начала соображать, куда дело идет.

. . . .

—**К**ороче, она захотела, чтобы я про Гришку всякое наговорила, — хмуро сказала Света внимательно слушавшим Бабкину и Илюшину. — Вроде как у него болячки дурные. Которые только у нашего Овчарова лечить можно.

— И вы наговорили, — понимающе кивнул Макар.

— А что мне делать-то оставалось?!

— Действительно, — буркнул Бабкин. — Не отказываться же возвести поклеп на человека только из-за того, что это не очень порядочно.

— Это у вас, мужчин, такие слова в ходу — порядочно, непорядочно! А для женщины ваша порядочность — слишком большая роскошь. Я решила, что от Гришки не убудет.

— И соврала, — резюмировал Макар.

— Ну, соврала, — вызывающе согласилась Света. — А может, и не соврала! Я ж у него справку не требовала!

— Что-то мне подсказывает, что со справкой у Григория все было бы в порядке, — вполголоса сказал Бабкин Макару. — Это жена его выдумала. Зачем только, не соображу.

Света покачала головой с чувством глубокого превосходства.

— Чтобы бабы ему от ворот поворот давали! — объяснила она. — Если он заразный, кто с ним свяжется?!

Она поднялась с ящика, одернула подол платья и, уже совсем придя в себя, мазнула по Илюшину пылким взглядом. «Ах ты мой птенчик!»

ЧЕРНЫЙ ПУДЕЛЬ, РЫЖИЙ КОТ...

Птенчик не отреагировал, и тогда Света вспомнила, что она не просто женщина, а женщина деловая!

— Пять сотен моих давай сюда, — сухо потребовала она. — Жадные какие все до халявы, ужас просто.

4

Саша встретила Бабкина и Макара, разве что не подпрыгивая от нетерпения.

— Он нашел вас? Нашел?

— Кто?

— Защитник Галки. Господи, как его... — Она наморщила лоб, вспоминая имя, но оно начисто вылетело из головы. Какое-то на редкость невыразительное, то ли Иван Сергеич, то ли Сергей Иваныч, и фамилия соответствующая — допустим, Смирнов. Или Кузнецов.

— Нет, не нашел. — Макар вытащил телефон и проверил входящие. — Здесь сеть периодически не ловит, он, наверное, не дозвонился. А что хотел?

— Галка попросила его передать, что она поняла, кто убийца!

— Круто! — мрачно одобрил Бабкин. — Мы тут носимся, как потные савраски, а она сидит в камере и раскидывает извилиной, как Ниро Вульф.

— В камере у тебя тоже был бы дополнительный стимул раскидывать извилиной, — заметил Макар. — Она что-то вспомнила, Саш? Следователю рассказала?

— Про следователя ничего не знаю. Но думаю, что нет. Понимаешь, она сообразила, в чем Ритина выгода.

— И в чем же?

— В плацдарме!

5

У Галки, действительно тихо зверевшей в своем изоляторе, по истечении суток сложилась непротиворечивая картина событий. В памяти всплыли факты, о которых Галка даже не знала, что они хранятся в ее голове.

Галка Исаева от природы была очень наблюдательна, но наблюдательность эта была, если можно так выразиться, неосмысленна. «Я что-то видела, но не знаю что», — так описала бы Галка свои впечатления от какого-нибудь происшествия. Память ее впитывала мельчайшие детали, однако после погребала их под эмоциями и событиями первого плана. Однажды Галке довелось встретить всемирно известную актрису. Позже, когда она вспоминала об этом, на первое место выступало потрясение. На втором в ее воспоминаниях сияла горделивая радость. На третьем переливалось самодовольство: актриса оказалась далеко не так хороша в жизни, как на рекламных постерах, и Галка даже подумала, что сама-то она по сравнению с ней еще ого-го! Больше ничего в памяти от этой встречи не отложилось. Во всяком случае, так думала Исаева.

А через полгода Саша попросила ее нарисовать эту актрису. Шутливая просьба просто пришлась к слову. Галка за пять минут, к изумлению Стриженовой, набросала на салфетке полный портрет со всеми сопутствующими деталями, от шанелевской сумочки до туфелек от Лабутена, не забыв стрижку, серьги, колье и поясок с пряжкой, совпадающей формой с колье.

В ее голове не хранилась фотография. Просто одна деталь тащила за собой другую, и постепенно Галка вытягивала наружу из пропасти забвения всю ниточку с узелками.

Едва убедившись в том, что Рита вполне может быть виновницей ее заточения, Галка принялась вспоминать:

«Плацдарм, плацдарм... Старуха твердила о плацдарме. Что за этим скрывается?»

В голове Исаевой заработал миниатюрный компьютер. Он обрабатывал данные, откидывал лишнее, отсеивал шлак, оставляя бесценные крохи полезной информации. Листок из блокнота с номером телефона, обрывки разговора с Кристиной, газета, открытая на соответствующей странице... Факт подгонялся к факту, кирпичик ложился к кирпичику, и вскоре Галка готова была дать единственный ответ, вытекавший из того, что она вспомнила.

6

—**О**на сняла где-то квартиру, совсем недавно. Кажется, при помощи Кристины.

Бабкин растерянно почесал в затылке. Он не видел в аренде квартиры ничего необычного. Из-за чего здесь можно убить? Впрочем, кто их знает, эти жестокие местные нравы.

«Старуха сказала «плацдарм», а в выборе слов она, похоже, была довольно точна. Плацдарм для какого сражения потребовался Рите Сысоевой?»

— Найдем квартиру, а там расчлененные бабы! — мечтательно вздохнул он.

— Тебе лишь бы бабы! — упрекнул Илюшин. — Хотя б и расчлененные. Учти, я не одобряю твоих фантазий. Слышишь, Саш?

— Слышу-слышу! — отозвалась Стриженова, глядя в окно. — С чего вы начнете?

— Ну, для начала надо бы встретиться с Ритиной подругой.

— О, Курятина! — обрадовался Бабкин. — Бюст, помноженный на блонд!

Саша обернулась к Макару и прострелила его взглядом навылет.

— Твоя фраза?

— Я мог бы и сам придумать эту формулировку, — обиделся Сергей. — Почему сразу Илюшин?

— Потому что он любитель блондинок и бюстов!

— Именно поэтому я встречаюсь со стройной шатенкой, — скромно подтвердил Макар. — Тренирую дух и плоть.

Саша не улыбнулась шутке, а только сощурилась по-кошачьи. Еще некоторое время назад она смущенно отошла бы в сторону при одном лишь упоминании Кристины и постаралась ничем не выказать своего раздражения. Но Шавлов менял людей и за более короткий срок. Стриженова была не в восторге от того, что Илюшину предстоит встречаться с местной длинноногой нахалкой, вившейся вокруг него весь вечер, точно моль вокруг соболиной шубы, и она ясно дала это понять. По прежним правилам Саши ревность была неправильной эмоцией, и демонстрировать ее не следовало. Но ей сейчас было наплевать на правила.

Илюшин некоторое время смотрел в прищуренные синие глаза, а потом сказал:

— Серега, езжай к Курятиной без меня.

— Э-хм? — озадачился Бабкин. Что в переводе с мужского на мужской означало «Ты тут главный или нет? Хватит идти на поводу у своей красотки».

— У-гм, — утвердительно ответил Илюшин. Что означало «Посмотрел бы я на тебя в этой ситуации».

Сергей вздохнул и покорился судьбе.

— Давай адрес, где искать эту вашу Курятину. Саш, можно еще раз по пунктам, что сказала Галя?

Он вытащил блокнот и приготовился записывать.

Черт, как же плохо, что Илюшин сбежал с корабля в самом начале плавания! Его-то Курятина знает и, судя по всему, была бы счастлива с ним побеседовать. А кто такой для нее Бабкин? Хмырь с бугра. Причем в прямом смысле, ибо домишко его стоит на холме.

— А ты чем будешь заниматься? — хмуро осведомился он. Вопрос должен был прозвучать как упрек, поскольку Бабкин был уверен, что ничем путным.

— Мне надо навестить Олега Сысоева, — неожиданно сказал Илюшин. — Есть предмет для беседы.

7

Дом Олега встретил Макара тишиной. Конечно, эта была тишина в исполнении Сысоевых, то есть никто не голосил, не костерил на чем свет стоит непутевого алкаша Гришу и не цитировал малоизвестного Пушкина. Но на кухне гудел общий разговор, звенели ложки, а в дальних комнатах вполголоса ругался пылесос, засосавший что-то неперевариваемое. Под ноги Макару при входе выкатился кот Берендей и деликатно мяукнул, намекая, что пора бы его покормить.

— Прости, дружище, это не ко мне. — Макар потрепал Берендея по толстому загривку. — Я бы на твоем месте мышей ловил.

Умное лицо кота отразило все, что он подумал, услышав это предложение. Берендей негодующе фыркнул, вскинул хвост и пошел, модельно качая пушистыми бедрами, в сторону кухни.

Макар прислушался. Вычленить из разноголосицы тембр Олега ему не удалось, и он заключил, что Сысоев со всеми вместе не обедает. «Главное, чтобы на работу не сбежал». Илюшин не стал звонить и договариваться о встрече, ему было важно застать парня врасплох.

Наудачу дошел он до комнаты Олега, постучал без особой надежды на успех, но изнутри отозвались:

— Макар, входи!

— Откуда ты знал, что это я? — поинтересовался Илюшин, открывая дверь.

Олег, сидевший у стола и что-то мастеривший из деталей радиоприемника, усмехнулся и с удивительной для него словоохотливостью сообщил:

— Ты один стучишься. Остальные просто дверь вышибают. И правильно. Какие у меня могут быть секреты?

«Стадия острого сарказма, — определил Макар. — Взрослеет мальчуган».

Мальчуган, выше его на голову, вернулся за стол.

— Ничего нового?

— Отчего же, — светски сказал Илюшин, пожимая плечами, — кое-что новенькое все-таки есть.

Олег оторвался от своих деталей и пристально взглянул на Макара.

— Раз уж мы так удачно заговорили о секретах, — продолжал Илюшин, — будь любезен, объясни мне, зачем ты соврал?

Несколько секунд Олег молчал. Это было не обычное его молчание, наполненное невысказанными словами, а молчание камня, который уронили и он летит, не зная еще, разобьется ли сам или расколет чью-то голову.

— Когда? — выдавил он наконец.

— Ты отлично знаешь когда. Но я тебе напомню. — Голос Илюшина не утратил свойственную ему мягкость, но сейчас это была мягкость кота, играющего с мышью. — Когда сказал мне, что провел двадцать минут, беседуя со своим другом о возвышенных материях. Или не о них. Важно то, что никакой друг тебе не звонил и разговора не было.

Он сердито сморщил нос.

— Господи, попытаться купить меня на такую чушь! Никакого уважения к моим умственным способностям. Мне кажется, вы тут в Шавлове все держите друг друга за клинических идиотов. Это ваш способ взаимодействия в больших и малых социальных группах. Выработался в процессе эволюции как самый подходящий для выживания.

Олег Сысоев оторопело помотал головой.

— Какая эволюция?

— В ходе которой лучеперые рыбы выбрались на землю. Или не выбрались, я уже позабыл. Помню только, у них был подвиг хрящевых ганоидов.

Сысоев окончательно перестал улавливать ход Макаровой мысли.

— Хрящевых — кого??

— Ганоидов. Я бы сказал, один из них сейчас таращится на меня глазами малосольной селедки.

— Я — ганоид? — изумился Олег.

— Хрящевой, — подтвердил Илюшин. — Сам не верил до последнего. Но приходится смотреть фактам в лицо.

Олег начал выпрямляться.

— Ты сейчас за ганоида-то ответишь...

— Хрящевого включи в счет, — безбоязненно посоветовал Макар. — Только сначала объясни, будь любезен, зачем ты соврал насчет звонка другу. А я тогда подумаю, на какую ступень эволюции тебя, животное, поставить.

Олег скис.

— Почему животное? — угрюмо спросил он.

— А кто же еще, — удивился Макар. — Девушка твоя в изоляторе, и подозревается она не в том, что рыбу незаконно глушила динамитом, а в убийстве человека. Ты меня нанимаешь, чтобы якобы ей помочь, и первый же врешь как сивый мерин. Кто ты после этого? Засранец и скотина.

Макар был искренен и очень убедителен. Ему понравился Олег, а когда люди, которым он выдавал кредит доверия, не оправдывали его ожиданий, Илюшин начинал злиться. Их ложь означала, что он ошибся и сам дурак, а оставаться в дураках Макар терпеть не мог.

По большому счету, злился он на себя. Но Олег этого знать не мог. Он видел перед собой крайне раздраженного парня, который не только его не боялся (хотя Сысоев считал, что может кулаком вколотить его в пол по самую макушку), но и выглядел так, словно вот-вот сам врежет Олегу.

Бесстрашие человека, заведомо более слабого, чем он, подействовало на Олега отрезвляюще. «Ты кого бить собрался, идиот? — спросил он себя. — И зачем?»

— У вас семейство патологических врунов, — добил Илюшин. — Папа врет. Дядя врет. Тетя врет. Не удивлюсь, если и кот привирает. Один честный человек в доме у старухи живет, и тот пудель.

— Пуделя она дяде Грише оставила, — машинально откликнулся Олег.

— Знаю. В нагрузку к недвижимости. Вот тебе и мотив.

Олег попытался совместить в голове дядю Гришу, старуху Елизавету, ее чахлый домишко и садового гнома. Уравнение не складывалось.

— Глупости, — решительно отмел он. — Гриша не знал о наследстве.

— А если б узнал?

Олег промычал что-то невнятное, имея в виду, что Григорий дождался бы, пока баба Лиза сама помрет.

Макар его понял.

— А если он страстно возжелал уйти от жены? Но в принципе, ход твоих мыслей мне нравится. Он говорит о том, что ты не кидаешься обвинять поочередно всех членов своего семейства, даже имея на то основания.

Илюшин взял стул, развернул спинкой от себя и сел верхом. Олег бессмысленно вертел в пальцах какую-то деталь и избегал смотреть на сыщика.

— Ты старуху убил, оболтус? — дружелюбно поинтересовался Макар.

— Зачем мне?

— А врать зачем?

Олег тяжело вздохнул.

— Давай-давай! — подбодрил Илюшин. — Не стесняйся, режь правду-матку. Не в смысле ножичком по горлышку, а признайся чистосердечно: был там-то, творил то-то, в совершенном раскаиваюсь.

Олег Сысоев поднял на Илюшина затравленный взгляд.

— С Кристиной я был, — страдальчески сказал он. — У себя в комнате. В совершенном не раскаиваюсь.

Несколько секунд Макар, не отрываясь, смотрел на него, потом вздохнул.

— Ну да, ну да, — сказал он словно самому себе. — Когда и оттянуться напоследок, как не перед собственной свадьбой.

Он понимающе кивнул и несколько раз качнулся на стуле.

Олег начал подниматься из-за стола. Выглядело это так, как будто из воды вырастает вулкан и вот-вот начнет извергаться.

Илюшин вулкана не испугался.

— Детальки рассыпешь, — заметил он. — Кстати, что ты там собираешь — конструктор Лего?

Сысоев пошел пятнами. Более благоразумный человек на месте Илюшина уже удирал бы, осознав, что издевки превысили критическую норму и сейчас все вокруг зальет лавой. Но Макар никогда не отличался благоразумием.

— Ты хорошо себя чувствуешь? — заботливо осведомился он. — Пыхтишь как-то нездорово, пятнистый вон стал, как гиена.

Олег три раза глубоко вдохнул и выдохнул. Нет, он не затеет драку с этим хмырем!

— Вот-вот, подыши, — одобрил Макар. — А то у тебя сейчас пар из носика пойдет.

Нет, все-таки затеет, понял Олег, у которого в глазах уже плясало по маленькому взъерошенному Илюшину. Он сделал шаг навстречу ехидному поганцу, и тут дверь снова приоткрылась.

— М-р-р? — деликатно поинтересовались из коридора. И не дождавшись ответа, в комнату просочился кот Берендей.

Он потерся об джинсы Илюшина, щедро оставив на его штанинах двухнедельный запас шерсти, сел и стал умываться.

— Кстати, почему Берендей? — спросил Макар, словно не дразнил только что Олега. — Кто из вас дал коту такое странное имя?

— Пахом дал.

— Пахом Федорович? Старец? Так это его кот?

Все возбуждение Олега как рукой сняло. Он сдулся, будто резиновый ежик с револьверной дырочкой в боку, и тяжело опустился на стул.

— Его. Мать его забрала, когда Пахом в маразм впал.

Олег действительно не знал, почему старикан окрестил кошака именно так. Среди шавловских Васек и Мурзиков Берендей выглядел залетной птицей. Спросить же у самого Пахома не было никакой возможности, потому что в ответ тот начинал нести такую лютую ересь, что разбегались все.

Включая кота.

— Все-таки очень странное имя, — с сомнением пробормотал Илюшин. — Ладно, потом разберемся. А теперь скажи мне, Кристина может подтвердить твои слова? — Илюшин наклонился и погладил кота, словно обращался к нему, а не к Олегу.

Берендей глянул укоризненно: «Только я помылся, а ты снова меня испачкал своими граблями».

— Да ничего она не подтвердит! — в сердцах воскликнул Сысоев. — Еще и подставит меня!

— Это почему же?

Олег начал багроветь.

Когда Кристина втолкнула его в комнату и принялась танцевать стриптиз в полутьме, он почувствовал не вожделение, а растерянность и неловкость. Причем неловкость была того отвратительного свойства, когда стыдно не за себя, а за другого. Олег стыдился подруги своей сестры, которая весь вечер несла ерунду, а вот теперь зачем-то делает вид, что очень хочет его, Олега, хотя понятно же, что это неправда.

«Кристин, это... завязывай, — попросил он. — Чего ты напридумывала?»

Кристина, перегородив собою путь к двери и не давая ему выйти, тут же призналась Олегу в любви, поклялась хранить верность, засмеялась, заплакала и обвила тонкие руки вокруг его шеи. Губы прижались к его губам, и Сысоев оказался в таком идиотском положении, в каком не бывал уже давно.

Если бы в комнату вошла Галка, она трактовала бы увиденное однозначно. Мысль эта придала Сысоеву решительности, и он аккуратно, но твердо отодвинул Кристину от себя. Оказалось, что сделать это не так просто, как кажется: она прижималась к нему всем телом, рук не расцепляла и проявила отчаянное упорство.

— Криська! — шепотом воззвал Олег. — А ну хватит!

Но Курятина рассмеялась бесовским смехом и сделала попытку повалить Олега на постель. Никак не ожидавший такого Сысоев оказался повержен более слабым и легким противником. Кристина ловко уселась сверху и во мгновение ока — он и дернуться не успел — привязала своим пояском от платья его запястья к прутьям кровати.

Олег дернулся и обомлел.

— Ты офигела? — выдавил он.

— От любви, Олежек! — поклялась Кристина, принимаясь раздевать его.

Если до этого у Сысоева и могли оставаться какие-то оправдания перед Галкой, зашедшей в комнату, то увидев эту сцену ее глазами, он бешено задергался, как бык под наездником, и попытался сбросить бессовестную деваху.

Тут-то и выяснилось, что идиотизм ситуации был им сильно недооценен. Ибо Кристина немедленно закатила глаза и принялась постанывать. Чем громче она стонала, тем явственнее осознавал Олег, что вот-вот на этот звук слетится вся его семья, и уж тогда-то всему придет конец.

Всему, кроме Кристины. Она будет жива, здорова и весела.

Олег и в мыслях не держал, что ею руководит злой умысел. Он наивно решил, что девчонка выпила лишнего и вино ударило ей в глупую голову. Даже заранее приготовленный поясок не навел его на подозрения, которые неизбежно возникли бы у человека более искушенного.

— Криска! — шепотом взвыл он.

— Да, дорогой!

Шаловливые руки Кристины уже добрались до ремня на его брюках.

Олег глухо взвыл, как будто ему обещали не наслаждение, а пытки, рванулся раз, другой — и дернулся с такой силой, что порвал пояс. Кристину снесло с Олега на пол. Она слабо пискнула, и Олег тут же почувствовал себя пристыженным.

— Ушиблась?

В ответ получил шипение и две царапины на руке.

— Криська, да угомонись ты…

Но Кристина сбежала, обозвав его напоследок импотентом и оставив на память о себе разорванный поясок от платья.

....

Выслушав этот полный трагизма и несбывшихся желаний рассказ, Макар бестактно захохотал, зачем-то подхватил кота и поцеловал его в нос. Ошеломленный Берендей повис в его руках и только прикрывал лапами живот, чтобы не вздумали целовать в свежевылизанное пузо, извращенцы.

— Сысоев, ты дурак! — сказал развеселившийся Илюшин. — Тебя царицами соблазняли, но не поддался ты!

— Почему это дурак? — пробормотал смущенный, рассерженный и одновременно испытавший облегчение Олег. «Потому что раньше надо было ему рассказать, вот почему», — сообщил суровый внутренний голос.

— Потому что надо было мне раньше сказать, — подтвердил Илюшин. — Ладно, живи. С возлюбленной твоей я сам разберусь.

．．

—Серега, — сказал он в трубку минутой позже. — Делай что хочешь, но я должен знать, что говорит Курятина о том промежутке, когда убили Пудовкину. Хоть распотроши ее, но пускай расколется.

— Потрошить — это к тебе, — проворчал Бабкин, разглядывая окна дома Кристины. — А я привык действовать лаской и мягкостью.

Проходившая мимо женщина с пластиковым ведром, услышав последние слова, обернулась на громадного мрачного мужика в футболке с надписью «Уплочено» и почему-то перекрестилась. Сергей, не понявший, отчего она это сделала, благодарно помахал ей рукой, и женщина ускорила шаг.

— Ласково ее распотроши, — согласился Илюшин. — Но мне нужно, чтобы она подтвердила или опровергла слова Олега.

— Что, врет наш жених?

— Похоже, на этот раз для разнообразия говорит правду. Но ты ж понимаешь, одному человеку верить нельзя.

— А двоим и подавно, — буркнул Бабкин. — Ладно, пошел я к Курятиным.

— Благословляю тебя, сын мой!

Преисполненный дурных предчувствий, Сергей нажал на кнопку звонка. Внутри раздался хриплый собачий лай, дверь распахнулась, и на крыльцо явилась в сиянии юной красы белокурая девица в микро-шортах и такого же размера бюстгальтере, изо всех сил притворяющемся топиком.

Бабкин сглотнул. «Да они издеваются надо мной!» — возмущенно подумал он, вспомнив рыночную искусительницу с яблоками. В памяти его всплыла остроносенькая маленькая Галка, и против своей воли он подумал, что Олег Сысоев идиот.

— Чего вам? — без улыбки спросила девица. И поскольку Сергей молчал, добавила со злостью: — Язык проглотили?

— Красивая вы очень, вот чего, — несколько сбивчиво поведал Бабкин, ощущая, что надо немедленно возвращаться в Москву к жене, потому что немыслимо среднему московскому сыщику расхаживать среди шавловских прелестниц и сохранять невозмутимость.

Вместо того чтобы высокомерно улыбнуться и принять комплимент снисходительно, как полагается красавицам, белокурая нимфа робко взмахнула ресницами и зарделась. Сергей не мог знать, что решительный отпор Олега Сысоева несколько подорвал веру Кристины в себя, а колдовство Галки Исаевой, выставившей ее провинциальной простушкой с претензиями, подлило в чашу яда.

Сейчас Кристина видела мужчину в своем вкусе, и мужчина смотрел на нее не враждебно и не презрительно, а с опасливым восхищением.

Преисполнившись благодарности, Кристина спустилась к нему на две ступеньки и доверчиво заглянула в глаза.

— Вы зачем пришли-то? — с легким оканьем спросила она.

Бабкин умилился ее говору и не стал лукавить.

— Расспросить кое-о чем. Только вы мне можете помочь.

— А что же, — сказала Кристина, плотоядно разглядывая его. — А и помогу. Хорошему человеку чего ж не помочь.

. . . .

...Парк, ставший Бабкину практически родным, встретил его теплым ветром и сладким дыханием лип. Сергей достал телефон и набрал номер Илюшина.

— Ну? — требовательно сказал Макар.

Сергей понял, что от него требуется не пересказ, а очень краткий конспект.

— Кристина уверяет, что Олег Сысоев приковал ее наручниками к батарее и пытался насильно овладеть. Но она вывернулась, сбежала и теперь не может прийти к Сысоевым, потому что ей стыдно смотреть в глаза их семье.

— Вот дура-то, — восхитился Илюшин. — У Сысоевых же нет в доме батарей! Да и наручников.

— Ты как о женщине отзываешься?! — рассердился Бабкин.

Макар оторопело замолчал. Чуть ли не впервые Сергею удалось добиться такого результата, и повторить он его потом не смог, как ни пытался.

— Так, — сказал Илюшин после очень долгой паузы. — Я понял. Это все Шавлов. Вода в колодцах отравленная. Или ты яблоко откусил?

— Какое яблоко?

— Красное! Кормили тебя яблоками? — заволновался Илюшин. — А молоко парное пить давали?

— Иди нафиг, — предложил Сергей.

— Я-то, допустим пойду, но ведь ты останешься под воздействием чар. Короче, слушай: девица Курятина врет, как журналист газеты «Правда». Никто ее наручниками к несуществующей батарее не приковывал.

Насмешливый ветер швырнул ему кленовый лист в лицо.

— Это я и сам понял, — сознался Бабкин. Разговор с Макаром действовал на него подобно холодному компрессу: жар в затылке постепенно утихал, на его место возвращалась здравость мыслей.

— Молодец. Фантазии придумать что-то свое у нее не хватает, поэтому она берет готовую ситуацию и переворачивает вверх ногами. После твоего рассказа в этом нет сомнений.

Бабкин подобрал со скамейки опавший цветок липы и зачем-то сунул в рот.

— Хочешь сказать, это она приковала Сысоева наручниками?

— Просто связала.

Сергей завистливо вздохнул. Везет же некоторым...

— А тот ее лягнул, — добавил Макар, и по голосу было слышно, что он ухмыляется.

— Лягнул? — ужаснулся Бабкин. Такую девушку — и ногами?!

— Собственно, потому она и врет. Слушай, ты снял у меня камень с души. Все-таки получается, что Олегу можно верить.

Бабкин не знал, как можно верить человеку, который лягает девушек, подобных Кристине Курятиной. С другой стороны, подумал он, не исключено, что это был радостный взбрык, который неверно расценили.

— Серега, ты чего там молчишь? — насмешливо осведомилась трубка. — Опять провалился в сладкие грезы?

— А ты у меня что-то спрашиваешь? — очнулся Бабкин.

— Нет, я тебе стихи декламирую. Разумеется, спрашиваю. Ты мне рассказал половину задания. Где вторая?

Тут-то Сергей окончательно пришел в чувство, и все яблочные дамочки и длинноногие блондинки вылетели у него из головы. Макар спрашивал, удавалось ли ему выяснить, что за плацдарм готовила Рита Сысоева. И у Бабкина был ответ. Наконец-то у него были ответы на все вопросы, с которыми он пришел к девушке.

— Макар, ты не поверишь!

Он вспомнил Кристину, с легкостью выложившей все подробности жизни подруги, и прелесть ее несколько померкла.

— Поверю. Давай не томи.

Бабкин выплюнул липовый цветок.

— Рита Сысоева сняла квартиру в другом городе и собирается уехать туда рожать.

Макар на другом конце провода поперхнулся борщом.

— Она что, беременна?

Глава 11

1

На белом листе бумаги человечек с выпирающим, как воздушный шарик, животом шел навстречу человечку в боксерских перчатках, а ручки-ножки-огуречик на длинных, как ходули, палочках бежал за ежиком.

— Это кто? — ткнул Бабкин в ежика.

— Олег Сысоев, — сообщил Макар, углубленно дорисовывая в углу еще одного персонажа. Он сидел на полу, обложившись цветными карандашами, хотя использовал только один, простой.

— Господи. А почему еж-то?

— Потому что я так вижу, — надменно пояснил Илюшин. — Сквозь призму своего таланта.

Бабкин хмыкнул и подумал, что призма какая-то корявая, но вслух ничего не сказал. Наблюдать за рисующим Макаром было чертовски увлекательно. Были в его каляках-маляках живость и, как ни смешно, удивительное сходство с изображаемыми персонажами. Чем дольше Бабкин рассматривал ежа, тем сильнее убеждался, что физиономия у того совершенно сысоевская. Разве что клетчатой рубахи не хватает.

— А меня ты почему не изобразил?

— Сейчас изображу, если не отстанешь, — угрожающе пообещал Илюшин.

— Не, я передумал. Заканчивай быстрее, Пикассо недоделанный, и поделись с нами своими выкладками.

День клонился к вечеру. Небо над рекой сочилось закатным золотом цвета чайной заварки, и уже плавала в нем еле видимая лимонная долька месяца.

— Сообщаю! — оповестил Илюшин. — Старуха Пудовкина ткнула пять раз и пять раз попала в цель.

Саша, лежавшая на животе рядом с ним, протянула красный карандаш. Илюшин накалякал гнома и удовлетворенно откинулся назад, созерцая свое творение.

— Я иногда думаю, что ты занимаешься расследованиями, только чтобы был повод порисовать. — Сергей сел рядом и придвинул кресло, чтобы опираться спиной. — Ладно, поехали. Что у нас по каждому фигуранту?

Макар покрутил свой рисунок так и сяк и пожал плечами:

— Ноль у нас по каждому фигуранту, Серега. Ноль без палочки.

— Нет, подождите, как же так? — заволновалась Саша. — Вы же сегодня столько всего узнали...

Она осеклась.

— Мы узнали, — спокойно продолжил за нее Макар, — что Рита Сысоева беременна, хочет переехать от родителей и подыскивает себе съемную квартиру в Нижнем Новгороде. Похоже, уже нашла. Что ее приятель Валера Грабарь врезал своему сопернику и у того случилось сотрясение мозга, а через неделю соперник помер, но прямая связь с ударом недоказуема. Что Сысоев, когда служил, то ли воровал масло, то ли нет. Что Кристина безуспешно соблазняла Олега Сысоева, чем вышеупомянутый Сысоев был весьма смущен и даже пытался скрыть от нас...

— Балбес! — вставил Сергей.

— Оставим в стороне его интеллектуальные способности. Еще нам известно, что Григорий и Петруша собирались отомстить соседу, но ничего предосудительного не совершили, зато сосед куда-то пропал. Поскольку случилось это до того, как парочка мстителей наведалась на его участок, вероятно, не они послужили причиной его исчезновения.

— Протестую! — возразил Бабкин.

— Поддерживаю, — согласился Макар, подумав. — Нет никакой связи между его исчезновением и их визитом. Возможно, они закопали расчлененное тело в картошке и собирались зарыть поглубже, но их спугнули. Не исключено, что это совершила Алевтина. Та самая, которая подкупила последнюю любовницу Григория, дабы она распускала о нем нехорошие слухи. Что еще?

— Про Нину, — подсказала Саша.

— Ничего, — развел руками Макар. — Бабка намекала на какого-то Ивана, подозреваю, речь снова о соседе. Серега узнал у местных, что Кожемякин ухаживал за Ниной в юности, но она выбрала другого. Учитывая, что речь идет о событиях тридцатилетней давности, предлагаю не придавать им значения.

— Тридцать лет не так уж и много. Может, у них любовь горит и пылает, а старуха узнала и собиралась разрушить хрупкое семейное Нинино счастье! — возразил Бабкин.

Илюшин покосился на него подозрительно.

— Поверь мне, Нина крепко держит своего журавля за ногу, и попробуй разжать ей хоть один палец. Она тебе башку откусит.

Сергей в задумчивости снес только что выстроенную линию из костяшек домино.

— Мысль о Нине не выходит у меня из головы, — признался он. — Засела там, как дюбель из монтажного пистолета.

Макар высоко поднял брови.

— Ты осознаешь, что вообще-то в норме дюбелю из монтажного пистолета нечего делать в голове?

— Смотря какая голова!

Стриженова на секунду зажмурилась. Нет, невозможно! С этими двоими невозможно толком ничего расследовать!

— Вы ничего не выяснили!

— Выяснили, Саш, выяснили, — вздохнул Макар.

— Только все эти семейные скелетики нам ничего не дают, — прогудел Бабкин.

— Почему?

Бабкин беспомощно взглянул на Илюшина, и тот взял объяснение генеральной линии партии на себя:

— Потому что цена им, Саш, в переводе на язык физических воздействий — максимум хорошая оплеуха, но никак не убийство. Это все довольно невинные секреты, понимаешь? Нечего нам предъявить следствию. Так что простите, братцы, но у нас как не было серьезного мотива, так и нет.

Все трое пригорюнились над изрисованными листочками.

— А еще я нутром чую, что следствие на этих фактах сидит и свежими погоняет, — внес свою черную лепту Сергей. — Хлебников-то местный, ему не приходится по пятьсот рублей совать каждой торговке.

Макар поморщился. Признавать, что кто-то опередил его, было не слишком приятно. Но его лошадь не мчалась к финишу сломя голову, а топталась на месте. Так что поражение в гонках не должно удивлять.

Бабкин прав. То, на что они потратили два дня, следователь Хлебников наверняка получил на блюдечке с хохломской росписью. Если только он хоть немного занимался делом, а не груши околачивал. Чутье подсказывало Макару, что сосредоточенный долговязый следователь не любитель груш.

Однако что-то в распределении фигурантов, как назвал их Сергей, его смущало. Его не оставляло ощущение, что он не вписал какую-то деталь, которая позволит иначе взглянуть на этот набор разрозненных персонажей.

Макар подумал и дорисовал Пахома Федоровича на инвалидной коляске. Прислушался к себе, но ничего не поменялось. Пахом торчал как пугало и ничего нового в уже собравшийся расклад не вносил.

«Совсем я нюх потерял, — удрученно подумал Макар. — Дело-то на пять копеек. Все к твоим услугам. Но куда ни ткнешься, всюду пустышка».

Пузыри тайн лопались один за другим. Семейные скелеты выпадали из приоткрытых шкафов, но выглядели не опаснее манекенов. Макар раз за разом силился проткнуть шпагой свирепого противника, а попадал в воздушный шарик. Он вполне допускал, что Рита Сысоева мучительно переживает из-за беременности до брака и что для ее родителей будет сильнейшим ударом новость о ее переезде в другой город, но для него было очевидно, что за сохранение подобных сведений в тайне гномом по голове не бьют.

«Почему бы и нет, конечно. Но только все это умозрительно. Доказательств как не было, так и нет».

Хоть бы один кровавый секрет! Хоть бы один полноценный скелет в кандалах, на котором еще не истлела плоть! Да где там.

Одно слово — Шавлов.

За окном, словно подтверждая его думы, кто-то протяжно заблеял.

— Макар, а Макар, — позвал Бабкин, вертевший в руках план сысоевского участка.

— М-м?

— А почему ты думаешь, что это не мог быть пришлый? Почему мы уперлись, как бараны, именно в своих?

Саша подняла голову и вопросительно посмотрела на друзей.

— Следов не нашел, — разочаровал Макар. — А я бросился осматривать периметр еще до приезда Хлебникова с его компанией, то есть до того, как все затоптали.

— Темно было, — усомнился Бабкин.

— А фонарь на что? Если пришлый, должен был выйти из леса и перелезть забор. Значит, останутся отпечатки на земле. А их нет.

— Ты не следопыт!

— Вдоль забора тенисто, мох и черничные заросли. Ни одного куста не притоптано. Я все облазил. Да и никто из посторонних не мог знать, что Елизавета окажется на той полянке. Нет, Серега, кто-то следил за ней.

— Или вышел одновременно на поляну. — Бабкин почесал в затылке. — А там слово за слово — и огребла старушенция.

Он вопросительно посмотрел на Сашу:

— Может, все-таки Галина?

— Не может! Хоть она и пыталась взять вину на себя.

— Ты тоже пыталась, — напомнил Макар.

— Довольно безрассудный был поступок, — буркнул Бабкин в сторону.

Саша хотела ответить, что он был продиктован исключительно заботой о подруге, но Илюшин вдруг поменялся в лице.

— Взять вину на себя, — пробормотал он, — взять вину на себя...

Схватив первую схему, он повел пальцем по старым записям.

— Что там? — подпрыгнул Бабкин.

— У тебя идея? — кинулась к нему Саша.

Макар сосредоточенно рассматривал свои каракули.

— Может, у него идея бросить все нафиг и свалить в Москву?

Саша покачала головой. Нет, Макар не из тех, кто бросает начатое. Проиграть он может, но выйти из игры в середине партии — никогда.

А Илюшин наконец-то осознал, что именно все это время оставалось на периферии его сознания.

Он уставился перед собой, собирая головоломку заново.

Некоторое время Саша с Бабкиным терпеливо ждали. Потом им надоело.

— Идея! — напомнила Стриж. — Какая?

Макар быстро переворошил кучу своих зарисовок и добрался до первого листа с человечками, на котором Рита еще не была пузатой.

— Я совсем забыл об этом за всеми своими вычислениями и попытками выстроить мало-мальски правдоподобное алиби.

— О чем забыл-то? — не выдержал Сергей.

Илюшин потряс перед ним рисунком.

— В убийстве признались не только Саша и Галка! Еще пять человек сообщили следователю, что они виновны в смерти Пудовкиной.

Об этом Бабкин услышал впервые и воззрился на Макара в изумлении.

— И кто же все эти честные люди?

— Один — боксер Валера. Его я пока скидываю со счетов. У меня сложилось впечатление, что он просто повторил фразу за Сысоевыми, потому что не знал, что говорить.

— А промолчать не мог?

— У него сложно устроена голова. Там три шурупа, бечевка и поролон, в ней так с ходу и не разберешься.

Бабкин одобрительно усмехнулся:

— Этот парень мне нравится.

— Он идиот!

— Он пострадал от твоих рук. Цеховая солидарность встает во мне в полный рост. Кто еще двое?

— Муж и брат Сысоевой. И это, Серега, самое интересное.

— Так и сказали: «прикончили мы нашу бабусю»?

Саша внимательно слушала, переводя взгляд с одного на другого.

— Именно так. Правда, сначала признался Олег, но по нему сразу было видно, что он пытается выгородить Галку. Последний аккорд шарахнула по клавишам Нина, но запоздала. А вот Петруша с Григорием выступили как раз вовремя.

— Что на них нашло?

— Отличный вопрос! Я тоже спросил себя, что это на них нашло. Но только сейчас вспомнил, что они единственные совершенно точно были во дворе, когда совершалось убийство. Правда, в чужом дворе. Но это не имеет значения.

— Не томи, голубь, — попросил Бабкин. — Ты к чему ведешь?

— К тому, что они явно выгораживали кого-то из своих. А если объединить это с замечанием Петруши о неудачном платье жены, вырисовывается любопытнейшая картина.

2

Ничего у Нины не получалось, все валилось из рук. И шарлотка не поднималась в духовке, и компот скис на второй день, и даже пылесос сломался.

Сысоева поймала проходящего мимо кота и прижала к себе:

— Утешь меня, Берендеюшка.

Держала она его, подлеца, крепко. Но кот применил обычную кошачью магию: растворил в своем организме все кости, вытек из рук и просочился сквозь дверь.

— Попроси еще у меня курицы! — крикнула ему вслед Нина. — Троглодит мохнатый.

— Кого ругаешь, Ниночка?

В кухню заглянул озабоченный Петруша.

— Никого не ругаю, Петя. Себя только.

Она озабоченно пощупала мужу лоб. Нет, не горячий. А взгляд воспаленный, и выглядит супруг так, словно температурит вторые сутки.

Нина, приобретшая когда-то на брачном рынке селезня вместо сокола, поначалу пыталась выдергать селезню все перья и нарисовать на выщипанной тушке контуры приличной хищной птицы. Но быстро опомнилась. Быть может потому, что увидела, как из ее бестолкового братца Алевтина лепит не мышонка, не лягушку, а неведому зверушку, выдавливая из него по капле того счастливого человека, каким Гриша был когда-то. А может, в глубине души она была добра к другим и строга к себе, а это парадоксальным образом облегчает жизнь не только окружающим, но и обладателю подобных качеств.

«Ты его выбрала сама, — сказала себе Нина. — Что ж ты его мучишь, бедного? Ну не подошло тебе, зачем же ножницами сразу кроить по живому? Верни в лавку, может, кому другому пригодится».

Но родился Олег, и возвращать неудачное приобретение стало поздно. Нина от материнства расцвела и внезапно стала замечать, какой дивный изумрудный отлив перьев у ее селезня, как смешно и мило он переваливается, когда спускается к воде, как заботлив он к ней и нежен.

«Бери, что дают, и цени, что взял» — таков был бы девиз Нины Борисовны, высеченный на гербе. Алевтина противостояла бы ей с щитом «Бей своих, чтобы чужие боялись».

— Ты Алевтину не видел? — рассеянно спросила Нина.

— Она домик поехала смотреть.

— А Гриша?

— Вернулся недавно.

— Я пуделя кормил! — послышался сочный бас, и в кухню ввалился Григорий. Сразу стало тесно.

«Господи! Еще ж пудель!»

— Как он? — жалостливо спросила Нина.

— По Лизавете своей страдает. — Гриша обыскал кастрюльки, поднял крышку над булькающим на плите варевом, обжегся, с грохотом уронил ее и долго дул на пальцы. — Лежит, морду вытянул, глазами смотрит, вздыхает.

Нина укоризненно покачала головой. Вот бесчувственный тип ее братец!

— Что ж ты его сюда не взял?

— Да ему там целая комната выделена. Запахи знакомые, все такое. Я его кормить стал, смотрю — на зенках-то у него бельма. Он, поди, уж и не видит почти ничего.

— Ну и что? — не поняла Нина.

— Зачем же я его сюда потащу? — удивился Гриша. — Тут все чужое, ему незнакомое. Там хоть родное. А у нас он совсем загнется, дурачина престарелая.

Нина осеклась и вдруг посмотрела на своего беспутного братца другими глазами.

«Вот ведь вылезает всякое в людях, когда не ждешь, — подумала она. — Мне бы и в голову не пришло, что псу старому и впрямь лучше в своем доме. А Гришке пришло».

— Прикинь, — продолжал Григорий, отыскав в закромах свежий батон и жадно откусывая от края, — если б сперва старуха померла в твоем доме, а потом пудель! Ха-ха! Весело бы получилось, правда?

Растроганность Нины как рукой сняло.

— А ну положь батон! — прикрикнула она. — Лоботряс!

— Шуточки у тебя, Гриша, — осудил Петруша. — Разве можно шутить над смертью?

Гриша комически вздернул брови.

— А над чем же еще шутить, Петь? Жизнь — она и так смешная, без наших шуток.

— Только насмешничать у тебя и получается. — Нина смела крошки, оставшиеся от изувеченного батона.

— Не только!

Григорий, шельма, лукаво подмигнул сестре и уже собирался развить свою мысль, но тут в дверь громко постучали.

Петруша пошел открыть и вернулся в компании двоих: приятеля Галки Макара Илюшина и неизвестного стриженого здоровяка.

— Это Сергей Бабкин, — сообщил Макар, указывая на него. — Мой друг.

— Приятно познакомиться, — низким голосом сказал друг.

Нина присмотрелась к обоим и поняла, что дурные предчувствия вот-вот начнут оправдываться. Злые они были, как собаки, особенно этот шустрый Илюшин, который прежде-то все больше болтал не по делу и вопросы дурацкие задавал, а теперь вот явился зачем-то с приятелем.

Первой реакцией Нины Борисовны на любое существо мужского пола было «накормить». Но тут она интуитивно поняла, что предлагать супчику не стоит. Не затем эти двое явились к ним на ночь глядя.

Ей вспомнилась прочитанная когда-то буддистская пословица: «Лают только мелкие шавки. Большим собакам достаточно улыбнуться».

Друг Макара был из очень больших собак.

Супруг Нины, тонкостью и пониманием не отличавшийся, засуетился, включил чайник, полез за конфетами в шкаф, уронил две коробки и только после этого поинтересовался, не желают ли чайку.

— Спасибо, не желаю, — сказал Макар, пристально глядя на него. — А желаю, чтобы вы мне объяснили, зачем услали свою супругу из кухни — это раз, и кого вы видели ночью в саду — это два. Если скажете, что Риту — а вы скажете, я не сомневаюсь, — то я выиграл у этого типа пять тысяч.

Он указал на своего молчаливого приятеля.

Петруша так и плюхнулся на табуретку. Гриша открыл было рот, поскольку у него всегда было что сказать, но тут Илюшин обернулся к нему:

— К вам, Григорий, те же вопросы.

Гриша подумал-подумал и бочком отполз в угол. Желание возражать этому рассерженному хмырю растворилось.

Нина стряхнула с себя изумление.

— Ты чего это раскомандовался? — вспыхнула она. — Что здесь такое происходит?

Между нею и Илюшиным запульсировал невидимый клубок пламени. Силы Нины Сысоевой хватило бы, чтобы вышвырнуть эту парочку из дома и надолго отшибить у них охоту возвращаться. Мужчинам ее ворожбу не перебить, она многократно в этом убеждалась, к тому же ее берегли родные стены.

Но гневный пылающий взгляд Сысоевой скрестился с ледяными серыми глазами. Нине вдруг стало не по себе. Она запоздало подумала, что зря не приглядывалась к этому пареньку, и никакой он вообще-то не паренек, не младше Олега, а то и старше, и смотрит-то как нехорошо...

Клубок пламени начал сжиматься.

— Я пытаюсь выяснить, кто убийца, — очень ровно сообщил Макар Илюшин.

Нина сделала усилие и восстановила преграду, которая легко могла превратиться в оружие.

— Для того следствие есть. А ты кто такой?

— А я частный сыщик. Но это не имеет значения. Важно, что вашему мужу не понравилось ваше платье, а вы, Нина, на это купились.

Тут Сысоева забыла о разгорающемся эпическом противостоянии и задумалась.

А ведь и правда.

Никогда Петруша прежде не критиковал ее платья. Нина и не думала, что он замечает, во что она одета. И желтое носила много раз, не слыша от него ни упрека, ни замечания. Собственно, поэтому Нина и бросилась переодеваться, что испугалась: всю жизнь нравилась ему, а теперь вдруг перестала.

— Глупости ты какие-то говоришь, — неуверенно сказала она. — При чем тут платье?

И посмотрела на супруга.

То, что она увидела, ей очень не понравилось. Петруша губу покусывал нервно, а в уголке Гриша старался слиться со стеночкой.

— Мне тоже очень интересно, при чем, — сознался Макар. — Потому что остальное более-менее ясно.

— Что — остальное? — севшим голосом спросила Сысоева. Что-то дурное померещилось ей в его тоне.

— Нина, не слушай его! — предпринял слабую попытку Петруша.

Женщина мазнула по нему рассеянным взглядом и отвернулась к Илюшину. «Напортачили два дурня, — мелькнула догадка, — а мальчишка все разнюхал».

Молчаливый друг Макара привалился к стене. В другое время Нина сказала бы все, что думала, о манерах некоторых, которые обои в чужих домах протирают. Но сейчас Бабкин мог бы изрисовать все стены маркером без опасения, что его прервут. Сысоева усердно решала логическую задачку, поставленную Илюшиным.

— Муж ваш и брат во время убийства были на улице, — сказал Макар, сложив руки на груди. — По их словам, на участке соседа. Что совпадает с показаниями Алевтины, которая наконец призналась, что видела мужа. Это факт номер раз.

Он покачался с пяток на носки.

— С участка Кожемякина отлично просматривается крыша вашего сарая и все подходы к ней. Это факт номер два. Когда моя подруга имела неосторожность признаться в убийстве, в вашем семействе началась скоропостижная повальная эпидемия признаний —

это факт номер три. И особенно усердствовали Петруша с Григорием — это четыре. Что отсюда следует?

— Что? — как завороженные, откликнулись эхом Нина, Григорий и Петр.

Бабкин подавил в себе желание последовать их примеру. Все-таки в Макаре проявлялось временами что-то гипнотическое, как в удаве Каа, раскачивающемся перед бандерлогами.

— Из этого следует, что ваш супруг видел, кто тащил Пудовкину на крышу, — любезно пояснил Макар. — И человек этот ему очень дорог, раз он выступил на его защиту, пожертвовав собой. Разумеется, это не может быть Галка Исаева. К тому же вы, Петр, были не один, — Илюшин наконец-то удостоил взмокшего Сысоева взглядом, — а с Григорием.

Гришка нацепил на физиономию неестественную ухмылочку и поклонился: спасибо, мол, наконец-то признали и мои заслуги.

— Не паясничай! — резко бросила Нина. — Петенька, это правда? Вы видели, кто был на крыше?

Петруша страдальчески посмотрел на нее, торопливо заморгал и сразу отвел глаза. Бабкину стало его жалко: маленький, ссутулившийся, испуганный. Да и братец этот, Гришка, тоже перетрусил. Видно, что бодрится, но внутри трясется, как студень. Удивительно еще, как хватает запала ухмыляться перед Илюшиным.

Петруша молчал, но Нине Борисовне и не требовалось его признание. Кого еще будут защищать с таким упрямством эти двое?

Сысоева непроизвольно прижала руку к сердцу.

— Рита! — выдохнула она. — Ох, господи...

Бабкину хватило одного взгляда на побагровевшее лицо ее супруга, чтобы понять: устного подтверждения не требуется. Не способен Петруша играть роль и притворяться дольше одной минуты. Невероятно, как это проницательный Илюшин не добился от него правды при первом же разговоре.

— Гриша! — стиснутым голосом приказала Нина.

— Нет, Нин, и не проси, — с издевательской ухмылкой отказался ее брат. — Ничего не видел, ничего не знаю, все эти измышления не ко мне.

«А крепкий орешек, хоть и студень, — удивился Бабкин. — Ай, молодец».

— Ритка, — убежденно кивнула Нина. — Ее, значит, вы разглядели, пока у Кожемякина отирались. И молчали оба. Ох, дурни, дурни!

Она представила угрюмую свою дочь.

«Вспылила, ударила Елизавету, перепугалась... А на крышу зачем потащила? Спрятать хотела, больше негде было. А мои-то заметили ее и договорились никому ни слова, даже мне. Берегли меня. Они! Меня! МЕНЯ!»

Нина выпрямилась во весь рост и оказалась почти вровень с Илюшиным. При первом взгляде Бабкин мысленно записал ее в низенькие женщины и теперь сам удивился своему заблуждению. На стене выросла съежившаяся было тень.

Сергею показалось, что температура в кухне резко скакнула вверх. Он вытер пот со лба и подавил желание оказаться как можно дальше отсюда, например на берегу реки, а еще лучше в Москве. «Там сейчас всего пятнадцать градусов, дождик...» Бабкин, не любивший ни дождя, ни прохлады, внезапно ощутил, что именно такая погода является пределом его мечтаний. Он даже сдвинулся на шаг к двери.

Илюшин не тронулся с места.

— С Ритой разобрались, — вежливо сказал он. — Значит, это ее вы заметили, Петр. Осталось узнать, что с платьем.

«А ну пошёл вон!» — безмолвно приказала Нина.

«Да щас! — легкомысленно отозвался Илюшин милой улыбкой. — Уже бегу и тапочки теряю».

«У меня дочь тётку убила! Поимей совесть, подлец! Не до тебя сейчас!»

«А у меня вопросы внутри чешутся. Пока не узнаю ответов, никуда не уйду».

Нина закатила глаза. Вот же пиявка неотвязная! У неё жизнь рушится, а его какое-то платье заботит.

— Не в платье дело, — пояснил Илюшин, словно отвечая на её мысли. — Пётр, зачем вам нужно было удалить жену из кухни?

Григорий что-то пробормотал невнятное, но не вмешался.

— Вы ведь за этим послали её переодеваться, правда? — мягко продолжал Макар. — И не сами придумали этот повод, а Григорий подсказал?

Сысоев наконец-то разомкнул губы.

— Дрожжи.

— Что — дрожжи? — вежливо поинтересовался Илюшин.

— Дрожжи мне были нужны, — признался Пётр.

Что уж тут скрывать! Про Риту все равно каким-то образом разузнали, хотя он до последнего готов был прикрывать непутёвую свою дочь и даже Нине ни полсловечка не намекнул. Один Бог знает, до чего ему было тяжело принимать решение самостоятельно и думать, как его исполнить. Отвык Сысоев от этого. Всем заправляла Нина. Она командовала, он брал под козырёк. А тут нужно было не только дочь спасти, но и жену уберечь от лишних знаний. Вот он и старался... оберегал.

Макар озадаченно помигал.

— Вы хотели взять дрожжи? — повторил он.

— Из холодильника, — согласился расстроенный Петруша.

Нина зашевелила губами, но с них не слетело ни звука.

— А зачем? — вкрадчиво осведомился Илюшин.

Петр только рукой махнул: твоя, Гриш, очередь.

Григорий крабом выполз вперед.

Эх, пропадай моя телега, все четыре колеса! Как ни старались они укрыть Ритку от хищного взгляда правосудия, ни черта у них не получилось. А все из-за этого дотошного типа! Может, и удалось бы с ним договориться, если б его подружка, по совместительству Олегова невеста, не сидела в тюрьме.

Гриша уловил взгляд Сергея Бабкина, подпиравшего стену, и почувствовал в себе позыв объясниться.

— Мы бы Галку вашу в тюрьме не бросили, — проникновенно заверил он. — Вот определились бы, куда Ритку переправить, а потом явились бы с повинной.

Петруша на своей табуреточке понуро кивнул. Гриша ободряюще похлопал его по плечу: ладно уж, выкарабкаемся, ничего, из всяких передряг выбирались...

Они с Петей подумывали о Мексике: помнили из фильмов, что туда все преступники бегут и живут там жизнью лихой и опасной (что Ритке как раз подходило). Но глянули по карте, где та Мексика, и решили, что хватит с Ритки и Владимира. Город большой, затеряться легко. И вроде как не слишком далеко, можно своих навещать.

— С дрожжами что? — прервал его размышления Илюшин.

— А, с дрожжами! — Григорий почесал нос. — С дрожжами вот какая история вышла. Мы ведь, по совести говоря, не просто так к Кожемякину отправились.

— Вы сказали, на рекогносцировку! — насторожился Макар.

— Мы сказали? — удивился Гриша, который слово «рекогносцировка» мог выговорить только после поллитры. — Ну, тебе виднее. Значит, выпимши были. Короче: Иван, вша лосиная, пытался нам ужин испортить — ну, ты знаешь. Мы с Петей накатили на ужине и подумали: а что это мы сидим? Иль мы не мужики? Разве нам не под силу за своих женщин заступиться?

Нина издала какой-то слабый звук, который все списали на кашель. Разгорячившийся Григорий ударил себя в грудь:

— Постановили с Петей так: чем Кожемякин нас, тем и мы его!

— Это в каком смысле? — недоверчиво поднял брови Макар.

— В самом прямом. Решили дрожжей бросить ему в сортир, гаду! Чтоб знал, понимаешь, и помнил!

Илюшин озадаченно оглянулся на Бабкина.

— Это что, народная примета?

— Какая еще примета? — оскорбился Гриша. — Всему вас учить... Берешь дрожжей пару пачек, швыряешь в сортир и валишь подальше. Если тепло, то эффект сногсшибательный! Они ж там в эту вступают, как ее... в реакцию!

Он довольно зажмурился.

— Вы, — дрожащим голосом выговорила Нина, — вы... дрожжи... как?!

— Да никак, — разочаровал Григорий. — У тебя только одна пачка отыскалась, и к той кусок мяса примерз. Пошли мы с Петей осуществлять праведную месть, я в сортир лезу, он на стреме стоит. И вдруг как заорет!

— Кто?

— Я! — подал голос Петруша. — Вскрикнул, да. Риту увидел — как она на крышу карабкается. Я еще тогда не понял, что у нее такое, это уж потом до меня дошло. Но все равно удивился.

— Удивился он! — Григорий скорчил недовольную физиономию. — А я дернулся от неожиданности. У меня дрожжи-то и шмякнулись вниз. Даже распаковать не успел. А они в такой картонке плотной! Нинк, как думаешь: подействуют они нераспакованные, м-м? Может, картонка сгниет, и они того?...

Нина силилась что-то сказать — и не могла.

— А мясо! — страдал Григорий. — Полтора кило утонуло. С костью!

Нина оттолкнула брата, кинулась к холодильнику и распахнула дверцу. Морозилка охотно явила бездрожжевое нутро.

Словно желая убедиться, что ей не солгали, Сысоева стремительно вышвыривала из нее один пакет за другим. Она походила на капитана корабля, спешно избавляющегося от лишнего груза в трюме.

Добравшись до обледеневшей стенки, Нина обернулась.

— Нету!

Только теперь всем бросилась в глаза ее чрезвычайная бледность.

— Нету! — отчаянно прошептала Сысоева и рухнула на стул.

Окружающие забеспокоились.

— Ниночка!

— Нинк, ты чего это, а?

— Дрожжи! — простонала Нина. — Воды!

Ей мигом поднесли воды и встревоженно столпились вокруг.

— Что у тебя, сердце? — волновался Петруша. — Где болит, покажи?

— Нинк, выпить, может?

— Нина, вам врача вызвать?

Сысоева осушила стакан.

Сысоева подняла на брата тяжелый взгляд.

Сысоева ухватилась за край стола и выпрямилась. Глаза ее метали такие молнии, что Бабкин понял: эскулап будет лишним в их теплой компании.

— Вы! — Голос ее наконец-то набрал силу. — Кретины! Идиоты! Олухи! Недоумки! Придурки! Болваны вы безмозглые! Господи, за что ж ты мне послал этих чурбанов!

Илюшин уважительно покивал. Сысоева явно разархивировала свой давно не использовавшийся запас ругательств и не собиралась останавливаться.

— Брёвна вы с глазами! Остолопы египетские!

— А я и не знал, что дрожжи — это такая большая ценность в провинции, — простодушно заметил Илюшин.

На этот раз даже Бабкин не смог понять, издевается Макар или серьезен. Что уж говорить об остальных. Нина испепелила Илюшина взглядом и с трудом перевела дыхание:

— Там, в дрожжах...

Она снова налила воды и залпом выпила второй стакан. Пока Сысоева жадно глотала воду под недоуменными взглядами брата и мужа, Илюшин постепенно менялся в лице. Сперва лишь тень прозрения скользнула по нему, догадка сменилась уверенностью, уверенность — выражением завороженного счастливого ожидания, как у ребенка, которому вот-вот преподнесут долгожданный подарок.

— Убить бы тебя, негодяя, — сказала Сысоева с тоской. — Быстро сообразил, да, подлец?

— То есть это правда? — спросил Илюшин, улыбаясь так, словно не веря нечаянной радости. — Слушайте, я про такое только в книгах читал!

— Про что читал, про что? — влез Гриша.

— Ниночка, я в самом деле никак не соображу... — бормотал Петруша.

— Пусть он вам скажет, — махнула рукой Нина и утерла передником крупные капли пота со лба.

Все уставились на Илюшина. Включая Бабкина, потому что он понимал, о чем идет речь, не больше, чем если бы при нем начали изъясняться на фарси.

— Э-гхм! — Макар откашлялся и придал своей мальчишеской физиономии солидное выражение. — В общем, если я правильно понимаю, мы имеем дело с традиционной для многих жителей России формой сокрытия материальных ценностей.

Повисла пауза.

— Че-во? — озвучил наконец общее мнение Григорий.

— Вызванной страхом кражи, а также недоверием к банковской системе, — уточнил Макар. — Нина, я прав?

— Дважды вклады теряли, — устало откликнулась она. — Сколько ж можно-то.

На лицах троих мужчин медленно стало проявляться понимание. Первым нарушил тишину Бабкин.

— Вы что, спрятали деньги в коробку с дрожжами? — недоверчиво спросил он.

Сысоева нашла в себе силы саркастично улыбнуться.

— И была уверена, что славное местечко выбрала!

Когда смысл сказанного дошел до всех окончательно, Петруша последовательно стал серым, белым, а затем нежно-лиловым, как молодая ветка сирени. Григорий застрял в промежуточной стадии: просто побелел. Бабкин уважительно крякнул.

— Д-деньги? — пролепетал, заикаясь, Петруша. — В-все?

Сысоева кивнула.

— Все, что нажито непосильным трудом, — прокомментировал Илюшин. — Три портсигара отечественных! Куртка замшевая — три! Все ухнуло в соседский клозет и было проглочено темной пучиной.

— Д-д-достать! — взвыл несчастный Петруша. — В-в-выловить!

— Как ты их выловишь, когда они утонули, — простонал Гриша.

— П-п-почему утонули? Картонка же!

— Мясо! — напомнил побелевший Григорий. — Примороженное!

Бабкин благоговейно молчал, склонив голову перед трагедией рода Сысоевых. Вот так цепочка невинных с виду обстоятельств приводит к беде. Не примерз бы кусок мяса к дрожжам, пачка не утонула бы. Не убила бы Рита старушку, Григорий успел бы развернуть пачку.

Зато Илюшин не испытывал ни малейшего трепета. Ситуация его забавляла, и он этого не скрывал.

— Редко когда увидишь такое точное воплощение пословицы «не рой другому яму». Даже яма наличествует.

Петруша обессиленно прижал ладонь к глазам. Григорий метался по кухне, словно очень толстый раненый кот, и издавал нечленораздельные звуки.

— Замолчал бы ты, говорливый, — попросила Нина Макара. Она пришла в себя и озабоченно рыскала по ящикам. «Сигареты ищет», — догадался Бабкин. — Без тебя тошно!

— А со мной весело! — заверил Илюшин. — Разве вас не восхищает этот символ бессмысленности накоплений? Все тщета. Прах к праху, пепел к пеплу.

Григорий дошел до холодильника, покачнулся и прислонился к нему лбом.

Нина уставилась на Макара особым выталкивающим взглядом, используемым некоторыми хозяйками для навязчивых гостей.

Илюшин выразительной просьбе не внял.

— Ушел бы ты, а? — страдальчески попросила Сысоева.

— Как же я уйду, когда у меня вечер сплошных открытий? Например, я только что понял смысл выражения «работать на унитаз».

Нина свирепо хлопнула последним ящиком. Внутри жалобно взвизгнули вилки.

Бабкин молча достал из кармана пачку, которую всегда носил с собой, хотя давно бросил курить, и протянул ей. Женщина затянулась и облегченно прикрыла глаза.

— Мясо, — бормотал сиреневый Петруша, осоловело глядя перед собой. — Мясо...

Сделав три глубоких затяжки, Нина открыла глаза и сочувственно посмотрела на Сергея.

— Как ты с ним работаешь-то, бедный? — она кивнула на Илюшина.

— Три пачки в день уходит, — скупо пожаловался Бабкин. — И без этого никуда, — он выразительно щелкнул себя по горлу.

— Понимаю. А сбежать?

Горькая усмешка тронула губы Сергея. «От такого разве сбежишь», — говорила она.

— Тоже верно, — вздохнула Нина Борисовна. — Эх и тяжко ж тебе приходится. Жена-то есть?

— Имеется.

— Значит, утешить есть кому. И то ладно.

Петруша покачивался на табуретке, обхватив голову руками, и что-то бормотал. Гриша отклеился от холодильника. Он смотрел на часы расширенными глазами и, кажется, пытался усилием мысли повернуть время вспять.

— Четыре года накоплений в чужой сортир спустили, — сказала Нина, не жалуясь, а констатируя факт. — Одна радость: Кожемякин не догадывается. Эх, и хохотал бы он сейчас, ирод.

— А вы его, случаем, не прибили? — поинтересовался Илюшин.

Женщина подняла на него измученный взгляд.

— Давно хотел спросить, — объяснил Макар. — Сейчас как-то к слову пришлось.

Нина покачала головой:

— Зачем мне его прибивать... Шатается он, поди, где-то. Эх, я ведь как нарочно в тот вечер деньги большие из кошелька переложила к дрожжам! Дай, думаю, перестрахуюсь. Вот вам и страховка.

— Так вот вы почему кошелек уронили, — сообразил Илюшин. — Вы купюры из него доставали!

— Доставала, — вздохнула Нина. — Лучше б не трогала. Хоть что-то бы сохранили.

Григорий тем временем от молчаливого гипнотизирования реальности перешел к каким-то заклятиям. С губ его срывалось неразборчивое бормотание, пальцы шевелились, словно он плел ловчую сеть.

— Выпей, братец! — окликнула его Нина. — Что уж с тебя, дурня, взять. И сердиться-то я на вас не могу, сама виновата. Предупредить надо было.

Григорий дернулся и перевел на нее осоловелый взгляд.

— Нин, а Нин...

— Что тебе, горе мое луковое?

— А как ты думаешь...

Григорий снова оборвал свою речь. Слова выдавливались из него порционно, как из банки с дозатором.

— О чем? — кротко спросила Нина.

«Ай да женщина! — восхитился Бабкин. — Эти два остолопа выкинули все ее накопления, а она их не ошкурила и даже на лапшу не порубила».

— А как ты думаешь, — сделал Григорий третий подход, — эта коробка из-под дрожжей... Она долго размокает?

3

— Поверить не могу, что мы это делаем, — сказал Сергей Илюшину.

— Ты радуйся, что мы не делаем этого на постоянной основе, — отозвался Макар.

— Типун тебе на язык!

— К тому же, — продолжал Илюшин, морща нос, — у нас с тобой самая чистая работа. Ты мог бы стоять в первых рядах, как многострадальный Григорий.

— Григорий заслужил, — проворчал Бабкин. — А я вообще не при делах.

Да, с какой стороны ни глянь, Сергей Бабкин не имел никакого отношения к общему решению пойти и вылавливать дрожжи. А самое главное, и не желал иметь. Но Макар Илюшин загорелся этой идеей, радовался как ребенок, говорил, что он не может уйти, потому что кто-нибудь обязательно шмякнется в коже-мякинский сортир и вот тогда-то начнется настоящее веселье.

К концу его зажигательных речей Нина Борисовна взглядывала на Бабкина не просто сочувственно, а уважительно. Сергей старался не выпячивать героически подбородок, хотя очень хотелось. Эти люди с Илюшиным плотно пообщались всего час, а он с ним проводил все рабочее и половину свободного времени.

— Если нас застанут за чисткой чужого сортира, стыда не оберешься, — бормотала Нина Борисовна на пути к месту назначения. Петруша стоически молчал и только прерывисто вздыхал время от времени.

— Я однажды смотрел мультик про трех мартышек, — сказал Илюшин, перелезая через забор. — Там одна мартышка повисла на дереве, дала руку второй, за вторую зацепилась третья, и все это чтобы достать из бурного потока банан, застрявший среди камней.

— И что? — заинтересовался Григорий.

— А потом подкрался зловредный заяц и пощекотал подмышку той обезьяне, которая цеплялась за ветку.

Взгляд Илюшина мечтательно затуманился.

Нина посмотрела на Бабкина и сложила ладони в молитвенном жесте:

— Держи ты его при себе, христом-богом тебя прошу!

— Постараюсь! — пообещал Сергей.

Ну и как после такого уйти?

· ·

Пятнадцать минут спустя Сергей Бабкин засмеялся.

— Ты чего? — обернулся Илюшин.

Бабкин засмеялся громче. Он вспомнил настрой, с которым отправлялся в Шавлов. «Раки! Девахи! «Метеоры» снуют! Бабки воблой торгуют!» Размечтался, балбес! Забыл, с кем поехал в эту дыру? Вот и получай чужой сортир среди ночи и сумасшедшее семейство, которое единственную бабку, от которой можно было ожидать воблы, и ту угробило!

— Ненавижу я тебя, — искренне сказал он Илюшину. — Ты мне всю жизнь загубил, скотина. Вот чем я занимаюсь?

— Сокровища ищешь! — пожал плечами Макар. — А чего ты хотел? Жизнь золотоискателей была полна трудностей.

— Начнем с того, что я не собирался быть золотоискателем!

— Человек предполагает, а Бог располагает.

— Ты меня в это втянул! — прошипел Бабкин.

— Не так глубоко, как мог бы! — заверил Макар.

Сергей заткнулся. Вот уж с чем действительно не поспоришь. В этом отношении Илюшин был награжден выдающимися способностями.

Он покрутил головой, разминая шею.

Вокруг дышала любопытная ночь, склонялась к ним, словно желая проверить, чем это они занимаются. И в ужасе отшатывалась. Даже комары разлетелись, как только компания золотоискателей приступила к делу, и теперь выводили в кустах возмущенные рулады.

Бабкин сразу предложил вызвать ассенизаторов. Но Сысоевы встали насмерть. Никогда! Такой позор! Их ославят на весь городок! Посмешищем будут!

Что, лучше заначки лишиться, язвительно спросил Бабкин.

И понял по их лицам, что да, лучше.

Да вы с ума сошли, воззвал он к их разуму, ну посмеются над вами, подумаешь! Сами же сделаете из этого дурацкую байку, и все обойдется!

Ты сам-то в состоянии сделать из этого дурацкую байку, мрачно поинтересовался Григорий.

И Бабкин заткнулся.

А вот Илюшин веселился от души. Выяснилось, что Сергей недооценил, какой от него может быть вред. Макар фонтанировал идеями. Для начала он предложил бросить внутрь Гришу на веревке и не вытаскивать, пока тот не обнаружит искомое. Когда Гриша наотрез отказался от этого заманчивого предложения, Илюшин, ничуть не огорчившись, посоветовал бросить его туда *без* веревки.

— Может, придушим его? — спросил Бабкин у Нины.

Макар хмыкнул:

— Вам это не поможет. А процесс поиска материальных ценностей серьезно затруднит. Вместо того чтобы устраивать мозговой штурм, вы будете думать, что делать с моим телом.

Сысоевы дружно посмотрели друг на друга, потом на клозет, потом на Бабкина.

— Я только за! — поклялся Сергей. — Но он ведь, сволочь, живучий. Вы не представляете, из какой задницы он выбрался той осенью.

— Ну, здесь-то не задница, — пробормотал Григорий, созерцая содержимое выгребной ямы.

Нина с мужем острожно приблизились к нему и грустно вытянули шеи.

— А еще можно взять круглый аквариум... — начал Илюшин.

— ...посадить тебя туда, законопатить и бросить в море. И всем наступит счастье.

— Кроме гадов морских, — подала голос Нина.

— А они хоть и гады, их тоже жалко, — согласился Григорий.

Петруша просто кивнул.

Сысоева раздала всем марлевые повязки, пропитав их пихтовым эфирным маслом, но это помогло лишь на первые две минуты. «Как будто под елочкой накакано», — выразился Гриша, и Бабкин был с ним согласен.

Сейчас, стоя в марлевых повязках вокруг клоаки, они напоминали хирургов, готовящихся в операции. Пациент лежал перед ними, раскинувшись, и где-то в недрах его скрывался чужеродный элемент.

В итоге, забраковав пять идей Илюшина, одна другой прекраснее, решено было идти классическим путем.

— Чистим яму, ничего не поделаешь, — вздохнула Нина.

«Всю жизнь об этом мечтал, — подумал Бабкин. — Ну за что, нет, вот за что мне это?»

Но очистить мало — предстояло еще найти. Представив, что они могут перебрать чужую выгребную яму и не отыскать искомое, Бабкин содрогнулся. Подобная неудача была из тех, что наносят сокрушительный удар даже по очень прочной психике.

— Есть выражение про иголку в стоге сена, — задумчиво произнес Илюшин. — Предлагаю его усовершенствовать...

— А как тебя можно было бы усовершенствовать! — огрызнулась Сысоева. — Кнопку отключения звука добавить дистанционную — и всё! Не человек, а мечта!

— Я и так мечта.

— Ты и так не человек.

— Ладно, поехали!

На первую ступень, как выразился Макар, поставили Григория с черпаком. Следом за ним содержимое ямы принимал Петруша. Нина дотаскивала до Макара с Бабкиным, а тем предстоял ответственный этап просеивания пустой породы сквозь сито. В их случае — через грабли, позаимствованные возле сарая Кожемякина.

Когда этот конвейер проработал пять минут, Бабкин отошел на двадцать шагов и глотнул свежего воздуха.

— А можно я домой пойду? — жалобно спросил он издалека.

— Ради бога! — откликнулась Нина. — Друга только своего оставь.

Но Бабкин не мог уйти. Во-первых, немыслимо бросить Илюшина наедине с этими людьми. Они такого ничем не заслужили. Да, убили, да, прятали тело, да, выгораживали преступницу. Но этого ведь недостаточно!

Во-вторых, он ощущал странное раздраженно-покровительственное отношение ко всем Сысоевым. Разбираться в этом феномене Бабкин не мог и не хотел. Он просто знал, что должен сделать свое дело, а потом пойти помыться и забыть обо всем происходящем как о страшном сне.

Кто-то гулко хохотал из ближайшего перелеска. Вокруг фонарика Илюшина вилась беззаботная мошкара, не обладающая обонятельными рецепторами. Бабкин ей мучительно завидовал.

— Сколько ведер мы уже перетаскали, двести? — прохрипел он.

— Восемь, — уточнила Сысоева.

— А сколько там всего, как вы думаете? — с любопытством поинтересовался Макар.

Сергей всем нутром чувствовал, что эта информация для него лишняя. Он не желал знать, сколько у них ведер впереди.

Где-то неподалеку распевали фальшиво песни, дразнили собак, ругались, целовались, жарили картошку и ломали сирень. Жизнь била ключом, настоящая буйная жизнь! А не бессмысленное существование навозного жука, в которого его превратила чья-то злая воля.

А ведь жизнь начиналась не бездарно. Родился, учился... На гитаре играл и в футбол... Женился, развёлся... Преступников ловил. Встретил Илюшина, встретил Машу... Опять женился, теперь всерьёз! Было ведь счастье, много счастья! И что же? Зачем все это? Куда был направлен вектор его существования? Куда ухнула вся его молодая жизнь? В сысоевский сортир.

А если быть точным, то даже и не в сысоевский.

— Ты чего-то загрустил, дружище, — окликнул Макар.

Он не мог попасть иголкой в рану надежнее, даже если бы очень постарался.

— А-а-а! — взвыл Бабкин и дернул граблями, чтобы огреть Илюшина.

Грабли его задели какой-то предмет, и тот отлетел в сторону.

— Что это было? — вскинулся Макар.

Даже дальний фонарь на участке Сысоевых вздрогнул, но тут же исправился и стал светить изо всех сил.

— Гриша, Петя, дуйте сюда! — напряженно позвала Нина.

Тех не пришлось долго упрашивать. На ходу поправляя перчатки, оба приковыляли и подслеповато уставились в траву.

— Воду тащите, — скомандовал Илюшин. — Живо!

Это было лучшее, что он посоветовал за весь вечер. Потому что когда Гриша приволок кожемякинское же ведро и окатил находку, их глазам открылась расползающаяся картонная коробка с месивом из синих букв.

— Миленькие вы мои! — благодарно всхлипнула Нина и кинулась целовать всех подряд.

— Вы бы содержимое проверили, — посоветовал Макар. — Может, этими деньгами и пользоваться невозможно.

— Они в пакете.

— Ого! Вот это предусмотрительность.

— Морозилка же, — объяснила Сысоева. — Мало ли, думаю, вдруг холодильник разморозится.

Открыли со всеми осторожностями коробку — и обнаружили, что Бабкин граблями зацепил и порвал пакет.

— Ой-ей!

— Испачкали!

— Могло быть хуже...

— Уровень загрязнения не критичный, — заключил Илюшин. — Постираете. Это даже увлекательно: отмывать деньги в Шавлове.

Бабкину тоже стало интересно, и он сунул нос в коробку. Чем дольше рассматривал он две плотные пачки, тем сильнее его охватывало страшное подозрение. В конце концов Сергей не выдержал.

— Сколько здесь?

— Тридцать тысяч, — с гордостью отозвалась Сысоева.

Вопль Бабкина по накалу ярости соперничал бы с криком раненого вепря.

— Тридцать тысяч? Тридцать?! Я перелопатил весь этот чёртов сортир за тридцать тысяч? Да я бы вам их заплатил, лишь бы никогда не иметь дела с вашей поганой выгребной ямой!

— Наша не поганая, — обиделся Петруша. — Мы ее регулярно чистим, не то что Кожемякин. Иван человек неряшливый. Но и достоинства у него тоже имеются, этого не отнимешь.

Бабкин глотнул вонючего воздуха и осекся. Илюшин сочувственно похлопал его по плечу:

— Такова суровая доля кладоискателя.

— Уйди, Макар, от греха!

— Куда я уйду? Нас судьба связала.

— Проклятие нас связало! Кармические грехи моего прадеда!

— Серьезно ж нагрешил твой прадедушка, — крякнул Григорий.

Сергей перевел дух. Комары утешительно облепили его и принялись кусать, чтобы привести в чувство.

— Баню истопим — и ужинать! — предложила Нина.

— Баня! — обрадовался Илюшин.

— Ужин! — оттаял Бабкин.

Разобрали все и вернули по местам споро и быстро, воодушевленные успехом предприятия. Ночь подмигивала звездами, комары выводили оперные арии, чубушник снова запах, и чем дальше уходили от кожемякинской земли, тем ярче становились ароматы и звуки.

— Цветы мои потопчете в темноте. Давайте-ка через лесок обойдем! — попросила Нина.

Свернули в сосновый лес. Два шага оставалось до поляны, где Саша с Галкой нашли тело.

— Бедная баба Лиза, — вздыхал чувствительный Петруша, — бедная Рита. Что наделала, дурочка.

— Строго говоря, не факт, что именно она ее ударила, — утешил Макар.

— Как же это? Мы ее видели!

— Тот, кто прячет улики, не обязательно убийца.

Сысоева с благодарностью взглянула на него.

— Деньги-то ей сейчас все равно пригодятся, — рассудила она.

— А если выяснится, что она убила? А?

— Грех будем отмаливать.

— Елизавету Архиповну этим не вернешь!

Все трое на ходу обернулись к Илюшину. «Оно и к лучшему», — читалось на их лицах.

— Провокатор ты, паря, — миролюбиво заметил дядя Гриша. — Я тебя раскусил.

— Помоем его — подобреет.

— А веники-то, веники не закончились ли у нас? — тревожился Петруша.

— Березовые еще остались.

— Березовые — это не то. Надо можжевеловые.

Бабкин с Макаром немного отстали.

— Ты заметил, что мы как будто сдружились с ними? — удивленно спросил Бабкин.

— Ага. Ничто не может сплотить людей сильнее, чем совместное копание в чужом...

Макар запнулся. Из-под ног его с шипением выскочил кот Берендей и взлетел на ближайшую сосну. Где и угнездился в развилке.

— Черт! Так и заикой можно стать! — Сергей выдохнул. — Кошак, пошли с нами домой!

Берендей сверкнул глазищами и закрутил вокруг себя хвост.

— Котовский! — позвал Макар. — Ты чего испугался?

Кот высокомерно уставился на него двумя фонарями. «Кто здесь испугался?»

— Может, он там застрял? — предположил Бабкин. — Надо его оттуда спихнуть.

327

«Я тебе спихну», — молча пообещал кот.

— Ну и пожалуйста. Сиди там, пока хвост не отвалится. Пошли, Макар.

Илюшин сделал еще несколько шагов и остановился. Обернулся на кота. Потом на удаляющихся Сысоевых. Еще раз на кота.

В глазах его мелькнула догадка.

Илюшин пошел кругами, приглядываясь к земле. Палки, чурбаки, ржавая проволока, обрывки веревок... Макар выглядел так, словно из этого хлама ему предстоит срочно построить дом, и всему мусору он в нем подбирает место.

Вернувшись в ту точку, из которой начал движение, Макар издал странный короткий возглас.

— Ты чего? — Бабкин тронул его за плечо.

Илюшин не отозвался. Он смотрел на Берендея, а Берендей смотрел на него и, кажется, ухмылялся. Бабкин подумал, что если бы в кошачьем мире был свой Илюшин, он выглядел бы именно так. Рожа хитрая, глаза зеленые.

— Фонарь, — слегка охрипшим голосом попросил Макар.

— Что?

— Фонарь мне дай.

Бабкин недоуменно протянул Илюшину фонарь.

— И стремянку.

Сергей наклонил голову. Похоже, он переоценил нервную систему приятеля. Не каждому под силу полтора часа провозиться в...

— Стремянку! — резко повторил Макар. — Серега, живо!

Тон этот и лихорадочный взгляд были Бабкину хорошо знакомы.

— Нина! — заорал он, не медля больше ни секунды. — Стремянка есть?

Пять минут Сысоевы суетились, бестолково топтались вокруг, спрашивали, зачем стремянка, спорили между собой, кому за ней идти, и удивлялись, почему Бабкин их ругает.

Наконец стремянка нашлась.

Стоило приставить лестницу к сосне, Берендей спрыгнул вниз, тяжело приземлился на сухие сосновые иголки и отошел с независимым видом в сторону. Мавр сделал свое дело, мавр может уходить.

Илюшин взлетел по стремянке вверх с такой же скоростью, с какой Берендей за десять минут до него. И оттуда донесся до ничего не понимающих Сысоевых и Бабкина диковатый смех.

— Чокнулся паря, — огорчился Гриша. — Эх, такой молодой! Жить бы еще да жить!

Макар постоял на лестнице и начал спускаться. Лицо у него было ясное, но при этом такое, будто просветление наступило после черепно-мозговой травмы.

Он остановился перед Сысоевой и очень тихо и серьезно сказал:

— Нина, подарите мне кота, пожалуйста.

По лицу Сысоевой стало очевидно, что она только что мысленно подтвердила диагноз Григория. Изумление, а затем жалость отразились на нем.

— Какого ж тебе кота, милый? — принужденно улыбнулась она.

— Вот этого, — Макар кивнул на вылизывающееся животное.

Сысоева опешила.

— Зачем тебе Берендей?

Макар потянулся и снова рассмеялся тем диковатым смехом, который они уже слышали со стремянки.

— А он за меня преступления будет расследовать.

— Чего?

— Звоните следователю.

— Вечер ведь уже, — робко указал Сысоев.

— Звоните, звоните. У меня номера нет.

— Макар, пошли домой, а? — попросил Григорий. — Выпьем, того-этого... Тебя и отпустит.

Бабкин озадаченно молчал.

Илюшин сел на землю у подножия сосны, прислонился к стволу и сунул в зубы сухую иголку. На лице его играла все та же улыбка.

— Макар, в чем дело? — спросил наконец Бабкин.

Снова легкий нервный смешок в ответ.

— Столкнуть кота... Какая чудная идея, Серега!

— Кончай загадками говорить! Ты чего?

— Я знаю, кто Пудовкину убил.

— Что? — ахнула Сысоева.

Петруша подошел ближе. Гриша присел на корточки перед Илюшиным и посветил фонариком ему в лицо. Макар зажмурился, не выпуская изо рта иголки.

— Откуда ты знаешь?

— Кто, кто убил?

— Риточка, да? Риточка?

— Тихо вы! Видите, он не знает!

— Все он знает! Я нутром чувствую, что знает!

— Много веры твоему нутру...

— Илюшин, не молчи, скотина!

— Да уберите вы фонарь! Видите, не в себе человек!

Илюшин открыл глаза и обвел взглядом четыре встревоженные физиономии.

— Гном ее убил, — спокойно сказал он. — Которого мальчишки поставили в развилку на дереве.

— Что?

— А он возьми да свались.

— ЧТО?!

Рявкнули хором так, что лесные пичуги в страхе заткнулись.

— В развилке следы облупившейся с гнома краски. Он там стоял и шмякнулся на Елизавету, когда она мимо проходила.

Нина ахнула:

— Как шмякнулся?

— Почему?

Макар королевским жестом обвел поляну рукой:

— Вам это ничего не напоминает?

Все огляделись.

— Помойку, — буркнул Бабкин.

— В лесу, — конкретизировал Гриша.

Илюшин покачал головой с таким видом, словно они его жестоко разочаровали.

— Это не помойка!

— Ну, мусор!

— И не мусор!

— Да говори же, пес тебя дери! — не выдержала Нина.

Макар ухмыльнулся:

— Серега, неужели даже ты не понимаешь?

— Я понимаю, что нужно было тебя в сортире утопить, — откликнулся Бабкин.

— Но ты же сталкивался с такой системой совсем недавно!

Системой? Бабкин озадаченно потер затылок.

Никакой системы вокруг не наблюдалось. Обыкновенный сысоевский бардак, перенесенный на лоно природы.

Постойте-ка... А точно бардак?

Он оглядел поляну новыми глазами.

Сучковатая палка, привязанная к ней веревка, обгорелое полено, к которому тянется проволока, колесо от велосипеда на другом конце проволоки, петли бечевки под стволом сосны с развилкой... Какая же здесь может быть...

И вдруг Сергей все понял.

— Домино! — ахнул он.

Громкие аплодисменты, которыми наградил его Илюшин, заставили Берендея недовольно фыркнуть.

— Наконец-то! Наконец-то до тебя дошло!

— Ну конечно, — бормотал ошеломленный Бабкин, — принцип домино...

— О чем это они, Нинк? — заволновался Гриша.

— А я почем знаю?

— Это про Риту, да? — робко вылез Петруша.

Макар успокаивающе похлопал его по плечу:

— Рита к этому не имеет никакого отношения. Здесь, на поляне, была великолепная система.

— Да какая система? — рявкнула, не выдержав, Нина.

— Палок и веревок!

— Издеваешься?!

— Система палок и веревок, — раздельно повторил Макар. — А принцип домино — это цепная реакция, которую запускает первый предмет. Толкнул одну костяшку — посыпались все. Дернул за веревочку — дверь и открылась. Натянул проволоку — гном и свалился.

После этих слов наступила полная тишина. Казалось, даже лягушки на дальнем болоте пытаются осмыслить сказанное.

Первым очнулся Гриша. Выпучив глаза, он взмахнул руками, едва не съездив по физиономии Петруше, и нечленораздельно замычал.

— ...в растяжку! — вырвалось у него в конце концов.

В глазах Нины блеснул огонь понимания.

— В растяжку! — бесновался Гриша. — Попала! Веревка — дзынь! Гном — шмяк! Елизавета — брык!

— Перевожу, — сообщил Макар. — Елизавета Архиповна брела по поляне, где некие юные джентльмены незадолго до того соорудили сложную конструкцию, основанную на принципе домино. Было темно, поэтому она не заметила в траве натянутую проволоку. Елизавета споткнулась, проволока привела в движение остальные части системы. Чурбачок упал, потянул за собой колесо, колесо покатилось, веревка натянулась, и гном свалился.

— Гном! — хором воскликнули Нина и Петруша.

— Как раз на Елизавету Архиповну, — закончил Макар.

Наступившее молчание было нарушено шуршанием. Кот Берендей подошел к Илюшину, утвердил передние лапы на илюшинских джинсах, выпустил когти и принялся топтаться, удовлетворенно мурлыча на весь лес.

ГЛАВА 12

1

У следователя Хлебникова все представители Сысоевых, живые, мертвые и только планирующие присоединиться к семейству, уже вот где сидели (при этой мысли Дмитрий Дмитриевич мысленно отчеркивал границу по кадыку). Но сегодняшний вечер превзошел все ожидания.

Сначала подозреваемая объявила, что ей известен мотив убийства. И даже известно, кто преступник: двадцатитрехлетняя Маргарита Сысоева. В ответ на расспросы плела откровенную чушь насчет каких-то съемных квартир, беременностей и гнева матери, от которого можно было укрыться только в Нижнем Новгороде, не ближе. Хлебников даже несколько рассердился. Исаева сразу не произвела на него впечатления уравновешенной женщины. Но это уже было чересчур.

Вдвойне «чересчур» все стало, когда через полтора часа, перед самым концом рабочего дня, к следователю явилась сама Маргарита Сысоева и сухо сообщила, что желает сделать признание. Убила бабушку. То есть не бабушку, а троюродную тетю, Елизавету Пудовкину. Тело спрятала, но неудачно. За что убила? Была выведена из себя оскорблениями в адрес родителей.

«Аффект ощутила!» — пояснила Рита, старательно выговаривая двойную эф.

Дмитрий Хлебников не мог знать, что Валера Грабарь рассказал своей подруге, как ее отец с дядей крались под сень лесных зарослей со зловещим видом. И вернулись очень нескоро, собранные и молчаливые. Он это наблюдал своими глазами, потому что торчал у окна, выходящего в сад, — ждал, когда любимая примчится к нему с благодарностью на устах.

«Папка старуху убил», — поняла Рита. Не вынес оскорбления маслом. Ничего он в бытностью свою снабженцем не крал, слишком робок был для этого, если говорить начистоту. Но если уж Елизавета Архиповна вцеплялась в одну идею, то разносила ее потом, как репейные колючки, по всем окрестностям.

Рита была девушка здравомыслящая, критично оценивающая отца и очень его любившая. Из этого сочетания вырос план.

Прийти с повинной. Покаяться. Если она этого не сделает, отца точно загребут. Улики отыщут, отец с дядей не могли не наследить. И пойдет Галка Исаева на свободу, а папа с Гришей — в тюрьму. Еще и срок дадут больше как соучастникам. «Предварительный сговор» — вот что она вычитала в Сети, пока размышляла, что сообщит следователю.

Выглядеть все должно так, чтобы не подкопались. Самое главное — убедить отца, чтобы молчал. Но тут у Риты был козырь.

Она выложит беременность на стол. Не то чтобы плюхнется животом, живота-то как раз у нее никакого и не было, не успел пока вырасти. Но растолкует отцу, что суд проявит к ней снисхождение, примет во внимание ее положение, а если и не примет, родившую освободят по условно-досрочному, она в законе прочитала.

А потом она сбежит в Нижний Новгород, подальше от позора.

Последнюю фразу она, забывшись, подумала вслух.

— От какого позора? — подозрительно спросил Валера.

Рита подняла на него заплаканные глаза и поняла, что больше врать не в силах.

Господи, и ведь переспала-то с этим Асютовым единственный раз, когда явилась к нему в больницу после того, как Грабарь отделал его в том злополучном бою. Хотела вроде как сострадание к побежденным проявить. С Пашкой Асютовым они еще в детстве играли, он давно был в нее влюблен. Рита его пожалела.

Ну и...

Она сама не могла бы объяснить, как все случилось. Сдуру, по-глупости! И не влюблена она была в него, и даже не нравился он ей! Но такой он был жалкий на больничной койке, такой нелепый, когда полез с ней целоваться и обниматься, что Рита ослабела и не стала сопротивляться.

Вскоре Асютов разбился в аварии.

А потом бац — и беременность.

О тестах на отцовство она никогда не слышала. Страх, что родится ребенок, похожий на голубоглазого блондина Асютова, что все вокруг будут тыкать пальцем в их семью и хохотать, превращал Риту в боксерскую грушу, на которой отрабатывали удары двадцать боксеров сразу. Если бы на душе могли оставаться синяки, Рита ходила бы вся желто-фиолетовая.

И она придумала, что сбежит.

Оставит их всех — и верного Валерку, и мать, готовую грудью заслонить непутевого своего ребенка от всех насмешек, и трепетного отца, обожающего ее. Не позволит, чтобы они, такие хорошие, страдали и мучились из-за нее.

А ребеночка станет одна растить.

Сама все испортила — самой и разгребать. А Валерка пострадает, а потом найдет себе другую девушку, честную.

Именно это она, глотая слезы, и выложила Грабарю.

Даже прощения просить не стала — и так ясно, что нет ей прощения.

— Не мой ребенок? — осоловело переспросил Грабарь.

— Я не знаю!

Валера потер бритую голову.

— И ты, значит, того... Уехать собралась?

Рита молча кивнула.

— В Нижний?

Еще один кивок.

— Подальше от меня?

Рита даже кивнуть не смогла, только вздохнула тяжело.

— Ну дуууура! — восхитился Грабарь. — Во дура! Я бы тебя нашел бы! Нижний — ха! — чо там искать-то!

Рита сжала губы:

— Зачем бы ты меня искал?

В характере Валеры было бы ответить «рыло начистить». Но вместо этого Грабарь удивленно, как о само собой разумеющемся, сказал:

— Пацана растить.

— Какого еще пацана?

— Нашего.

Рита посмотрела на Грабаря. Валера глуповато таращился на нее, и ее охватила злость.

— Ты что, не понял?.. — яростно начала она, потому что даже у тупости Грабаря должны были быть пределы.

— Это ты не поняла! — перебил он.

Рита осеклась.

— Пацан — наш, — отрубил Валера. — Про Асютова ничего не знаю и знать не хочу. Рожать будешь тут. В Нижний еще! Ишь, собралась! Придумала, значит... Дууура! — еще раз с любовью протянул он, облапил Ритку и притянул к себе.

— Дууура!

И ласково чмокнул в макушку.

Тут Рита позорно разрыдалась, потом целовала Грабаря, потом рыдала снова, потом смеялась, а потом вспомнила, что надо выгораживать отца.

Но в свете того, что никуда не нужно было теперь ехать, что Валерка ее простил и даже слышать не желал о том, что не сможет растить потенциально чужого ребенка, она чувствовала, что ее переполняют силы. Предстояло спасти бестолкового ее папочку вместе с непутевым дядей Гришей — и она это сделает!

Где-то внутри даже поднималось чувство гордости: Ритка-мстительница-за-честь-родных. Кровавая Маргарита! На суде ее наверняка сфотографируют для местных газет. Надо будет левым профилем поворачиваться, там родинка красивая на щеке. Статьи, шумиха в прессе, своя группа подписчиков Вконтакте! А когда она выйдет, шавловские дети станут ее бояться и кричать издалека «убийца!».

Но тут голос здравого смысла напомнил, кто ее жертва. Старушонка дряхлая, которая от комариного пука померла бы. Невелика доблесть!

Группа подписчиков Вконтакте растаяла как дым.

Однако Рита, полная решимости, уже двигалась к следователю Хлебникову.

. . . .

Длинное лицо Дмитрия Дмитриевича при ее появлении вытянулось еще сильнее.

— Пиши! — рявкнул он и хлобыстнул по столу пачкой бумаги.

Пачка бы Рите не понадобилась, длинно писать она не умела, так что Сысоева флегматично взяла один лист и вывела сверху «Явка с повинной».

Валера Грабарь в это время кусал кулаки от бессилия, но поделать ничего не мог. Любимая женщина запретила ему вмешиваться. И на всякий случай пригрозила, что если он вздумает ослушаться, она за него замуж никогда не выйдет, а выйдет за избитого им когда-то Димона Волкова. «Он же слабак!» — расхохотался Валера. «Зато я буду Маргарита Волкова!» — парировала Рита. Тут Валера сразу и притих. Да, Маргарита Волкова — это вам не Маргарита Сысоева и уж подавно не Маргарита Грабарь. Крыть было нечем.

«...признаюсь в том, что в состоянии злобного аффекта ударила свою родственницу, пусть и дальнюю, по голове и тем самым убила ее наповал. Преступление было совершено садовым гномом...»

— А гнома ты где взяла? — осведомился Хлебников, читавший через ее плечо. Ему очень хотелось дать девчонке подзатыльник.

— С собой принесла!

— Тоже в аффекте? — обидно усмехнулся следователь.

Рита почувствовала подвох, но догадаться, в чем он состоит, не могла.

— Он в саду стоял, под пионами, — осторожно сказала она, нащупывая тропинку над пропастью.

— Для чего же ты его с собой потащила?

Сысоева начала догадываться, где ловушка.

— За компанию.

— Четыре с половиной кэгэ. А гири ты с собой за компанию не носишь?

— Его, между прочим, Вася зовут, — обиделась за гнома младшая Сысоева.

«...было совершено садовым гномом Василием...»

— С какой стороны ударила? — внезапно спросил Хлебников.

Тут-то Рита и задумалась.

— Слева? — предположила она.

— А вот эксперты наши другое говорят, — сощурился Дмитрий Дмитриевич.

Снизу из коридора все громе доносились неразборчивые выкрики, от которых у него начала болеть голова.

— Она уворачивалась!

— Кто?

— Баба Лиза!

— А камаринского она перед тобой не вытанцовывала? — рявкнул выведенный из себя Хлебников. — Вот как ты передо мной сейчас?

Шум нарастал, и, не дождавшись ответа Риты, Хлебников в гневе распахнул дверь.

— Что там еще за...

— Дим Димыч! Они тут...

Но Хлебников уже и сам видел, кто «они» и где «тут».

— У вас телефон выключен! — оправдался Петруша. — Дозвониться не можем.

— А у нас дело срочное!

— Мы знаем, кто бабу Лизу убил.

— Но они не виноваты!

— Они уже сами нам все рассказали! Боялись, говорят, признаться...

— Эх, пацаны, пацаны! Вот помню, я в их возрасте в женскую баню бегал подглядывать...

— Заткнись, Гриша!

— А чего сразу заткнись? Может, у меня тоже груз на душе!

«Вашу мать!» — подумал Хлебников, глядя на всех Сысоевых, столпившихся снизу.

Потом еще немного подумал и сказал это вслух. Невозможно было удержаться.

2

Два дня спустя

—**К**ожемякин нашелся, слыхала?

Григорий разложил на столе Елизаветины счета за электричество и принялся разбираться, что оплачено, что нет.

Алевтина оторвалась от мытья окон и глянула недоверчиво:

— Врешь!

— Зачем мне?

— Живой?

— Ну еще бы. У бабы отсиживался, сукин сын. Он когда запах учуял, решил, что сейчас его, значит, этим, как его... судом Линча все соседи приговорят к повешению. И смылся. А вчера, как ветер переменился, выполз.

Алевтина осуждающе покачала головой. Жест ее относился не к поведению Ивана Кожемякина, а к осведомленности мужа. Почему он знает, а она нет? В ней понемногу стало нарастать раздражение. Никто никогда ничего ей не рассказывает!

Усугублялась злость тем, что на поминках Гришка не напился по своему обыкновению, а внезапно проявил немыслимую для него ответственность. Помогал Нинке, затем провожал подвыпивших гостей, потом отправился разбирать завалы документов у Пудовкиной. Алевтине это все не нравилось. Что еще за фокусы?

Она давно перестала надеяться, что у Григория наконец отрастет чувство собственного достоинства и он даст ей отпор. А в отместку за порушенные надежды понемногу втаптывала мужа в грязь все глубже. Ее узкая костлявая ступня сорок первого размера прочно попирала его затылок.

Алевтина вспомнила, как обрадовалась ее деньгам алчная Гришкина любовница. Аж щеки покраснели до ушей арбузной сочной краснотой. Светкины мысли были написаны у нее на лице, и Алевтина разобрала их без труда: эта вислозадая шалава полагала, что Алевтина хочет отвадить от своего мужа прочих баб.

Ха-ха! Сохраняя на физиономии удрученное выражение, Алевтина про себя заливалась смехом. Не одинокий верный муж требовался ей, а муж без вины виноватый, окончательно раздавленный гнусным обвинением, дрожащий и пресмыкающийся. Вот это была бы достойная месть самодовольной Нинке Сысоевой. Алевтина утверждала себя на семейном Олимпе и собиралась властвовать там до конца жизни.

Потому и Макару Илюшину нашептала, что видела этих двоих в саду. Кое-что присочинила, конечно.

А главное, было поздно: пронырливый парнишка все разузнал и без нее. Алевтина надеялась, что он Гришке все кишки вымотает, обвинив в убийстве. Однако ж промахнулась.

Ничего, она свое возьмет. Алевтина даже знала, как именно это случится.

Она для виду повозила газетой по стеклу, с удовольствием наблюдая, как Гришка морщится от скрипа, но не смеет выразить недовольство. Протерла подоконник. Глянула на часы.

И фортуна ей улыбнулась: дверь приоткрылась, и в приоткрывшуюся щель вошел пудель Лаврентий.

— Ты куда это? — прикрикнула Алевтина. — А ну ступай, ступай отсюда!

Пудель растерянно остановился посреди комнаты.

Григорий оторвался от счетов и изумленно взглянул на жену.

— Ты чего, Аль?

— А пускай не привыкает тут шастать! — огрызнулась она.

— Так это... того... тут вообще-то его дом!

— Наш дом, а не его! Пошел, пошел отсюда! Пусть в коридоре околачивается.

Алевтина махнула на пса рукой. Тот попятился.

Большой злости к собаке в ней не было. Но она заметила, что Гришка проявляет к животному несвойственную ему нежность, и решила пресечь это на корню. У нее было смутное ощущение, что его сегодняшняя трезвость каким-то образом связана с Лаврентием, но она не могла его поймать и оформить в слова.

Гриша странным долгим взглядом посмотрел на жену.

— Не трогай его, — мягко попросил он. — Старенький он. Слабенький. В коридоре холодно.

— О собаке заботишься так, как о жене никогда не заботился!

— Ну не глупи...

Но Алевтину уже несло на волне сладко будоражащей злости.

— Пошел вон, тебе сказано! — прикрикнула она на собаку. Пес попятился.

— Он ведь плохого никому не делает, — увещевательным тоном произнес Григорий. Обычно румяная его физиономия слегка побледнела.

— Грязный он!

— Я его помыл вчера.

Что правда, то правда. Помыл в бане и потом феном сушил, как ребенка, пока пудель блаженно подставлял под струю горячего воздуха то бритое пузо, то спину с проплешинами. Два часа потратил, дурень.

Лучше б Григорий об этом не напоминал. Алевтина глубоко вдохнула, и плотину прорвало.

— Весь вечер убил на пса! Посмешище! Кого ты из себя корчишь? Думаешь, я не понимаю, что дальше случится? Запала твоего на две недели хватит, а потом мне придется с ним возиться! — Она брезгливо кивнула на собаку.

— Не придется, — тихо возразил Гриша.

— Молчи! Игрушку себе нашел, тоже мне! Еще и завещанием прикрылся! Совесть есть у тебя?

— Алевтина...

— Хорошим хочешь быть для всех? Вроде как последнюю волю исполняешь? Я тебя насквозь вижу, какой ты хороший! Паршивец ты, паршивцем был, паршивцем и останешься! Баб своих вспомни!..

— Баба Лиза меня назначила...

— У Елизаветы было время с ним цацкаться, а у меня нету, — отрезала жена. — Я с тобой вожусь, как с инвалидом, прости господи. Нос тебе подтираю, корм-лю-пою-обшиваю. Не хватало мне еще собаки!

Она с искренней ненавистью, старательно раздутой в себе из малой искры, зыркнула на пса. Тот по-прежнему беспомощно стоял, словно не понимая, что ему делать и куда идти. Это лишь подливало масла в огонь ее злости. «Притворяется, сволочь, чтобы его пожалели. Хочет, чтобы я живодеркой выглядела». Это ей было знакомо. Гришка поступал точно так же. Для всех Григорий бедненький, а Алевтина его третирует и изводит.

Муж медленно поднялся.

— И подстилку его вонючую в коридор перенеси! — скомандовала Алевтина. От лежанки под столом действительно попахивало.

— А не хватало, так иди отсюда, — тихо сказал Гриша.

— Что?

— Говоришь, тебе еще собаки не хватало? Вот и топай.

— Чего несешь-то, дурак...

Григорий выпрямился, и сходство между ним и сестрой бросилось Алевтине в глаза. Оно как будто обострилось от ее слов.

— Я, может, и дурак, — с закипающей яростью выговорил он, — но Лаврентия ты у меня не тронешь.

— Молчи уж... — начала было Алевтина.

Григорий шагнул ей навстречу. Шут гороховый, весельчак, пьяница и бабник растворился неведомо где. Перед Алевтиной стоял взбешенный мужчина, которого она никогда не видела прежде.

— Это мой Лаврентий, — роняя по одному слову, процедил он. — Мой дом. Моя покойная тетка. Не нравится тебе, как мы живем, так уходи отсюда.

Он сделал еще шаг к жене.

Елизавета Архиповна могла бы быть довольна. Что-то в этом роде она и планировала, оставляя недвижимость беспутному Гришке. Но Григорий зашел гораздо дальше, чем старуха могла предположить.

— Тоже мне, нашелся домовладелец... — начала Алевтина, не желая признаться, что ей стало не по себе.

— Уж какой есть, — оборвал ее Гриша. — И ты мне здесь командовать не смей.

«О тебе забочусь!» — хотела объяснить Алевтина, но впервые в жизни прикусила язык.

— Обитать мы будем тут с Лаврентием. Или оставайся и живи, как мы живем, — Григорий не сводил с жены сумрачного взгляда, — или убирайся. Но учти, — он сжал кулаки, — если заподозрю, что ты ему вредишь, — он кивнул на старого пуделя, — я тебе своими руками башку сверну!

В эту минуту Алевтина не усомнилась, что именно так Григорий и поступит. Ее охватило смятение. Тот мужественный Григорий, вышедший из-под ее контроля, который представлялся ей долгие годы, оказался совершенно не похож на этого рассерженного бледного толстяка. Неизвестно, что она там попирала ступней сорок первого размера, но только ноги ее оказались в грязи, а живой и невредимый Гриша стоял напротив, и с каждым его словом получалось так, что Алевтина проваливается все глубже.

— Что ты как разбушевался? — с принужденной улыбкой пролепетала она. — Ну, хочешь собаку, пускай живет.

— Уходи, Аль, — приказал Гриша. Не сказал и не попросил, а приказал. — Не надо тебе сейчас тут оставаться. Реши, чего тебе хочется. И тогда возвращайся.

Пудель Лаврентий, определившись первым, подбежал к нему и сел возле ног.

Гриша наклонился и потрепал курчавый черный затылок.

— Или не возвращайся.

Это окончательно добило Алевтину. Она схватила старую газету, приготовленную для мытья окон, протиснулась мимо Григория, выскочила из комнаты и припустила прочь, испугав стаю домашних уток. В ушах у нее почему-то отдавалось не тревожное кряканье, а злорадный смех Елизаветы Архиповны.

Эпилог

Очнувшись, старуха Пудовкина обнаружила себя сидящей на облаке. Далеко внизу Ока поблескивала синим серебром. Шавловские крыши, сбегавшие к ней по склону холма, сверху выглядели как ступеньки: хоть сейчас скачи по лесенке вниз к ручью и пускай в нем кораблики.

Покрутив головой, Елизавета Архиповна увидела по соседству ангела. Ангел болтал загорелыми босыми ногами, свесив их с края облака, а когда налетал очень уж сильный порыв ветра, вздрагивал распахнутыми за спиной крыльями.

— Прохладно нынче, — посочувствовала Елизавета.

— Ничего, к полудню разогреет! — отозвался ангел.

Елизавета придвинулась поближе и тоже свесила ноги. Подрыгала ими в воздухе и принялась колотить пятками по пушистой вате. Тепло! Мягко!

— Все облако мне сомнешь, — недовольно заметил ангел.

— Ничего, новое отыщешь, — отмахнулась Елизавета. — Их вокруг вон сколько!

Ангел вздохнул, покачал головой, но ничего не сказал. «То-то же! — наставительно подумала Пудовкина. — Еще он мне замечания будет делать!»

— Я, значит, померла? — уточнила она на всякий случай.

— Померла, — кивнул ангел.

— И сижу тут, значит, мертвая?

Ангел покосился на нее неодобрительно.

— Мертвая, как же. В гробу и в белых тапочках. Сама не видишь?

Елизавета оглядела себя. Платьишко хлопковое любимое, с васильками. Косынка. Гроба с белыми тапочками не наблюдается.

Она удовлетворенно хмыкнула: ну ладно...

Сидеть на облаке ей, надо сказать, нравилось. Было почти как в детстве, когда маленькая Лизка залезала на поваленную сосну у края обрыва, пробиралась по стволу к середине дерева и усаживалась на него верхом, размахивая руками и выкрикивая всякие глупости ветру и реке навстречу. И волосы так же сдувало со лба теплой волной, и внутри было столько счастья и свободы, что, казалось, на них можно взлететь в небо, как на реактивной тяге.

Она подергала ангела за край крыла.

— Слушай! А ты меня в эту, как ее... в преисподнюю не сбросишь?

— Ты говори, да не заговаривайся, — рассердился ангел, дернув крылом. — Делать мне больше нечего, как в ад тебя кидать.

Елизавета успокоилась. Не сбросят, значит. Вот и чудненько. По этому, с крыльями, сразу видно, что честный ответственный человек, не шелупонь какая-то.

— Я вот чего не понимаю, — сказала она, поразмыслив. — Давай уж начистоту, мне перед тобой притворяться как-то не с руки.

— Давай, — согласился ангел.

— Я ведь жизнь-то прожила не слишком хорошую, верно?

Ангел сочувственно кивнул.

— Врать не врала, убивать не убивала, — перечислила Елизавета. — Но и любить никого не любила. Людям некоторым пакостила! Ох, и помянут же они меня недобрым словом!

— Да уже поминают, — успокоил ангел. — Подлая ты, говорят, была старушонка.

— А еще что болтают? — нахмурилась Елизавета.

Ангел на секунду прищурился.

— А не надо было стоять под стрелой! — известил он, явно копируя кого-то. — То есть под гномом.

— Гришка языком чешет, пьяная рожа, — безошибочно опознала Пудовкина. — Никакого уважения к покойнице! Ух, я б его...

Она спохватилась и искоса глянула на ангела. Тот укоризненно покачал головой:

— Вот жеж ты вредная душа.

— А я о чем! — обрадовалась Елизавета. — Вредная! Я тебе про то и талдычу! За что же, объясни, меня сюда взяли?

Она обвела рукой розовую, как шиповниковый цвет, облачную пену.

Ангел поднялся и посмотрел на нее сверху вниз насмешливо и тепло.

— А за пуделя, — легко сказал он.

Подмигнул Елизавете Архиповне, взял ее за руку и повел, утопая по колено, в сторону поднимающегося солнца.

Облака все летели и летели над маленьким городком, раскинувшимся на берегу Оки.

Где-то внизу Галка ревела от счастья на плече Олега.

Нина варила компот на всех, включая негодяйку Алевтину.

Макар целовал Сашу Стриж.

Сергей Бабкин писал жене, что ужасно соскучился, как она могла отправить его в этот Шавлов в компании Илюшина, не любит она его совсем, не жалеет.

Григорий поливал капусту брокколи.

Пудель Лаврентий спал и дрыгал во сне задней лапой. Ему снилось, что он бежит к своей Елизавете по облакам, похожим на пушистые кошачьи спины.

Литературно-художественное издание

16+

Елена Ивановна Михалкова

ЧЕРНЫЙ ПУДЕЛЬ, РЫЖИЙ КОТ, ИЛИ СВАДЬБА С ПРЕПЯТСТВИЯМИ

Роман

Редакционно-издательская группа
«Жанровая литература»
Зав. группой *М.С. Сергеева*

Руководитель направления *И.Н. Архарова*
Редактор *Е.Ю. Пайсон*

Подписано в печать 20.02.2016 г. Формат 84×108 $^{1}/_{32}$.
Усл. печ. л. 18,48. Доп. тираж 3 000 экз. Заказ № 2647.

ООО «Издательство АСТ»
129085, г. Москва, Звездный бульвар,
д. 21, строение 3, комната 5

"Баспа Аста" деген ООО
129085 г. Мәскеу, жұлдызды гүлзар, д. 21, 3 құрылым, 5 бөлме
Біздің электрондық мекенжайымыз: www.ast.ru
E-mail: astpub@aha.ru

Қазақстан Республикасында дистрибьютор және өнім бойынша арыз-талап-
тарды қабылдаушының өкілі «РДЦ-Алматы» ЖШС, Алматы қ., Домбровский
көш., 3«а», литер Б, офис 1.
Тел.: 8(727) 2 51 59 89,90,91,92, факс: 8 (727) 251 58 12 вн. 107; E-mail:RDC-Almaty@eksmo.kz
Өнімнің жарамдылық мерзімі шектелмеген.

Өндірген мемлекет: Ресей
Сертификация қарастырылмаған
Отпечатано с электронных носителей издательства.
ОАО "Тверской полиграфический комбинат". 170024, г. Тверь, пр-т Ленина, 5.
Телефон: (4822) 44-52-03, 44-50-34, Телефон/факс: (4822)44-42-15
Home page - www.tverpk.ru Электронная почта (E-mail) - sales@tverpk.ru